MARC AUBIN

La Justicière

ROMAN POLICIER

LA FINALE DES COUPABLES

Conception de la page couverture : Geneviève Paradis Lord et
© Les Éditions de l'Apothéose

Graphisme : Geneviève Paradis Lord (www.pommeg.com)

Coaching d'écriture : Nadia Gosselin, alias Le pigeon décoiffé
(www.lepigeondecoiffe.com)

Révision linguistique : Fleur Neesham et Sara-Emmanuelle Duchesne

Correction d'épreuves : Hélène Belzile

Lecteurs, conseillers et collaborateurs : Josée Provencher, René Cormier et
Michel Vadeboncoeur

Distributeur : Distribulivre
www.distribulivre.com
Tél. : 819-668-6106
Télécopieur : 450-887-0130

© Les Éditions de l'Apothéose
Lanoraie (Québec) Canada, J0K 1E0
apotheose@bell.net
www.leseditionsdelapotheose.com

Dépôt légal — Bibliothèque et Archives nationales du Québec, 2015
Dépôt légal — Bibliothèque et Archives Canada, 2015
ISBN : 978-2-924261-59-0

Imprimé au Canada

NOTE DE L'AUTEUR

J'étais loin de me douter, lorsque j'ai entrepris ce projet en 2009, que l'écriture d'un roman policier allait nécessiter tant de travail. Œuvrant dans le domaine des affaires, et n'ayant que peu d'expérience en écriture, j'ai commencé par suivre un cours de création littéraire. J'ai dû effectuer ensuite une folle quantité de recherches sur le sadomasochisme, et m'entourer de quelques spécialistes afin d'en arriver à réaliser le but que je m'étais fixé. Quand par exemple ma coach d'écriture, Nadia Gosselin, me retournait un texte avec la mention « ce chapitre requiert encore beaucoup de travail », je me doutais bien qu'une nuit blanche m'attendait. De nombreuses heures de plaisir à fignoler mon texte!

Au moment où j'écris ces lignes, en ce 13 mars 2015, deux mois avant la sortie du roman, je réalise de plus en plus ce qu'est la véritable récompense de l'écrivain; pour moi du moins, c'est de savoir que j'aurai occupé vos vies, ne serait-ce que l'espace de quelques heures, en vous plongeant dans une histoire abracadabrante, dans laquelle j'ai investi une grande partie de moi-même. Je vous invite, par l'entremise de la page Facebook de « La Justicière », ou encore en utilisant l'adresse courriel, à me faire part de vos commentaires.

Bonne lecture!

Marc Aubin

Ce roman est une œuvre de fiction dont les personnages et événements sont le fruit de l'imagination de l'auteur. Toutes ressemblances avec des personnes réelles ne sauraient être que pures coïncidences.

Facebook : facebook.com/justiciere
Boutique en ligne : www.lajusticiere.ca
Twitter : @justiciere2015
Courriel : justiciere2015@gmail.com

*À tous ceux qui m'ont supporté
dans mon projet de roman.*

Prologue

La procureure de la Couronne Mélanie Bilodeau est rouge de colère. Depuis le début de sa pratique en droit, elle a gagné la majorité des causes qu'elle a plaidées, et cette fois-ci n'aurait pas dû faire exception. En fait, tous s'attendaient à ce que l'inculpé pourrisse en prison à perpétuité, mais, contre toute attente, il a été acquitté. Alors qu'elle sort de la salle d'audience, le sourire sardonique que lui lance l'accusé, Robert Pelletier, ne fait qu'amplifier le bouillonnement du sang dans ses veines. *Preuves insuffisantes, mon cul!* pense-t-elle en secouant la tête, abasourdie par le jugement que vient de rendre le jury.

Au terme d'une soirée bien arrosée, on avait retrouvé dans la piscine familiale le corps inanimé de madame Pelletier. Il flottait face au fond, entièrement dénudé, bras ouverts et jambes écartées, la peau boursouflée et le teint affreusement livide. On avait repêché la dépouille, puis on l'avait déposée sur les dalles de béton en retournant son visage vers le ciel nuageux. Sa bouche entrouverte laissait s'échapper un effroyable cri muet. On aurait dit une vulgaire poupée gonflable.

Aux dires de la défense, l'accusé était absent de la maison au moment du drame. En bon samaritain, il avait raccompagné en fin de soirée un ami en état d'ébriété. À son retour, tous les invités avaient déserté les lieux et il aurait alors fait la macabre découverte. Toujours selon la défense, la dame aurait voulu prendre un bain de minuit après le dernier départ et, ce faisant, aurait glissé sur le pavé entourant la piscine pour ensuite se frapper la tête sur le rebord de béton. Inconsciente, elle aurait chuté dans le bassin d'eau.

De son côté, la Couronne parlait plutôt d'une défense cousue de fil blanc, comparant même l'histoire à celles du célèbre Capitaine Bonhomme. Le visage de la victime révélait de curieuses ecchymoses. De toute évidence, elle avait subi des blessures allant au-delà d'une simple chute. De prime abord, tout pointait vers un cas de violence conjugale, des invités ayant été témoins d'une dispute en cours de soirée. Les raisons de celle-ci demeuraient cependant nébuleuses aux yeux des spectateurs, qui s'étaient empressés de calmer les ardeurs et d'encourager le retour à la légèreté. Le principal intéressé, sans nier la chose, avançait quant à lui ne pas avoir gardé souvenir des motifs de ce différend. Après quelques années de vie commune, les désaccords étaient inéluctables, arguait-il, et il n'y avait pas de quoi en faire un plat. La Couronne avait cependant soulevé l'hypothèse d'une nouvelle dispute, ayant éclaté plus tard celle-là, en l'absence de tout témoin, et durant laquelle Pelletier aurait frappé sa conjointe avant de la laisser pour morte dans l'eau chlorée du bassin. L'alibi du mari, qui pouvait paraître plausible, ne tenait pas la route selon les experts, en fonction de l'heure présumée du décès. Mais comment déterminer hors de tout doute qu'il se trouvait sur place à l'heure fatidique?

Une analyse de l'eau de la piscine avait révélé la présence de sang correspondant à celui de Pelletier. Preuve circonstan-cielle, argumentait la défense : en effectuant son jardinage plus tôt dans la journée, Pelletier s'était infligé une blessure, et cela expliquait à leurs dires les écorchures aux jointures de sa main droite. Il avait ensuite profité de la piscine pour se rafraîchir après quelques heures de labeur au grand soleil.

Ces arguments, combinés aux preuves déclarées inadmissibles en cour, avaient contribué à sa remise en liberté.

— Maître Bilodeau! s'exclame une voix féminine surgissant à quelques mètres d'elle.

L'avocate lève la tête et aperçoit, sur le balcon extérieur du palais de justice, une journaliste à la chevelure fine et brune, la silhouette élancée, assez jolie, qui semble impatiente de l'interroger.

— Pourriez-vous m'accorder deux minutes de votre temps? poursuit la jeune femme sans attendre la réponse de l'avocate. Je suis Nancy Tremblay, du journal *La Revue de Sherbrooke*, annonce-t-elle en jetant un œil circonspect autour d'elle et en s'assurant que sa voix porte assez loin pour être entendue par les gens qui entrent et qui sortent de l'édifice.

Elle s'approche un peu plus de l'avocate, qui vient de descendre les deux premières marches de l'escalier en béton.

— Je suis pressée, rétorque maître Bilodeau. J'ai une rencontre importante dans une dizaine de minutes. Une autre fois, peut-être...

Nancy Tremblay ne bouge pas, son regard vif est rivé sur la femme en toge.

— Ce ne sera pas long, insiste-t-elle. J'aimerais simplement vous poser quelques questions au sujet de ce procès controversé, qui le sera sans doute bientôt davantage à cause du verdict.

11

D'un geste impatient, l'avocate jette un coup d'œil rapide à la délicate montre en or qu'elle porte au poignet.

— Je vous donne deux minutes, précise-t-elle en serrant son porte-documents contre sa poitrine et en souriant artificiellement à un collègue qui la salue au passage.

La journaliste fouille dans sa serviette et, d'une main nerveuse, attrape son cahier de notes et sa plume.

— Quelles sont vos impressions sur le jugement? demande-t-elle, la pointe de son stylo déjà prête à valser sur la feuille.

— Déception et frustration, que dire de plus?

— Voilà un des rares cas dont vous ne sortez pas victorieuse, poursuit la reporter.

La femme vêtue de noir fixe son interlocutrice avec du feu dans les yeux.

— Tu sais très bien que s'il y a une cause que je croyais remporter, c'était celle-ci, siffle-t-elle entre ses dents en s'assurant de n'être entendue de personne.

La jeune avocate regarde ensuite à droite, puis à gauche.

— Suis-moi, ordonne-t-elle à la journaliste en se mettant en marche.

— Penses-tu en appeler? chuchote Nancy en tentant de suivre le pas empressé de Mélanie.

Sans lui répondre, cette dernière déverrouille la porte d'une salle de conférence déserte en cette heure de lunch, s'assurant que personne ne les surprenne à y entrer ensemble; on ne doit pas soupçonner qu'elles entretiennent des liens amicaux. Elles ont en ce moment une formule qui les sert toutes les deux : Nancy obtient ses primeurs judiciaires et, en contrepartie, Mélanie jouit d'un véhicule médiatique malléable selon ses intérêts. La jeune carriériste, qui ne brigue rien de moins que la prestigieuse fonction de juge, se préoccupe infiniment de son image professionnelle. Il importe donc de ne pas dévoiler qu'elles sont amies depuis l'université.

Après avoir bien refermé la porte derrière elle, l'avocate lance ses documents sur la table, à bout de nerfs.

— Ça m'enrage! La facilité avec laquelle la défense a réussi à soulever ce fameux doute raisonnable me déconcerte. Un vrai jeu d'enfant! Il s'est raconté plus de mensonges au cours de ce procès que dans une réunion de Pinocchios! Malgré tous les arguments majeurs que nous avons soumis, il a suffi de quelques explications boiteuses pour faire pencher l'opinion du jury, crache-t-elle d'un seul jet en frappant du poing la table de réunion, le visage écarlate.

— Je ne dis pas ça seulement pour te faire plaisir, Mélanie, avance la journaliste d'un ton consolant, mais à mon avis, tu as clairement établi la culpabilité de Pelletier.

La procureure se laisse tomber sur une chaise, puis desserre le col de sa toge.

— C'est n'importe quoi! Nancy, sais-tu que j'ai bossé un an de ma vie sur ce foutu procès? Je ne peux pas croire qu'il va s'en tirer. Ce salaud doit payer pour son crime.

— Je suis bien sûr de ton avis, Mélanie, tu n'as pas à me convaincre. Il ne mérite pas d'être innocenté. Chose certaine… tu peux te fier sur moi pour lui faire mauvaise presse!

CHAPITRE 1
Meurtre à Oka

— Bonjour, inspecteur Fournier. Vincent Legendre, de la Sûreté du Québec. Nous avons besoin de vous immédiatement à la plage d'Oka. On nous a signalé une noyade tôt ce matin, annonce la voix de manière précipitée.

Jacques Fournier soulève lourdement la tête afin de regarder l'heure sur le radioréveil posé sur la table de chevet.

— Vous me réveillez à six heures et demie pour une noyade?

Il étire le bras afin d'allumer la lampe de verre qui repose sur le petit meuble à ses côtés. À la lueur d'un halo mordoré, il attend des explications en se frottant les yeux du bout des doigts.

— Excusez-moi, inspecteur, poursuit la voix dans le combiné. J'aurais dû spécifier qu'il s'agit d'un meurtre, que la victime est morte noyée.

— Sur quelles bases reposent vos suppositions d'homicide? demande Fournier d'une voix encore rauque.

— Lorsque je suis arrivé sur place, l'homme était étendu de tout son long, à plat ventre sur le sable, les cheveux encore tout détrempés et les poignets menottés derrière le dos. Nous avons retrouvé un bout de papier enroulé et enfoncé dans l'une de ses narines, un message écrit de la main de la meurtrière.

L'attention de l'inspecteur augmente d'un cran. D'un coup de poignet solide, il fait voler la couverture au pied du lit et s'assoit brusquement, malgré une douleur lombaire qui le fait souffrir un peu plus qu'à l'habitude. Il porte la main à son dos en grimaçant.

— La meurtrière? Une femme? Vous êtes certain de ce que vous avancez?

— Lorsque vous prendrez connaissance du texte qu'elle a rédigé, vous serez à même de le constater.

— J'arrive dans une demi-heure, termine Fournier en raccrochant l'appareil.

L'inspecteur se lève et se dirige d'un pas assuré vers la salle de bains. Comme chaque jour que le Bon Dieu lui offre, il s'arrête un instant sur le seuil de la porte et se retourne, posant son regard sur le matelas vide, à l'endroit même où devrait se trouver sa femme si seulement la maladie ne l'avait pas emportée l'hiver précédent. Après trente ans de vie commune, il lui est difficile d'oublier le sentiment de béatitude qui l'habitait lorsqu'il la regardait dormir au petit matin, recroquevillée comme une enfant au milieu des draps blancs. Elle avait l'air d'un ange avec sa fine et blonde chevelure bouclée. Les années n'avaient pas altéré sa beauté : elle émanait de l'intérieur. C'était une femme au cœur d'or, d'humeur toujours égale, qui dispensait des sourires à tout un chacun.

— Maudit cancer, maugrée Fournier, les lèvres crispées et les yeux embués.

Il se ressaisit, ouvre le robinet et s'asperge le visage d'eau fraîche. Pressé de partir, il enfile les premiers vêtements qui lui tombent sous la main, ceux qu'il avait laissés par terre la veille, sur les tuiles de céramique mouchetée, au moment de sauter sous la douche. Il s'arrête devant le miroir, passe un rapide coup de brosse dans ses cheveux ébouriffés.

Seulement quelques minutes se sont écoulées depuis sa conversation avec Legendre, un policier qu'il ne connaît pas. Tant pis pour le déjeuner, il passera par le service au volant d'un Tim Hortons. Il croisera alors peut-être la belle Sarah qui, de sa voix chaleureuse, lui demandera : « Comme d'habitude, Jacques? » Il aime se faire appeler par son petit nom par les jolies demoiselles. Ça lui donne un sentiment de jeunesse.

En ce beau dimanche de juin, Fournier roule sur l'autoroute 640 en direction de la scène de crime. Impatient d'arriver sur les lieux, il pousse sa rutilante Infiniti FX50 davantage. De son appareil mains libres, il appuie sur la touche automatique pour joindre sa coéquipière.

— Excuse-moi de te réveiller si tôt ce matin, Annabelle, mais il s'est produit un meurtre à la plage d'Oka cette nuit. J'aimerais que tu viennes me rejoindre là-bas aussitôt que possible. Nous allons certainement hériter de l'enquête.

— Tu as des détails? s'informe la jeune femme, encore à moitié endormie.

— Très peu pour l'instant, mais selon toute apparence, il s'agit d'un homicide qui sort de l'ordinaire. Le crime serait l'œuvre d'une femme. Je t'attends sur place!

Nouvellement promue au rang de détective, Annabelle Saint-Jean travaille depuis peu en étroite collaboration avec Fournier. Fille d'ambition, elle n'a mis que deux ans à obtenir cette attribution au sein du département des crimes majeurs de la Sûreté.

De son côté, Fournier se plaît à jouer les mentors. Sans relâche, il lui relate le fin détail de dossiers qu'il a personnellement résolus, la mettant ensuite au défi de trouver à son tour la solution à chacune de ces affaires. Il espère ainsi contribuer à la rendre toujours plus perspicace dans l'exercice de ses nouvelles fonctions. Le sens inné de l'observation que possède Fournier, combiné à la logique peu commune d'Annabelle, fait d'eux une équipe redoutable.

Toujours célibataire et sans obligations familiales, Annabelle consacre beaucoup de temps à sa carrière. Ce faisant, et en raison des nombreuses heures qu'ils passent ensemble, elle a développé avec Fournier une relation qui va au-delà du travail : ils sont rapidement devenus amis. Lors du décès de madame Fournier, le soutien moral d'Annabelle avait permis à l'inspecteur de mieux traverser cette épreuve. Cela avait cimenté leur amitié. Déjà père de deux garçons, Fournier considère désormais Annabelle comme sa propre fille.

— Par ici, inspecteur! crie Legendre dès l'apparition de Fournier sur le lieu du crime.

Des rubans jaunes ceinturent l'endroit. L'heure matinale n'a nullement découragé les curieux, qui fourmillent autour de la scène. Nonchalamment appuyé contre un muret de pierres, le jeune Legendre, à la Sûreté depuis trois ans, observe l'approche du grand gaillard. Au milieu de la cinquantaine, l'inspecteur se distingue par sa grosse moustache retroussée, qu'il ne coupe jamais. C'est ni plus ni moins sa marque de commerce. Au poste, on le surnomme amicalement « Moustache ». Sa réputation le précède et, même à distance, sans le connaître, Legendre devine aisément qu'il s'agit de lui.

— Enchanté, monsieur Legendre, déclare Fournier en lui serrant la pince. Quelle est cette histoire de message qui en dit long, dont vous m'avez parlé au téléphone tout à l'heure?

— Voyez par vous-même, inspecteur, annonce le jeune homme en lui tendant le billet de manière nonchalante.

Fournier perd de longues secondes à enfiler maladroitement ses gants en latex bleus. Sans prendre la peine de cacher son irritation devant le sourire goguenard de son collègue, il accepte du bout des doigts le morceau de papier fripé et quelque peu souillé que lui tend ce dernier. Il le retourne de tous les côtés, s'assurant qu'il ne renferme aucun autre indice que le message lui-même. Il prend connaissance de la note écrite, dont l'encre bleue a coulé à quelques endroits.

« Robert Pelletier, tu as enlevé la vie à une femme sans reproches, une conjointe que tu ne méritais pas. En guise d'expiation, tu devais mourir des mains d'une Justicière. Lâche! »

— Justicière? questionne Fournier en fronçant les sourcils. Cet homicide serait l'œuvre d'une femme déterminée à faire sa propre justice?

— Chose certaine, elle a la rage au cœur, souligne Legendre.

— Vous dites?

— L'homme est dans un piteux état. On dirait qu'elle l'a torturé avant d'en finir avec lui.

— Où est le corps? demande Fournier en balayant l'endroit du regard.

— Sur la rive. Le technicien en scènes de crime s'y trouve déjà, de même que la pathologiste. Venez, je vous y conduis.

Annabelle se présente sur les lieux quelques minutes après Fournier. La longue marche des deux hommes vers le cadavre, entrecoupée de bribes de conversation, lui accorde le temps nécessaire pour les rejoindre au pas de course.

— Tu arrives juste à temps, Annabelle. Voici l'agent Legendre du poste d'Oka.

La jeune femme serre avec fermeté la main du policier.

Ce dernier est aussitôt happé par les yeux perçants d'Annabelle, qui se marient à merveille avec le veston bleu qu'elle porte ce matin-là. De toute évidence, il n'a jamais rencontré cette détective auparavant, car en aucun cas il ne l'aurait oubliée. Il a toujours eu un faible pour les grandes blondes aux yeux couleur ciel.

20

— Je souligne, reprend Legendre en détachant avec difficulté son regard de sa nouvelle coqueluche, qu'un couple a effectué le signalement aux environs de cinq heures ce matin.

— En effet, il est plutôt amoché, s'empresse de commenter Fournier en approchant du cadavre.

Nu comme un ver, l'homme porte de nombreuses marques sur le corps, dont des traces de mutilation au visage. D'importantes rougeurs circulaires lui recouvrent le dos et de profondes lésions semblent indiquer qu'il aurait reçu plusieurs coups de fouet. Qui plus est, un genre de fil de pêche lui transperce les lèvres à plusieurs endroits.

Fournier grimace puis pose un genou au sol près de celui qui, jusqu'à hier, était un homme dans la fleur de l'âge. Une jeune femme en blouse blanche est agenouillée à proximité de la victime; elle salue Fournier d'un hochement de tête.

— Bonjour, inspecteur. Docteure Josée Brière, pathologiste. Comme si ce n'était pas suffisant de le noyer, poursuit-elle sans faire plus de façon, on lui a gravé quelques lettres au couteau sur le ventre.

L'enquêteur incline la tête sur la droite pour réussir à déchiffrer une courte épitaphe :

« Lâche #1 »

À ce moment, une brise se lève au large, causant un tourbillon qui saupoudre le corps de plusieurs grains de sable. La pathologiste en profite pour se relever, tournant la tête et clignant des yeux, tout en essuyant ses mains sur ses pantalons.

Fournier, resté accroupi auprès du macchabée, détourne également le visage et ferme un moment les paupières afin de protéger ses yeux. Lorsqu'il les rouvre, son regard balaye les alentours et s'arrête, intrigué, sur un petit morceau de métal qui miroite au soleil. Sans dire un mot, il se relève et s'approche du reflet. Il s'agit d'un scalpel aux trois quarts enseveli dans le sable, que personne avant lui ne semble avoir remarqué. Il le retire du sol avec précaution, toujours ganté de latex. Brière désigne l'objet de la mâchoire :

— Qu'est-ce que c'est? demande-t-elle.

— Un scalpel, précise Fournier en observant la pièce à conviction, qui a dû servir justement à buriner la peau de la victime…

— La meurtrière a dû le perdre dans le sable, car il n'y a certes pas de raison de le laisser sur les lieux du crime.

Fournier considère un instant la pathologiste avec un peu plus d'attention, et se souvient tout à coup l'avoir déjà croisée du temps où elle était stagiaire. Cela devait remonter à deux ans. À l'époque, elle ne faisait qu'observer le travail du personnel d'encadrement, sans pouvoir approcher la dépouille. Elle lui fait penser à son Annabelle, une jeune femme en début de carrière dans le domaine judiciaire, confiante, et jolie en prime.

Un homme apparaît à proximité du groupe. Il s'agit de Marc Bissonnette, le technicien en scènes de crime, affairé à la prise d'échantillons. Connaissant peu ce spécialiste reconnu comme étant l'un des plus méticuleux du métier, Annabelle le scrute d'un œil soutenu. Fournier, qui connaît depuis des lunes le fringant Bissonnette, renommé dans toute la province, se réjouit de l'affectation de celui-ci au présent dossier.

22

Il tend le scalpel nouvellement découvert en direction de Bissonnette, qui écarquille les yeux à la vue de l'objet.

— Mais d'où...

— Je l'ai repéré grâce à un coup de chance, explique Fournier. Il était presque entièrement enfoui dans le sol. Sans l'apport du vent et du soleil, je ne l'aurais probablement pas aperçu. Et vous, monsieur Bissonnette, avez-vous déniché d'autres objets ou accessoires particuliers sur les lieux?

— Oui. Enfin, le travail n'est pas terminé encore, mais j'en ai recueilli des centaines déjà, sauf qu'à peu près aucun d'entre eux ne semble à première vue être lié au crime. Vous savez, sur une plage publique, on retrouve toutes sortes de choses, déclare Bissonnette en pointant son sac translucide rempli de menus objets. Même des mini-vibrateurs qui s'apparentent à un rouge à lèvres! Selon toute apparence, à l'exception du scalpel, il s'agit d'une scène de crime bien nettoyée. L'assassin a pris soin de couvrir ses traces. Je soupçonne par ailleurs la participation d'un ou de quelques complices.

Annabelle avance de quelques pas afin de ne rien manquer de ces révélations.

— Les marques de pneus de deux voitures ont été balayées en bordure du boisé qui leur a, semble-t-il, servi de stationnement, explique le spécialiste. Une branche de sapin aurait été utilisée pour les effacer.

Josée Brière lève l'index :

— Des complices, vous dites? Ça pourrait expliquer comment cette Justicière aurait réussi à passer les menottes à un homme de cette stature...

— Pour ce qui est du corps, docteure Brière, qu'avez-vous noté précisément? s'informe Fournier.

— D'une part, plusieurs dents sont cassées. Vous voyez ces restants de fil de pêche qui lui transpercent les lèvres à plusieurs endroits? C'est qu'au moment où la meurtrière s'est acharnée sur sa mâchoire, la victime avait sans doute déjà les lèvres cousues. Selon toute vraisemblance, elle lui aurait infligé une véritable raclée et, à la suite de son décès, lui aurait gravé le torse avant de sectionner le fil de pêche à l'aide de son scalpel. Peut-être avait-elle l'intention d'insérer le bout de papier portant son message de vengeance dans la bouche de la victime plutôt que dans une narine, pour finalement se raviser. Elle aurait ensuite égaré son instrument, si j'en juge ce que vous avez découvert tout à l'heure. Enfin... ce sont là des constats et des hypothèses très préliminaires; je pourrai de toute évidence vous fournir davantage d'informations à la suite de l'autopsie, inspecteur.

— Beau gâchis, commente Annabelle en observant encore le cadavre et les alentours. Au fait, avez-vous réussi à identifier la victime, agent Legendre?

Ce dernier, qui farfouillait dans le sable avec ses bottes dans l'espoir de trouver lui aussi un élément nouveau, relève vivement la tête en entendant son nom dans la bouche de la belle blonde. Du coup, il réalise qu'elle ignore toujours la teneur du message laissé par la Justicière. Il lui tend la pièce à conviction.

— Il s'agirait de Robert Pelletier, mais rien n'est encore confirmé, précise-t-il. Étrangement, la meurtrière a pris soin d'indiquer ce nom sur sa petite note, de manière à identifier clairement sa victime. La question est de savoir pourquoi. En tout cas, elle n'a pas frappé au hasard, mais de manière très ciblée, si on en croit ce qui est écrit sur ce billet. Nous avons donc affaire à un crime prémédité.

Fournier se ronge l'ongle du pouce, tout en songeant à la façon d'amorcer cette enquête. Jamais encore au cours de sa longue carrière, il n'a été témoin d'un meurtre aussi insolite. Au bout de quelques secondes, il crache au sol en réalisant que son doigt goûte le latex. Irrité, il retire ses gants pour les enfoncer dans la poche arrière de son pantalon, puis se tourne en direction d'Annabelle :

— Je dois me rendre au bureau, mais j'aimerais que tu demeures sur place avec l'agent Legendre, le temps de recueillir toutes les informations. On pourrait se rejoindre pour le lunch au Flavio. Ça te va?

— Certainement, chef. À tantôt.

❦

Il est 11 h 45 lorsque Fournier entre au café. Déjà bondé de clients, l'établissement typiquement italien est parfumé d'une odeur de charcuterie. Réputé pour sa cuisine simple et de bon goût, le restaurant propose par ailleurs un comptoir de produits fabriqués sur place avec grand soin.

— Seulement un Pepsi sans glace pour l'instant, commande Fournier auprès de la serveuse. J'attends ma collègue.

À la suite de plusieurs appels téléphoniques au cours de la matinée, l'enquête a pu être officiellement ouverte. Déjà, l'identité de la victime a été corroborée et des policiers ont amorcé une fouille complète de la résidence de Robert Pelletier. Parmi le lot d'appels entrants reçus par Fournier se trouvait celui de Nancy Tremblay, journaliste à *La Revue de Sherbrooke*, qui a particulièrement retenu son attention. Dans son message vocal, elle s'était montrée plutôt insistante, avide de connaître les détails de l'homicide, et réclamait de manière empressée une rencontre avec l'enquêteur responsable du dossier. De surcroît, elle s'annonçait déjà en route pour Montréal.

Après avoir poussé un long soupir et avoir tâché de se décrisper quelque peu les muscles du cou, Fournier consulte de nouveau son iPhone afin de réviser son horaire des prochains jours. Soudain, derrière lui, une voix familière perce la cacophonie ambiante :

— Alors, il y a du nouveau de ton côté? s'enquiert Annabelle en prenant place sur la chaise en face de lui.

— Ça n'a aucun bon sens, Annabelle. La province au grand complet et même le reste du Canada sont déjà au courant de ce crime inusité; la population est avide de détails et le Web s'enflamme. Je veux bien croire qu'il s'agit d'un meurtre bizarre, mais bordel... à l'heure des réseaux sociaux, le travail des policiers n'est plus ce qu'il était. Déjà toutes sortes d'hypothèses et de rumeurs circulent... Internet est un monstre, tu comprends? On ne sait pas si les trucs qui s'y racontent ne viendront pas faire foirer l'enquête. Nous avons intérêt à tenir la bride serrée, et à ne pas laisser filer n'importe quelle information.

Devant l'emportement de Fournier, Annabelle demeure muette et s'appuie contre le dossier du siège. Apparemment, son collègue en a long à dire.

— Qui plus est, poursuit-il en piochant du doigt sur la table, je viens tout juste d'apprendre que la victime est connue des policiers pour une accusation de meurtre qui remonte à deux ans. Ce qui explique la note de la Justicière voulant qu'il ait enlevé la vie à une femme soi-disant sans reproches, sa conjointe, en l'occurrence. Tous s'attendaient à un verdict de culpabilité, mais dans un revirement inattendu, le jury l'a innocenté. Aux dires de mes contacts, les preuves semblaient pourtant accablantes.

— Quelles étaient les circonstances de cet homicide présumé?

— Pelletier avait été accusé de voies de fait graves et du meurtre par noyade de sa femme, retrouvée sans vie dans la piscine familiale. C'est tout de même étrange qu'il subisse un sort semblable. Tu ne trouves pas?

La serveuse, une jeune rousse bouclée aux hanches proéminentes, s'avance pour prendre les commandes. Annabelle lui sourit poliment et demande une demi-salade César au poulet, sans vinaigrette. Fournier lève les yeux au ciel, exaspéré de constater qu'Annabelle est encore au régime, alors que, selon son propre avis sur le sujet, elle n'en a pas besoin.

— Comme d'habitude pour vous, monsieur Fournier? demande la serveuse.

— Appelle-moi Jacques, lui répond-il avec un sourire obligeant. Oui, Marjorie, merci. Et n'oublie pas : la sauce à part!

Annabelle et Jacques font partie des clients réguliers du Café Flavio. Ils s'y arrêtent chaque semaine et prennent place presque toujours à la même table longeant la grande fenêtre, qui permet d'avoir l'œil sur les allées et venues du stationnement.

Fournier a beau examiner le menu, il s'en tient constamment aux mêmes choix, comme si cela le réconfortait. Les petits plats de sa femme lui manquent terriblement. De plus, il déteste cuisiner, alors il prend désormais la majorité de ses repas au restaurant. Rien ne lui semble plus pénible que de se retrouver seul dans sa cuisine devant une chaise vacante. Il ne supporte pas cette absence qui rend dans son esprit sa femme encore plus présente. Il préfère l'animation des restaurants à la lancinante nostalgie de sa regrettée disparue.

Une fois de plus, le cellulaire de Fournier vibre sur la table. Il consulte l'afficheur en grimaçant.

— Foutue journaliste! Elle ne lâchera pas le morceau, bougonne-t-il en choisissant d'ignorer l'appel.

Il la contactera plus tard, si le cœur lui en dit.

Tout le repas est entrecoupé de conversations téléphoniques de part et d'autre, Annabelle et Fournier prenant chacun des notes, appareil coincé entre oreille et épaule. L'arrivée d'un énorme morceau de gâteau au chocolat déposé devant l'inspecteur crée un moment d'accalmie.

— Tu sais, Jacques, je me pose surtout des questions au sujet de l'inscription gravée au couteau sur le corps de la victime, le fameux « Lâche #1 », confie Annabelle en détournant la tête, évitant de regarder le dessert invitant de son collègue.

— Mais encore? marmonne Fournier, la bouche pleine et les lèvres enduites de glaçage.

— J'ai ma petite théorie concernant la possible signification de cette inscription. Au départ, je croyais que la meurtrière cherchait simplement à qualifier Pelletier du plus grand des salauds. J'espère faire fausse route, mais j'estime qu'il est approprié de présumer que cette Justicière veut par là plutôt le désigner comme étant sa première victime.

— Bordel! s'exclame Fournier, les yeux ronds comme des billes, postillonnant un peu de crémage. Dans cette éventualité, nous aurons d'autres victimes! À bien y penser, c'est une hypothèse affreusement plausible, Annabelle. Donne-moi deux minutes...

Sans hésiter, il compose le numéro de la standardiste du poste de Mascouche.

— Ici Jacques Fournier. Passez-moi Dupont.

Rapidement, René Dupont, l'inspecteur-chef et commandant du district Montréal-Laval-Laurentides-Lanaudière de la Sûreté du Québec, décroche le combiné.

— Dupont à l'appareil.

— Bonjour, patron, c'est à propos du meurtre de ce matin dans notre secteur, commence Fournier en épongeant sa bouche avec une serviette souillée de chocolat. La victime portait une marque sur le corps qui nous rend perplexes. Pour l'instant, nous cherchons à établir la signification des gestes posés par la meurtrière, une femme qui signe du nom « La Justicière ».

Fidèle à sa réputation d'homme calme et rationnel, Dupont laisse passer un court moment de silence pour assimiler les paroles de Fournier, puis inspire profondément.

— Je vois, indique le grand patron sur un ton rassurant. De quelle manière pouvons-nous vous assister?

— Nous craignons que cet homicide puisse ouvrir la voie à d'autres. Si tel est bien le cas, nous devons à tout prix rester sur nos gardes et investir autant d'efforts que possible dans cette affaire, d'où la nécessité d'ajouter quelques enquêteurs à notre équipe, plaide Fournier.

— Je m'en occupe, promet Dupont.

— Si possible, commandant, ajoute Fournier en piochant du doigt sur la table comme il le fait toujours lorsqu'il s'emporte, j'aimerais compter sur l'appui de détectives additionnels dès demain matin, à l'occasion de ma première réunion. Il y a tout lieu de croire que ce dossier ne sera pas de la petite bière. Cette affaire requiert notre attention immédiate, et nécessitera probablement la collaboration de nombreux spécialistes dans un avenir rapproché. En fait, nous avons possiblement un cas de meurtrière en série sur les bras!

CHAPITRE 2
Post mortem

Au lendemain de la découverte du corps de Robert Pelletier à la plage d'Oka, l'inspecteur Fournier s'apprête à accueillir les enquêteurs attitrés au dossier de la Justicière. Les fesses sur le bout de son siège, dans la salle de conférence du poste de Mascouche, il griffonne quelques notes supplémentaires sur une nouvelle page de son cahier, en attendant l'arrivée de l'équipe assignée à cette affaire. Vingt-quatre heures plus tôt, le commandant Dupont lui avait promis du renfort, mais Fournier ne sait toujours pas avec précision à quoi s'en tenir.

Bientôt, il distingue un bruit de pas qui s'approchent. Le son des talons qui claquent dans le couloir fraîchement ciré ne laisse aucun doute : c'est Annabelle. Lorsqu'elle apparaît enfin dans son champ de vision, une boîte de pâtisseries à la main, Fournier dépose ses lunettes de lecture près de son café refroidi.

— Bonjour, Jacques. Tu as appris la nouvelle? lui demande-t-elle en arquant les sourcils, fière de sa primeur.

Fournier hausse les épaules, admettant avec agacement son ignorance.

— Veux-tu bien cesser tes devinettes? bougonne-t-il.

Habituée à l'humeur quelque peu grognonne de Fournier, laquelle se manifeste la plupart du temps en début de journée, Annabelle tente d'adoucir son collègue en lui adressant son plus beau sourire et en lui plantant la boîte de pâtisseries grande ouverte sous le nez.

— Je viens tout juste de croiser le commandant dans le stationnement, précise-t-elle, plutôt fiérote. Pour faire suite à ta demande, il s'est empressé d'acheminer une requête à tous les directeurs de postes de notre district, à la recherche d'enquêteurs disponibles. Apparemment, il aurait réussi à dénicher trois détectives.

Heureux de ce dénouement, Fournier retrouve soudainement l'appétit, lui qui n'avait aucunement le goût de déjeuner quelques heures plus tôt. Sans plus attendre, il plonge sa main dans la boîte et empoigne un beigne au chocolat, qu'il se fourre aussitôt dans la bouche.

— Excellent, commente-t-il en se léchant les doigts. La présence du technicien en scènes de crime, que j'ai réclamée ce matin, servira à mettre tout ce beau monde au parfum, ajoute-t-il en lorgnant encore le contenu de la boîte que sa collègue vient de déposer sur la table.

Un homme de grande stature et à l'allure distinguée franchit le seuil de la porte, un journal enroulé à la main. Fournier le regarde d'un œil morne en choisissant distraitement un autre beigne, cette fois-ci au caramel.

— Je souhaite me joindre à vous, Jacques, indique le commandant Dupont de sa voix profonde. Le quartier général vient tout juste de me confirmer l'octroi de quelques enquêteurs supplémentaires. Je les attends d'un instant à l'autre.

— Je vous en prie, insiste Fournier en invitant le commandant à s'asseoir, désignant de son doigt couvert de crémage une chaise placée devant lui.

Dupont prend place à proximité de Fournier et observe avec dédain la main de ce dernier, qui explore de nouveau le contenu de la boîte. Annabelle roule de grands yeux horrifiés en calculant le nombre de calories que représente une troisième pâtisserie.

Entrent alors un homme et une femme.

— Je vous présente le sergent Pierre Corriveau du poste de Lachute, ainsi que la lieutenante Lyne Granger de Saint-Jérôme, annonce le commandant Dupont en se relevant.

— Bienvenue chez nous, ajoute Annabelle en leur tendant la main. Café, beignes? Servez-vous.

Fournier se lève, mais hésite, en raison de ses doigts collants, à leur tendre la main à son tour. Embarrassé, il grommelle en s'essuyant tant bien que mal avec les serviettes de papier qui lui collent aux phalanges.

— Au fait, Fournier… rigole Dupont en lui faisant signe qu'il a un petit quelque chose autour de la bouche.

L'inspecteur virevolte, question de consulter le miroir qui se trouve au mur, derrière le portemanteau. À la vue de sa moustache parsemée de crème blanche, il agrippe une autre serviette en papier et l'essuie promptement.

— Il ne manque plus qu'un enquêteur et le technicien, indique sitôt Fournier en tentant de dissimuler son malaise, craignant d'avoir eu l'air ridicule. Nous allons débuter dès leur arrivée.

Le sergent Corriveau, début quarantaine et démarche mollassonne, en profite pour déplacer sa corpulente carcasse en direction de la cafetière disposée en permanence sur le comptoir situé à l'arrière de la salle. Il se verse une tasse de café moka et l'arôme de chocolat remplit la salle de réunion dans les secondes qui suivent.

La lieutenante Granger, quant à elle fervente de conditionnement physique et d'alimentation bio, se verse un simple verre d'eau glacée à même le pichet placé au centre de la table. Elle lève les yeux en soupirant à la vue des collations qui se trouvent devant elle, une image qui semble être toujours la même : des pâtisseries, dans une boîte déjà à moitié vide, alors que la réunion n'est pas encore amorcée. La prochaine fois, elle se chargera d'apporter des muffins nutritifs, sans gluten de préférence.

Du coin de l'œil, Fournier aperçoit deux hommes qui discutent dans le cadre de la porte. Il reconnaît aussitôt ces messieurs, rencontrés le jour auparavant sur la scène du crime. Bien que la présence du technicien en scènes de crime, Marc Bissonnette, soit prévue, celle de Vincent Legendre, simple patrouilleur dans la région d'Oka, le surprend. *Comment se fait-il qu'il soit au poste ce matin?* se demande Fournier. Serait-il la dernière recrue qu'attend Dupont?

L'inspecteur s'avance et accroche par le coude le patrouilleur qui termine sa discussion.

— J'ignorais que vous étiez détective, lui dit-il.

— En fait, bien que j'aspire à cette fonction, ce titre m'échappe encore, admet Legendre. Je suis toujours simple agent, mais devant mon insistance auprès de mon directeur, et le manque d'effectifs pour cette enquête, on a acquiescé à ma demande de me joindre à votre belle équipe.

Sur ces mots, Legendre adresse un clin d'œil à Annabelle au moment où il l'aperçoit, un geste qui n'échappe pas à Fournier. Aucunement impressionnée, celle-ci secoue la tête devant le manque de professionnalisme de l'agent. Rien ne l'horripile autant que ces façons cavalières. Cette petite arrogance masculine lui semble ridicule.

— Si vous voulez bien m'accepter, poursuit Legendre, toujours en discussion avec Fournier, je serais ravi d'apprendre les rudiments du métier sous votre direction, vous qui avez une si grande expérience dans le milieu.

Foutaise, songe l'inspecteur, qui n'ignore pas l'inclination de Legendre pour sa coéquipière. *Ce jeune coq semble plutôt souhaiter côtoyer Annabelle.* À court de main-d'œuvre, il n'a cependant d'autres choix que de l'admettre dans son groupe. Il faudra le garder à l'œil.

— Veuillez prendre votre siège, l'invite Fournier en tâchant de ne pas paraître trop agacé.

En quelques secondes, le bruit des chaises qui glissent au sol fait place au silence.

— Comme vous le savez déjà, un meurtre plutôt singulier s'est produit sur notre territoire hier matin, résume Fournier.

À compter d'aujourd'hui, grâce à la collaboration du commandant Dupont, nous avons une équipe prête à élucider cet homicide. Nous devons coûte que coûte retrouver cette soi-disant Justicière avant qu'elle ne récidive!

— Récidive? s'exclame le grassouillet sergent Corriveau, du poste de Lachute. Comment pouvez-vous anticiper une telle chose, inspecteur?

Sur ces mots, il se meut avec difficulté sur son fauteuil inconfortable, trop petit pour sa taille. Du coup, il repère une chaise plus adéquate, sans accoudoirs celle-là, et songe à la manière de changer de siège de façon discrète.

— Si vous permettez, sergent Corriveau, nous allons en discuter à la suite de l'intervention de monsieur Bissonnette, répond Fournier. Il n'a qu'une dizaine de minutes à nous consacrer, précise-t-il en tapotant sa montre.

De son nouvel emplacement, à proximité des pâtisseries, Corriveau étire le bras afin d'empoigner le dernier beignet. À ses côtés, la lieutenante Granger fixe son regard sur le ventre rond de celui-ci, tout en secouant négativement la tête. Corriveau lui roule de gros yeux en avalant la pâtisserie en à peine trois bouchées, comme si la rapidité d'ingestion faisait disparaître du même coup la faute.

En replaçant de ses doigts graisseux ses feuilles de notes et son stylo, il renverse le verre d'eau de sa voisine. Cette dernière pousse un strident cri de surprise lorsque le liquide froid se répand sur sa chemise en une seule vague. L'eau imbibe aussitôt le tissu, ce qui la fait grelotter quelque peu alors qu'elle pince le coton en le secouant pour l'assécher. Corriveau se confond en excuses, les joues empourprées, mais elle le rabroue d'un geste exaspéré.

— La parole est à vous, monsieur Bissonnette, reprend Fournier, soucieux de minimiser l'incident et de ne perdre aucune précieuse minute de la présence du technicien. Pouvez-vous nous résumer la situation, nous faire part de vos observations?

— D'emblée, la plage d'Oka, un endroit public de grand achalandage, nous pose quelques ennuis de dépistage d'indices, commence le technicien. J'ai tellement recueilli de petits objets, de fibres, de cheveux, de mégots et produits de toutes sortes, que nos laboratoires en ont plein les bras ce matin.

— Sur quelle étendue avez-vous effectué vos prises d'échantillons? s'enquiert Lyne Granger en agitant toujours le tissu de son chemisier pour l'assécher.

— Environ cent mètres à la ronde, dont les berges du lac des Deux Montagnes ainsi que les parties peu profondes. Nous avons également ratissé l'endroit où étaient garées les voitures, précise-t-il.

Les regards de Corriveau et de Granger se croisent. Ils semblent tous les deux s'interroger sur le même point.

— Avez-vous bien dit LES voitures? demande la lieutenante.

— C'est exact. Grâce à l'utilisation d'une branche de sapin, qui fait maintenant partie de nos pièces à conviction, on a manifestement effacé des traces de pneus qui s'étendaient sur une superficie assez grande pour accueillir deux voitures. Ça nous porte à croire que la Justicière aurait reçu l'aide d'au moins un complice et que, pour une raison qui nous échappe, ils se seraient possiblement déplacés à l'aide de deux véhicules plutôt qu'un seul. Donc, poursuit Bissonnette après avoir bu une gorgée d'eau, nos laboratoires d'empreintes digitales, de chimie et de génétique ont reçu plusieurs articles à des fins d'analyse. Nous avons également quelque espoir que le scalpel retrouvé sur les lieux nous dévoile ses secrets. D'ici deux jours, tout au plus, les résultats vont commencer à entrer. Même chose pour la salle d'autopsie, qui nous fournira certainement des pistes utiles pour la suite de l'enquête.

Bissonnette empoigne la mallette brune qui se trouve par terre à sa gauche, la dépose sur ses genoux, puis en retire un dossier dont la couverture arbore le mot *Justicière* en grosses lettres rouges. Il lance le document sur la table.

— Chose certaine, toutes les empreintes, tant digitales que palmaires, ainsi que les traces d'ADN prélevées, subiront un test de vérification comparative avec tous les sujets déjà fichés dans les banques de données policières et de la GRC. Si jamais il y a correspondance avec un individu connu des autorités, nous le saurons immédiatement.

Pendant de longues secondes, les enquêteurs réfléchissent aux informations que vient de leur dévoiler Bissonnette. Seul le bruit de quelques doigts qui pianotent sur la table perce le silence, gracieuseté du commandant Dupont.

— Vous dites que le scalpel peut nous apporter son lot d'informations, intervient Annabelle. Hormis les empreintes, de quelle autre façon pouvons-nous en tirer des indices?

— D'une part, la marque et le modèle peuvent nous orienter quant à la provenance de l'objet, répond Bissonnette, car ce type d'instrument n'est pas aussi répandu qu'on peut le croire. Rien à voir avec ceux communément vendus dans les rayons de matériel scolaire des papeteries. Il s'agit d'un outil de professionnel. Nous pouvons également utiliser la chromatographie, une technique nous permettant d'analyser toutes les particules qui se trouvent sur une pièce à conviction. Parfois, les résultats nous indiquent, à titre d'exemple, que notre échantillon est impur, qu'il est entré en contact avec un corps étranger. Maintes fois, c'est l'identité de cet autre objet qui nous fournit une piste à suivre.

— Pourquoi la Justicière aurait-elle omis de retirer les menottes? intervient brusquement Fournier. N'est-ce pas un peu comme ce scalpel? Ce faisant, elle nous accorde des indices supplémentaires. Il me semble qu'il s'agit d'une imprudence de sa part.

— À cet égard, votre expertise surpasse la mienne, inspecteur.

— Excusez-moi, monsieur Bissonnette, je ne faisais que penser tout haut, se reprend Fournier.

Le technicien pointe enfin le document qui repose sur la table de conférence.

— Dans cette chemise se trouve une copie de toutes les photos prises hier matin. Elles sont à vous. Je dois bientôt procéder à la reconstitution de la scène de crime, en fonction des données recueillies sur place. Je communiquerai avec vous dès que j'aurai terminé la maquette.

Bissonnette se lève alors.

— Ceci achève mon rapport préliminaire, inspecteur Fournier. Mesdames, messieurs, je vous prie d'excuser mon empressement, mais comme vous le savez peut-être, ma femme est sur le point d'accoucher, le travail est amorcé et je dois donc me rendre à l'hôpital immédiatement.

Ce faisant, il salue les participants, ramasse ses papiers en vitesse et passe la porte en coup de vent. En guise de courtoisie, le commandant Dupont bondit de son siège afin de le raccompagner.

L'agent Legendre affiche un sourire espiègle.

— Voilà la raison pour laquelle il semblait si agité : il avait le feu au derrière, commente-t-il.

— Bon, revenons à nos moutons, le temps nous presse, reprend l'inspecteur. J'aimerais insister sur notre inquiétude par rapport à une possible récidive.

Le sergent Corriveau, qui avait questionné Fournier à ce sujet en début de rencontre, tend une oreille attentive.

— Pour l'instant, il va de soi que les motifs de la Justicière nous échappent encore, mais réfléchissons deux secondes, propose Fournier. Se pourrait-il qu'elle projette de commettre un nouveau délit? Elle n'a pas jugé suffisant de buriner l'inscription « Lâche #1 » sur l'abdomen de la victime, comme s'il s'agissait d'une numérotation; elle a également pris soin de transmettre un message de vengeance sur un bout de papier. Ne se donne-t-elle pas l'apparence d'une femme en mission? Et que dire de la signature qu'elle a choisie? Robert Pelletier n'est certainement pas le seul individu présumé coupable à s'en tirer indemne devant la justice. Or, la Justicière s'attribue vraisemblablement ce titre dans l'intention de faire d'autres victimes. Il est permis de croire qu'elle pourchasse des inculpés ayant échappé à la justice et qu'elle juge coupables malgré leur acquittement. Si tel est le cas, nous devons agir de toute urgence, et déployer nos efforts sur-le-champ afin de prévenir d'éventuels meurtres aussi sordides que le premier.

Au grand dam de Granger, qui supporte difficilement son voisin de table, Corriveau essuie sa bouche à même la manche de son veston.

— Je crois que ce serait une erreur que d'ignorer l'hypo-thèse suggérant que la Justicière puisse frapper à nouveau, poursuit Fournier. Voilà pourquoi nous devons nous mettre au travail dès ce matin. Avons-nous des volontaires pour effectuer des recherches aux archives?

Sans surprise, personne ne lève la main, ce travail étant réputé comme une tâche des plus ennuyantes.

— Je m'en occupe, consent Granger à la suite d'une longue hésitation.

— Très bien. D'entrée de jeu, je propose d'examiner les dossiers judiciaires de tous les procès criminels des cinq dernières années sur le territoire québécois, insiste Fournier. Nous devons cibler les cas susceptibles d'intéresser notre Justicière.

Se considérant d'abord comme un détective de terrain, Corriveau pousse un soupir de soulagement, heureux de se soustraire à un travail fastidieux. Cependant, la tâche que lui réserve l'inspecteur se veut tout aussi ardue.

— Corriveau, je vous confie le dossier de l'accusation contre Robert Pelletier. Ça implique de relever les détails du procès, de nous parler des gens mêlés à cette cause, et de faire état des réactions au verdict d'acquittement et tout ce qui s'y rattache.

Corriveau fait la moue. À n'en pas douter, il aurait aimé œuvrer aux interrogatoires liés directement au meurtre perpétré par la Justicière.

— Détective Saint-Jean et moi, nous allons nous charger d'interroger l'entourage de Pelletier, indique Fournier. À titre de recrue dans le domaine des enquêtes, je vous garde avec moi, agent Legendre. Vous serez avec nous.

Ce dernier est sans contredit le plus satisfait du groupe, chérissant le fait d'être jumelé aux principaux responsables de l'enquête. Par-dessus tout, il entrevoit avec optimisme cette occasion de passer du temps avec celle qui lui est tombée dans l'œil.

— D'ici notre prochaine rencontre, termine Fournier en s'adressant à tous les participants, je vous invite à communiquer avec moi au moindre nouveau développement. Je souhaite par ailleurs une étroite collaboration entre vous tous. Est-il nécessaire de vous rappeler l'importance de chaque petit détail, aussi anodin puisse-t-il sembler? Des bagatelles conduisent parfois à un indice majeur. Ce sera tout pour aujourd'hui.

Les enquêteurs se lèvent avec entrain, les fauteuils reculent à l'unisson, les conversations s'enchaînent, un certain brouhaha s'installe au milieu d'une salle animée de gens anxieux d'entreprendre un travail d'enquête inhabituel. Personne cependant ne se doute encore de l'ampleur que s'apprête à prendre cette histoire et du chambardement que la Justicière est sur le point de causer dans les annales judiciaires du Québec.

CHAPITRE 3
Jeune Justicière

Je n'avais que treize ans lorsque, pour la première fois, j'ai éprouvé le désir de dominer les garçons. À cette époque, j'étais loin de me douter qu'un jour j'allais devenir adepte de sadomasochisme, une maîtresse pour hommes soumis ou, plus spécifiquement, une dominatrice.

À l'amorce de mes études secondaires, les professeurs me décrivaient en général comme une élève assidue, appliquée dans ses devoirs et leçons, brillante, douée, disait-on même, mais combien réfractaire aux directives, surtout celles des enseignants du sexe opposé! Je ruais dans les brancards dès qu'un mâle tentait de m'imposer son autorité.

Déjà, je ne me considérais pas comme les autres adolescentes. Ces dernières, plutôt fleur bleue, rêvaient d'une danse blottie tout contre un amoureux, d'un long baiser envoûtant échangé dans l'intimité d'un sous-sol aux lumières tamisées. Je considérais quant à moi les garçons d'un œil différent. Mes rêveries étaient d'un autre ordre; des fantasmes étranges m'habitaient dans lesquels je souhaitais voir les garçons à mes pieds. Dans mon imagination débridée, je jouais les redoutables dictatrices et je leur imposais mes quatre volontés par de furieux claquements de fouet.

Je profitais de la récréation pour observer d'un œil machiavélique mes éventuelles victimes, laissant libre cours à mes fantaisies, inventant des scénarios plus émoustillants les uns que les autres. Maintes fois, j'ai rêvé d'en attraper un par le col, de le contraindre à me suivre derrière un buisson, de l'empoigner par les cheveux s'il tentait de m'opposer résistance, avec la ferme intention, une fois bien à l'abri des regards, de l'étrangler entre mes deux jambes.

Dans les années subséquentes, j'ai eu le plaisir de pouvoir réaliser ce type de fantasme en de nombreuses occasions, mais ma toute première expérience fut, il faut le dire, particulièrement mémorable, et continue aujourd'hui à alimenter mes désirs les plus pervers.

C'était à l'aube de mes quatorze ans, le jour de l'anniversaire d'une copine de classe. Ses parents lui avaient préparé une petite fête à la maison. Une vingtaine d'amis tout au plus, garçons et filles, y étaient conviés. Comme la plupart des jeunes de cet âge, nous étions tout énervés par l'accessibilité d'une piscine creusée dans l'immense cour arrière de la famille Bazinet. Pendant des heures, nous avons barboté dans l'eau et exécuté des pirouettes sur le tremplin, tout en folâtrant sur la terrasse.

Après plusieurs heures de gamineries, nous nous étions amusés à observer nos peaux pâlottes et fripées par l'eau. L'une des filles – dont j'avais noté au passage le corps joliment athlétique – avait proposé un dernier jeu aquatique à réaliser en équipes. Les garçons, encore imberbes et sans véritables muscles, devaient prendre une demoiselle sur leurs épaules et, chacun ainsi dirigé par la cavalière qui le chevauchait, faire tomber l'amazone de l'équipe adverse. Le couple gagnant devait s'embrasser sous l'eau pendant une minute pour célébrer leur victoire, sous les applaudissements euphoriques des bons perdants.

Le beau Michel Durand, mignoté par la majorité des filles pour sa belle gueule et son tempérament frondeur, s'est aussitôt élancé en ma direction.

— Tu veux bien être ma partenaire? avait-il demandé d'une voix mielleuse.

Je n'ai pu résister à l'opportunité de jouir d'une aussi belle monture. Alors qu'il me tenait tant bien que mal sur ses épaules, que mes doigts agrippaient ses cheveux pour m'assurer de ne pas tomber, la tentation est devenue irrésistible. J'ai serré les cuisses contre sa mâchoire et croisé les chevilles sur sa poitrine. J'y ai investi toute la force dont mes muscles étaient capables. Dans l'agitation de la bataille, sous le bruit des clapotis et les cris stridents des gladiatrices, personne ne s'est aperçu de cet assujettissement. Chaque fois que mon jouet vivant me tapait sur les genoux pour m'implorer de relâcher un peu le serrement de mes aines, mon désir de l'étrangler s'accroissait. Il gesticulait comme un pantin, vacillait sur ses jambes devenues molles. À l'instant où ses épaules se sont affaissées, j'ai compris qu'il venait de perdre connaissance. À regret – non pas de le voir s'évanouir, mais d'être privée de mon fantoche –, j'ai dû le libérer de mon emprise, alors qu'il sombrait en direction de la partie profonde.

Avant que Durand ne reprenne ses sens, une intervention concertée s'est avérée nécessaire pour le sortir de la piscine et le réanimer, car une importante quantité d'eau lui avait rempli les poumons. Il était parti en ambulance dans les minutes suivantes.

Pendant des jours, tout le quartier parlait de la presque noyade de ce dernier. Tous s'accordaient à dire qu'il s'agissait d'un simple accident, comme s'il convenait de déculpabiliser d'emblée ses camarades ayant assisté, horrifiés, à cette terrible scène. Humilié, ou encore par crainte de représailles de ma part, le jeune Durand n'a jamais osé porter plainte à mon endroit. Sa peur de moi est ensuite devenue telle qu'il changeait de trottoir lorsqu'il me croisait dans la rue. Je me grisais de ce sentiment souverain.

Dès lors, malgré la relative naïveté de mon âge, j'étais consciente d'une chose : le contrôle me procurait un très haut niveau de plaisir, qui allait au-delà d'un simple bien-être passager. Un feu ardent brûlait en moi, je rêvais d'imposer de plus en plus mes caprices aux garçons. Cependant, un tracas supplémentaire me titillait maintenant l'esprit : je pressentais qu'à cela était liée ma sexualité, et que, par le fait même, mes rapports intimes avec les hommes ne ressembleraient peut-être jamais à ceux des autres femmes.

∽

L'époque de mon adolescence fut également marquée par une autre de mes activités de prédilection : le chantage. À l'école, j'avais ciblé un étudiant émérite de quatrième secondaire, de deux ans mon aîné, afin qu'il effectue pour moi les travaux scolaires que je rechignais à accomplir. Aucune fille ne s'intéressait à ce jeune rouquin aux lunettes épaisses, dont personne par ailleurs ne se souvenait du prénom. Un clin d'œil aguichant et hypocrite, suivi de quelques battements de paupières, avait suffi pour qu'il tombe sous mon charme. Désireux de me plaire, il était sans doute prêt à l'obédience absolue pour être gratifié de quelques autres minauderies du genre.

Un jour, au terme d'une journée d'école, j'ai profité de l'absence de mes parents pour l'inviter chez moi, dans ma chambre, sous prétexte de bénéficier de son aide dans mes devoirs de mathématiques. Ma mère, qui suivait de près mes progressions académiques, considérait d'un œil favorable ce jeune garçon de bonne famille et ne s'était pas plainte de ce petit répit dans la responsabilité qu'elle se donnait de m'accompagner dans mes travaux.

Lui et moi étions donc installés par terre depuis quelques minutes, assis en Indien au pied du lit, lorsque je lui ai laissé entendre que j'étais prête à l'embrasser. Au préalable, il devait cependant m'accorder une faveur, celle de me permettre de l'habiller en femme avec les vêtements de ma mère, qui sans doute lui iraient comme un gant. N'osant rien refuser à la toute première fille qui lui manifestait un peu d'intérêt depuis l'école primaire, il n'a rouspété que pour la forme puis, me voyant contrariée, s'est empressé de céder à cette extravagance.

Je lui ai d'abord ordonné d'enfiler des bas collants. Dans un grand éclat de rire, j'ai poursuivi son habillement avec une jupe à carreaux, une blouse blanche garnie de jabots de dentelle, des bottes à talons hauts et la perruque blonde que portait ma mère à chaque fête d'Halloween, quand elle se déguisait en Marilyn Monroe. J'ai rehaussé son allure par l'application sur sa bouche d'un rouge à lèvres de couleur sang. C'était tordant d'observer l'embarras du pauvre Arnold croisant son reflet dans le miroir, et prenant bien soin de se tenir loin de la fenêtre par laquelle il craignait d'être aperçu par le voisinage.

Lorsque j'ai saisi mon appareil photo, question d'immortaliser ce moment excentrique, j'ai eu droit à une vigoureuse protestation de sa part. Je me suis alors approchée d'une démarche langoureuse afin de lui susurrer quelques mots à l'oreille, apposant un léger baiser sur son nez au passage.

— Seulement quelques-unes, lui avais-je soufflé d'une voix aguichante. Ce sera pour moi seulement. Fais-moi plaisir.

Dupe, il avait flanché, esquissant un sourire à la fois timide et embarrassé.

Au fur et à mesure que mon appareil croquait les images, mon regard réconfortant laissait place à une lueur narquoise, à une expression malicieuse. Moins crétin qu'il en avait l'air, mon sujet devinait peu à peu que je n'avais nullement l'intention de l'embrasser, que je tirais mon plaisir de son humiliation. Une fois convaincu, il s'était délesté de son accoutrement ridicule en un temps record, essuyant ses lèvres du revers de la main avant de reprendre ses vêtements d'origine.

— À compter de maintenant, lui avais-je déclaré sur un ton de mépris, tu devras effectuer tous les travaux que je te soumettrai. Si tu refuses, je n'hésiterai pas à partager les photos que je viens de prendre avec les autres élèves, tes professeurs et tes parents. J'espère que tu me comprends bien, Arnold.

Dans une manœuvre désespérée, il avait tenté de m'arracher l'appareil des mains, mais au même moment, le bruit de la porte d'entrée annonçait le retour de ma mère. D'un regard défiant, j'ai alors proféré mes dernières directives :

— Va-t'en tout de suite, je ferai appel à toi au besoin. Et ne t'avise surtout plus de t'adresser à moi devant mes amis.

Sur le point de piquer une colère noire, Arnold n'avait eu d'autre choix que d'obtempérer. Il avait alors quitté notre résidence en saluant ma mère d'un petit hochement de tête au passage.

Avec ces centaines de fantasmes qui proliféraient en moi, j'ai rapidement saisi le sens de l'immense défi qui m'attendait. J'allais devoir apprendre à contrôler mes émotions et à canaliser mes énergies afin de maîtriser mes désirs extrêmes; il me faudrait vivre avec mes démons. Étrangement, j'étais habitée par deux esprits distincts. D'une part, j'arrivais à fonctionner normalement dans la vie quotidienne et de l'autre, j'éprouvais beaucoup de difficulté à résister aux extravagances que je ne cessais d'inventer, et dont l'importance et le degré d'audace augmentaient de jour en jour.

Après plusieurs années à imaginer d'incroyables scénarios, j'ai fini par assumer enfin le rôle de Justicière, que je me suis attribué. Nulle sensation à ce jour n'a été aussi grisante que lorsque j'ai commis mon premier homicide.

CHAPITRE 4
Autopsie

En fin d'après-midi, après une deuxième journée d'enquête dans la région de Saint-Luc, Fournier est d'humeur irascible. D'un geste brusque, il ouvre la portière de sa voiture et se laisse choir derrière le volant. Annabelle prend place du côté passager, tandis que Legendre s'installe à l'arrière.

— Ça fait deux jours que nous passons ce quartier au peigne fin pour interroger tantôt le voisin, tantôt la sœur, si ce n'est le chien de Pelletier lui-même, bougonne l'inspecteur. Et qu'avons-nous récolté comme information? Pas grand-chose... Rien qui ne nous fournisse l'ombre d'une piste. On retourne en ville! crache-t-il en tournant la clé dans le contact.

Malgré son irritabilité, Fournier garde bon espoir. Legendre fait montre d'une grande perspicacité dans les hypothèses qu'il soulève et Annabelle analyse avec lucidité les révélations recueillies par les témoins interrogés : l'enquête finira bien par porter ses fruits.

En dépit du fossé générationnel qui existe entre l'inspecteur et ses deux acolytes, il est pleinement satisfait de la synergie au sein du trio. Ses collègues de travail, qu'il côtoie de nombreuses heures par jour, sont de bien meilleure compagnie que les murs froids de sa résidence, dans laquelle il n'aime pas se retrouver seul et désœuvré. S'investir à fond dans le travail lui permet d'oublier sa solitude imposée et retarde le moment de devoir l'apprivoiser enfin. Souvent, le regard d'une femme croisée en ville, un objet dans une vitrine, ou une chanson jouant tout bas à la radio d'un commerce, ramènent à sa mémoire des souvenirs qui le rendent nostalgique.

Sur le chemin du retour, les échanges de paroles se font rares entre les trois coéquipiers. Absorbé par ses réflexions et anéanti par la fatigue, chacun regarde en silence le paysage défiler.

— Si seulement cette pathologiste se grouillait le derrière avec l'autopsie, nous aurions peut-être quelque chose à nous mettre sous la dent, grommelle Fournier. Et puis tiens… que diriez-vous de lui rendre une petite visite surprise? La rue Parthenais se trouve sur notre chemin et, à cette heure-ci, le labo est encore ouvert. Qui sait si elle n'aurait pas déjà quelques informations sommaires à nous communiquer?

— Je téléphone pour voir si elle est disponible, propose Annabelle en tirant son cellulaire de son sac à main.

La jeune femme échange de brèves paroles avec la réceptionniste, sous l'oreille attentive de ses collègues. Satisfaite, elle salue son interlocutrice et dépose l'appareil qu'elle coince entre sa cuisse et le bord de son siège. Legendre observe le geste avec un doux sourire aux lèvres; *il suffit de peu pour agrémenter une journée de travail,* pense-t-il.

— C'est parfait, elle peut nous recevoir dans quarante-cinq minutes! clame la jolie blonde en dévoilant ses belles dents blanches.

✲

Au Laboratoire de sciences judiciaires et de médecine légale, les enquêteurs sont contraints de patienter dans une petite pièce adjacente sans que personne ne se préoccupe d'eux. Fournier entreprend de vérifier ses courriels sur son téléphone intelligent, alors que Legendre tente avec difficulté d'ajuster le store brisé, qui laisse passer les chauds rayons du soleil estival. Il glisse son doigt sur une languette, observe la poudre blanche sur la pulpe de celui-ci et cherche quelque chose pour l'essuyer. Annabelle lui jette un regard amusé en lui suggérant d'emprunter un plumeau à la réceptionniste. Stylo en main, elle tente de se concentrer de nouveau sur les mots croisés du journal *Le Métropolitain*.

Après plusieurs minutes, Josée Brière apparaît à l'extrémité du corridor et les invite à passer dans son bureau.

— Je suis désolée pour l'attente, s'excuse-t-elle en refermant la porte.

À vrai dire, agacée par cette visite impromptue, elle s'est fait un malin plaisir de les laisser poiroter. Elle n'apprécie guère l'insistance de Fournier, qui la presse de produire son rapport. Femme de caractère, il n'est pas question pour elle de se plier aux caprices de l'inspecteur. Elle est débordée de travail, gère son temps de la manière la plus efficace qui soit et tient par conséquent à fonctionner selon son propre rythme, plutôt que de subir celui qu'on tente de lui imposer.

— Allons droit au but; je n'ai que quelques minutes à vous consacrer, précise-t-elle à ses interlocuteurs, tandis que Fournier et Annabelle prennent place sur les chaises disposées devant son bureau. Legendre reste debout derrière eux, sans que la pathologiste ne songe à lui trouver un siège.

Celle-ci tend un document en direction de Fournier, qui s'empresse de le saisir en demeurant sur le bout de son fauteuil.

— Vous devrez attendre encore quelques jours avant de recevoir mon rapport final, précise-t-elle la mâchoire serrée, mais voici quelques observations préliminaires. Je suis en voie de valider l'hypothèse que j'ai formulée à la suite d'une première analyse du corps.

— Hypothèse? Quelle hypothèse? demande Fournier en farfouillant dans les premières pages du document.

Josée Brière le prie de se calmer un peu et, d'un mouvement circulaire de l'index, lui fait signe de tourner les pages jusqu'à la toute fin. Elle s'avance vers lui au-dessus de son bureau en pointant le résumé sur lequel planent les yeux de Fournier. Legendre en profite pour amarrer son regard au décolleté de la pathologiste qui, à son grand plaisir, révèle des formes généreuses.

— Je suis d'avis que vous devriez orienter votre enquête de manière à explorer les éléments dont je soulève le sérieux dans ce rapport, indique Josée Brière.

Agacée par l'outrecuidance de la pathologiste, Annabelle jette un œil à Fournier puis à Legendre afin de valider ses impressions. Réalisant la déviation de l'intérêt de ce dernier, elle émet un petit claquement de langue pour le ramener sur terre. Le policier secoue légèrement la tête afin de chasser quelques pensées inconvenantes. Après avoir adressé une moue espiègle à sa coéquipière, il se penche au-dessus de Fournier, sourire narquois aux lèvres, et s'intéresse cette fois au document.

Pendant ce temps, Fournier se retient de maugréer, offusqué tout comme Annabelle par le ton de la spécialiste qui, bien que récemment diplômée, démontre une assurance arrogante. Il est cependant curieux de connaître son opinion. Il lève les yeux vers elle, plonge son regard acéré dans ses prunelles et lui demande, en refoulant son agacement :

— Je vous en prie, docteure, dites-nous ce que vous avez en tête.

Josée Brière, jetant un œil aux membres du trio, semble hésiter avant d'expliquer le fond de sa pensée :

— Je serai directe, finit-elle par annoncer en joignant les mains devant elle. En matière de vengeance, l'acharnement de la meurtrière envers la victime dénote une attitude hargneuse hors du commun. Je note par ailleurs que sa façon d'opérer est réfléchie, méthodique, à vrai dire… très adroite. Je veux bien croire qu'elle était révoltée par la clémence du système judiciaire à l'endroit de Robert Pelletier, mais à mon avis le motif des représailles ne répond qu'à une partie de l'énigme et ne permet pas à lui seul de justifier cette effroyable violence. En considération des nombreuses marques relevées sur le corps, et surtout du type de blessures infligées, j'avance l'hypothèse de pratiques sadomasochistes.

Les trois enquêteurs s'interrogent du regard tour à tour, interloqués par cette présomption.

— Bon… d'accord, avance Fournier. Cette désaxée s'est accordé un malin plaisir à torturer Pelletier avant de l'achever, j'en conviens, mais... du sadomasochisme, vous dites?

— Exactement. J'ai noté de multiples ecchymoses tant au niveau du dos que du torse. Selon la nature de ces lésions, on peut affirmer qu'elles sont le résultat d'une importante pression appliquée à l'aide d'un objet contondant. Des talons aiguilles, peut-être. Si vous voulez mon avis, elle s'est probablement amusée à lui marcher sur le corps en appuyant de tout son poids pour lui tarauder la peau.

Legendre grimace, imaginant la douleur infligée à celui qui lui aurait servi de tapis.

— Du sadomasochisme? réitère Fournier, toujours aussi incrédule, lui qui n'a jamais vu l'ombre d'un jouet sexuel.

— Son comportement me laisse croire que oui, poursuit la spécialiste. J'imagine que de marcher sur un homme constitue un acte symbolique pour une dominatrice. À mon humble avis, en le piétinant de la sorte, elle ne voulait pas seulement le voir souffrir, mais désirait le dévaloriser tout en affirmant sa supériorité.

Legendre est fasciné par l'explication de la spécialiste. Il a du mal à envisager cette probabilité. Certes, il n'est pas homme à allumer des chandelles et à faire l'amour lascivement pendant des heures sur les vieux succès de Joe Dassin, mais il ne peut, dans un autre extrême, concevoir de faire souffrir une partenaire dans l'intention d'en tirer du plaisir. L'esprit nourri de ces quelques allusions sexuelles, il s'imagine culbutant Annabelle sur le siège arrière de sa Jeep Cherokee. Si seulement elle était un tant soit peu réceptive à ses avances…

— Mais il y a plus, renchérit la pathologiste. À son cou, Pelletier porte des marques profondes et régulières qui méritent toute notre attention. Un étrangleur pour chien aurait été utilisé en guise d'humiliation et, à mon avis, la Justicière a dû le promener en laisse, le rudoyant en cas de désobéissance.

Annabelle hausse les sourcils en croisant les regards de ses collègues. Fournier tapote ses lèvres de ses doigts, ne sachant trop que dire, alors que Legendre, tout aussi stupéfait, croit que ces pratiques sont celles d'une psychopathe.

Josée Brière consulte ses notes, indifférente au doute que provoquent ses révélations.

— L'utilisation vraisemblable d'un fouet, selon les autres blessures observées, corrobore ma théorie, reprend-elle. À la manière d'un rituel sadomasochiste, la Justicière se serait exécutée en accroissant l'intensité des flagellations, comme on peut l'établir en fonction des variations de la profondeur des stries observées sur la peau de la victime.

— Si je comprends bien ce que vous dites, résume Annabelle, les sadomasochistes procéderaient par accroissement de l'intensité des douleurs infligées, plutôt que d'user de violence immodérée dès les premiers coups portés à leurs victimes.

— Exactement. En règle générale, les adeptes de la flagellation adoptent une technique semblable à celle-ci. Grâce à cette procédure graduelle, la dominatrice active la circulation sanguine du soumis par de légers coups de fouet. Au fur et à mesure que le corps de sa potiche s'acclimate à la douleur, elle accentue l'intensité, menant ainsi le masochiste – en règle générale consentant – à un état de pure extase. Elle se plaît ensuite à lui infliger des frappes plus puissantes. C'est précisément de cette manière que s'est comportée la Justicière avec Pelletier. Il s'agit d'une professionnelle en la matière ou, à tout le moins, d'une personne qui maîtrise très bien cet art.

— Mais encore, s'impatiente Fournier, où voulez-vous en venir avec tout ça?

Josée Brière lui adresse un petit sourire en coin.

— Certes, le comportement vindicatif de la meurtrière s'explique de par ses valeurs morales à l'égard de la justice, mais de mon point de vue, ses motifs vont au-delà du simple désir de vengeance. Je soupçonne qu'il s'agit surtout d'un prétexte pour assouvir ses fantasmes.

— On aura tout vu, s'exclame Fournier en levant au plafond des yeux exaspérés. Voilà que nous devons nous lancer à la poursuite d'une meurtrière au comportement sexuel dérangé!

— Je ne pousserai pas davantage mes hypothèses pseudo-psychanalytiques, ce n'est pas de mon ressort, ajoute la pathologiste.

— Vous me surprenez, docteure, intervient Annabelle avec un brin d'ironie dans la voix. Vous semblez posséder une certaine expertise en la matière.

Au timbre de voix suave de sa collègue, Legendre porte une attention accrue à la conversation.

— Madame, répond Josée Brière, visiblement agacée. À ce point de mon travail, mes investigations pour attester de la nature de ces blessures particulières m'ont simplement amenée à considérer cette éventualité. Qui plus est, j'ai pratiqué il y a peu de temps l'autopsie d'une dame décédée de manière accidentelle lors d'une séance de sadomasochisme, une mort par strangulation. Ma curiosité professionnelle à propos de ce type de pratiques m'a permis d'en apprendre beaucoup sur le sujet, et le dossier de Pelletier n'est pas sans me rappeler cette affaire.

Sensible au charme de toute femme, et se remémorant l'attrait de son décolleté un peu plus tôt exposé à sa vue, Legendre décoche un regard enjôleur à la pathologiste, tout en épiant du coin de l'œil la réaction d'Annabelle. À l'une ou l'autre, il aimerait bien offrir un petit massage suivi d'un dénouement un peu plus intime, se dit-il. Mais pour l'instant, il convient de se concentrer sur l'affaire en cours, aussi pose-t-il une question qui le chicote depuis le début de la rencontre :

— D'entrée de jeu, docteure Brière, vous avez fait allusion à l'orientation actuelle de notre enquête. Auriez-vous l'amabilité de bien vouloir développer votre pensée et de nous préciser vos recommandations?

— Je pense qu'il serait de mise d'orienter l'enquête vers l'exploration du réseau sadomasochiste de Montréal, répond-elle en faisant fi de la malhabile tentative de séduction de ce dernier. S'il s'avère que la Justicière est une adepte de cette pratique, il y a fort à parier qu'elle s'est déjà manifestée dans des activités sadomasochistes de la ville.

— Ça va de soi, acquiesce Fournier qui, agacé par l'aplomb de Josée Brière, préfère passer sous silence la pertinence de la recommandation.

Dès leur sortie du bureau, Legendre souligne l'assurance avec laquelle la pathologiste mène son dossier, ses compétences semblant aller bien au-delà de ses vingt mois d'expérience. Il a un faible pour l'intelligence de cette femme au tempérament affirmé. Perdu dans ses pensées, il traîne derrière ses collègues en songeant à la vie érotique de cette créature pour le moins aguichante, dont il imagine qu'elle s'amuse en secret à concocter des soirées ludiques pour ses ébats charnels, ce qui ne manque pas d'éveiller en lui de nouvelles fantaisies.

CHAPITRE 5
Exploration

Le week-end de repos que s'accorde Fournier lui permet de récupérer le sommeil perdu et de prendre du recul afin d'assimiler et de mieux analyser les renseignements recueillis au cours des derniers jours. L'intensité de cette enquête a fini par épuiser non seulement son corps, mais aussi son esprit. Les pièces du puzzle ne trouvent pas toutes encore leur place et certaines sont manquantes; le jeu de patience ne fait que commencer. Malgré le caractère morbide de cette affaire, Fournier tâche de se montrer imperturbable devant ses collègues, même s'il n'y arrive pas toujours. Il faut observer, noter, étudier en détail, envisager les possibilités, ne pas sauter trop vite aux conclusions, se renseigner sur ces fameuses pratiques sadomasochistes et tenir compte des éléments qui manquent encore à la résolution de l'énigme.

Il pousse un soupir de lassitude, écrasé dans son vieux fauteuil de cuir. Les pieds posés sur le petit pouf assorti, il scrute pour une troisième fois de suite le rapport préliminaire de la pathologiste, espérant voir émerger d'entre les lignes un indice susceptible de faire avancer l'enquête. « Lacérations au corps, visage tuméfié et mâchoire fracturée » stipule le résumé, mais ces informations ne soulèvent aucun élément nouveau. On y retrouve également les termes scientifiques usuels : hypercapnie, bradycardie, spasme glottique, hypoxie… mais

Fournier préfère s'en tenir à l'essentiel : Pelletier est mort noyé. Peut-être faut-il accorder à ce fait toute son importance, plutôt que de se laisser obnubiler par la bizarrerie de ces soi-disant pratiques sadomasochistes.

En cette soirée dominicale, pourtant semblable aux autres soirs de semaine, Fournier essaie tant bien que mal de se détendre. Cette enquête est bien différente de celles qu'il a menées à ce jour. Sa respiration se fait lente et profonde pendant qu'il essaie de calmer le tourbillon d'hypothèses dans sa cervelle épuisée.

Un inconfort à l'estomac le tire de sa tentative de repos; des gargouillements se font entendre. N'ayant ni talent ni intérêt pour la cuisine, il se lève de son siège et entreprend de se préparer un Kraft Dinner, un des rares mets qu'il sait cuisiner sans mettre le feu aux casseroles. En guise d'accompagnement, il débouche une bouteille de Sassicaia 1997, un vin italien haut de gamme. Les grands sommeliers de ce monde s'offusqueraient d'un tel non-sens, se dit-il, mais qu'à cela ne tienne, il s'en remet à l'un de ses vins préférés pour rehausser son repas.

Fervent adepte des produits viticoles, il s'amuse en calculant que, dans ce repas à cent cinquante dollars, la nourriture vaut trois huards à peine. Mais bon, maintenant qu'il est seul, s'il ne veut pas mourir en laissant derrière lui toutes les bouteilles que contient son vaste cellier, aussi bien les boire pendant qu'il est en vie. Et puis… il faut bien noyer l'ennui. Si sa femme avait été là, il aurait pu lui confier ses préoccupations. La solitude l'oblige à ruminer tout seul, comme un vieux bovin désabusé.

Depuis le décès de son épouse, la tristesse s'empare de lui dès qu'il descend à la cave pour y quérir une bouteille. Ils auraient pu la boire à deux, devant un petit souper fumant, délicieusement préparé par les mains expertes de sa compagne. Il ne peut s'empêcher de songer au plaisir qu'ils prenaient ensemble à découvrir les plus grands vins de ce monde. C'était leur petit plaisir partagé. Ils n'hésitaient jamais à payer le prix pour ajouter un grand cru à leur collection privée. C'était surtout grâce à elle, une chirurgienne plastique aux revenus généreux, qu'ils avaient pu dépenser autant d'argent au cours des dix dernières années afin de garnir leur précieuse réserve.

Madame Fournier égayait la maison de sa personnalité rayonnante. Elle portait une attention particulière à la décoration, des meubles chics à l'habillement approprié des fenêtres, en passant par le choix réfléchi de la couleur des pièces en fonction de leur pouvoir énergétique. Elle croyait à cela, beaucoup, et s'assurait que la maison vibre d'ondes positives. Elle avait également du flair pour dénicher les tissus; bref, elle avait du goût, de l'instinct, de l'audace. Monsieur, lui, n'en voyait pas tellement l'importance; il appréciait la simplicité. Par amour pour elle, cependant, il la laissait faire, collaborant par un oui, un non, ou un peut-être à ses questionnements sur le choix d'un faux-fini plutôt qu'un autre.

En grattant le fond de son assiette et en léchant le rebord de sa fourchette, Fournier lève les yeux afin de consulter l'horloge grand-père au coin de la pièce : 19 h 30. C'est l'heure d'aller fumer son cigare hebdomadaire, petit moment de détente suprême.

Il se traîne les pieds jusqu'au fumoir du sous-sol, puis s'allume un Montecristo qu'il grille ensuite, affalé avec lassitude sur la confortable causeuse, tout en réfléchissant au dossier de cette intrigante Justicière.

Il inspire l'arôme exquis et, les paupières mi-closes, laisse s'envoler quelques volutes de fumée blanche. Ses muscles se relâchent un à un. Il tâche de ramener sur terre son esprit vagabond, de vivre l'instant présent, de le savourer, de ne pas laisser les interrogations persistantes de cette enquête le priver du plaisir de ce délicieux cigare. Sur le point de sombrer dans le sommeil, il s'avance pour déposer le Dominicain dans le cendrier, quand une idée lui traverse l'esprit : pourquoi ne pas faire quelques recherches sur le Net?

Il remonte à l'étage pour se rendre à son bureau, l'un de ses endroits de prédilection. Pourvue d'une quantité impressionnante d'appareils électroniques, la pièce bénéficie d'une ample fenestration ainsi que de larges portes-jardins qui, de jour, permettent aux rayons du soleil de venir réchauffer l'atmosphère. Dans le confort de son fauteuil inclinable, il profite, lors de ses moments de pause, d'une magnifique vue sur sa cour arrière.

Dans la fenêtre de recherche Google, Fournier inscrit le premier sujet qui lui vient en tête : « Procès Robert Pelletier ». Sans grande surprise, des dizaines de résultats s'affichent à l'écran, mais seulement quelques articles sur les deux premières pages traitent des informations auxquelles il s'intéresse.

Son attention s'arrête sur une parution qui porte le titre « Une procureure en colère », écrite par Nancy Tremblay, de *La Revue de Sherbrooke*. Cette signature lui rappelle une journaliste qui l'appelait en boucle le jour du meurtre. Serait-ce la même? Il se souvient avoir griffonné le nom et le numéro de téléphone de cette femme dans son calepin de notes, après qu'elle eut insisté pour le rencontrer. Il se rend illico dans sa chambre pour aller chercher l'objet qu'il croit avoir laissé dans la poche de son veston. Ne le trouvant pas, il se précipite au garage, vêtu de ses seuls bas blancs, de ses boxeurs rayés et de son vieux chandail des Expos. C'est d'un chic que lui reprocherait sans doute sa conjointe, mais maintenant qu'il mène une vie de vieux garçon, il y accorde peu d'importance. Il farfouille dans sa voiture, trouve son agenda coincé dans l'appui-bras. Au bas de la page de dimanche dernier, il retrouve la note qu'il avait gribouillée avec le nom et le numéro de téléphone de la journaliste.

Il semble bien qu'il s'agisse de la même personne. Pourquoi donc s'intéresse-t-elle autant au cas de Pelletier? se demande-t-il. D'abord à l'occasion du procès, maintenant au moment de son assassinat. Peut-être est-ce par simple intérêt pour la suite des choses qu'elle souhaite en connaître davantage. Il ne faut pas tirer de conclusions hâtives, se rappelle-t-il, mais une investigation est de mise. L'expérience lui a appris qu'il ne faut négliger aucune piste.

Il tente d'abord de joindre Annabelle afin d'en discuter, mais sans succès, le dimanche étant un soir de cinéma pour sa collègue. Tant pis, la curiosité le tenaille, alors malgré l'heure qui commence à se faire tardive, il compose le numéro de téléphone qu'il a sous les yeux.

La sonnerie se répète, sans réponse. Au moment où il s'apprête à raccrocher la ligne, une voix féminine un peu éraillée se fait entendre dans le combiné. L'inspecteur entreprend de lui adresser la parole sans songer à lui présenter ses excuses pour le dérangement.

— Madame Tremblay?

— Oui...

— Ici Jacques Fournier de la Sûreté du Québec. Vous m'avez contacté la semaine dernière au sujet du meurtre de Robert Pelletier.

L'enquêteur a l'impression d'entendre la jeune femme sourire à travers l'appareil. Elle doit se réjouir de cet appel.

— Ah! Bonsoir, inspecteur… J'imagine que vous êtes maintenant disposé à me rencontrer.

— Effectivement, mais à vrai dire, c'est plutôt moi qui aurais besoin de vous poser quelques questions, dans un délai aussi bref que possible.

Fournier n'entend désormais plus qu'une respiration saccadée.

— Je ne comprends pas bien… bafouille-t-elle après quelques secondes de réflexion.

— Une rencontre, madame Tremblay, vous savez ce que c'est? s'impatiente-t-il.

— Puis-je vous demander à quel sujet?

— Vous le saurez en temps et lieu, rétorque Fournier.

— Ça va de soi…

— Que diriez-vous de demain? propose l'inspecteur. Disons vers treize heures trente, au poste de Mascouche.

Nancy Tremblay s'inquiète de l'urgence soudaine de cette rencontre :

— Est-ce si pressant?

Fournier sourit pour lui-même. Elle était pourtant si empressée de le rencontrer l'autre jour. Il est étonné par ses soudaines réticences.

— Il n'est pas question d'entrer dans les détails pour le moment, lui répond-il.

La jeune femme ravale sa salive. L'aplomb de Fournier lui noue la gorge. Que se passe-t-il? Lui suppose-t-il un lien quelconque avec le dossier?

— Je vérifie avec mon patron, mais je n'entrevois aucun problème pour le début de l'après-midi. Je vous confirme le tout en matinée.

Satisfait, Fournier repose le combiné sur son socle, attrape une serviette dans la lingerie, se dirige vers la salle de spa, puis se dévêtit. À son avis, en matière de relaxation, mieux encore qu'un cigare, rien n'égale trente minutes dans un jacuzzi.

En se rendant au lit un peu plus tard, Fournier esquisse un petit sourire de contentement en repensant à cette conversation téléphonique, convaincu qu'il est sur le point de faire avancer son enquête.

CHAPITRE 6
Fantasmes

Alors que j'avançais en âge, des fantasmes toujours plus atypiques les uns que les autres nourrissaient mes pensées et mon imagination. Chaque soir, je me glissais sous les draps l'esprit en ébullition, m'inspirant de scénarios émoustillants pour en inventer d'autres. À l'occasion, j'imaginais un homme nu rampant à mes pieds, m'implorant de lui permettre de lécher mes orteils parfaitement manucurés, alors que je reculais peu à peu, prenant soin de garder mes distances. Puis, je lui ordonnais de s'arrêter et de s'asseoir au sol. Je lui épinglais alors le sexe contre le plancher de bois franc sous le poids de mon talon aiguille. À ce moment précis, tandis que ma victime grimaçait de douleur, j'atteignais l'orgasme.

Dès l'âge de seize ans, j'éprouvai un impérieux besoin de passer aux actes. Les mises en scène de mon imagination ne suffisaient plus. La soif de dominer les hommes m'envoûtait, mon désir de contrôle devenait obsessionnel.

Ma dernière année au secondaire fut tumultueuse. Pour la première fois, j'ai eu envie de dominer un homme d'âge mûr. Je m'étais mis en tête de séduire mon professeur de français et de le réduire ensuite au rôle de pantin, dans l'intention ultime d'obtenir de sa part un glorieux « A » sur mon dernier bulletin. Je n'ai jamais aimé le français; la grammaire, la compréhension de texte, ce n'était pas mon truc. Mais peut-être que quelques minauderies me vaudraient de meilleures notes. Je n'avais rien à perdre et tout à gagner.

Monsieur Desrosiers démontrait une évidente faiblesse envers les jeunes femmes au physique attrayant, faisant de lui la cible idéale pour mes projets machiavéliques. Nul doute qu'il résisterait difficilement à ma taille de guêpe et à ma généreuse poitrine, enviée par les autres filles de ma classe.

Desrosiers était peut-être débonnaire, mais pas stupide. Il connaissait mon âge et se tenait sur ses gardes. Après tout, je ne devais pas être la première fille à me pointer dans son bureau, qu'il partageait avec d'autres professeurs, avec une intention du genre. Cependant, mon objectif personnel n'était pas seulement de le séduire en vue d'obtenir une meilleure note; je voulais expérimenter la jouissance d'un renversement d'autorité. À l'aube de mes dix-sept ans, j'étais donc en voie de mener par le bout du nez un homme qui avait trois fois mon âge. Le défi en lui seul m'excitait.

J'ai amorcé mon stratagème d'une façon anodine, en lui rendant visite à son bureau, lorsque je le savais seul, prétextant avoir décidé de m'investir davantage dans le cours de français. Pour en arriver à mes fins, je n'avais qu'à imiter des yeux de biche afin de l'enjôler et de l'entraîner dans mon piège. Mes tentatives étaient tantôt subtiles, tantôt flagrantes. Je le découvrais parfois sur le point de défaillir, juste avant de se ressaisir et de me rabrouer. Sa résistance augmentait le plaisir de ma conquête, puisqu'à vaincre sans péril on triomphe sans gloire, comme le soutenait Corneille. J'avais au moins retenu ça des enseignements littéraires de mon professeur. Aussi, la résistance de ce dernier me procurait-elle une joie extrême en me permettant de jauger le potentiel et la valeur de ma victoire.

Pour notre troisième rencontre, j'étais bien préparée. Je portais l'un des ensembles les plus avantageux de ma garde-robe. En réalité, avec cet accoutrement sexy, j'aurais très bien pu déambuler sur la rue Sainte-Catherine. Cela ne respectait en rien le code vestimentaire de l'école, mais j'avais pris soin de l'enfiler sous des vêtements plus raisonnables, que j'ai retirés quelques minutes plus tôt en passant d'abord par ma case. J'avais ensuite fourré la boule de tissus dans l'armoire de tôle avant de refermer le cadenas et de m'engager dans le corridor menant au département des professeurs. Mon pantalon moulant, taille basse, dévoilait mon nombril percé d'une boucle en or et mettait en évidence ma silhouette callipyge. Je portais par ailleurs un chandail blanc sans manches qui dévoilait mes épaules, au travers duquel on pouvait aisément discerner mon soutien-gorge de dentelle noir. Cet agencement était complété par des escarpins pourvus d'une petite ouverture à l'avant, par laquelle on pouvait apercevoir mes orteils dont les ongles étaient colorés d'un rouge flamboyant.

L'effet allait être saisissant. J'étais déjà en mesure de l'anticiper, lorsqu'en chemin vers le bureau de Desrosiers, j'ai pu noter les coups de coude qui se donnaient ici et là, au rythme des mâchoires qui tombaient. Autant les filles que les garçons étaient estomaqués par mon fulgurant passage. Mes talons martelaient le sol, les têtes se retournaient et les regards s'amarraient à mes courbes. J'ai pu le constater, au tournant d'un corridor, grâce au reflet d'un large miroir situé près de la salle de bains des filles. Pendant un court laps de temps, je bénéficiai ainsi d'une vue jouissive sur une part importante de mes spectateurs. Les uns plaçaient une main devant la bouche pour souffler un mot à leur voisin, les autres jetaient un œil circonspect autour d'eux afin de valider cette vision qui, de toute évidence, leur semblait surréelle. Un sourire arrogant sur les lèvres, je me balançais le croupion, la tête haute et fière, enivrée par les fantasmes que je devinais être les leurs et auxquels se mêlaient les miens.

En franchissant la porte du bureau de mon professeur, je me suis empressée de la refermer derrière moi et d'abaisser les stores horizontaux en prétextant que le soleil m'aveuglait. Bien évidemment, ce n'était pas permis par la direction de se retrouver ainsi en tête-à-tête avec un enseignant, mais au diable les règlements! Ce dans quoi je m'apprêtais à impliquer mon supérieur ne respectait aucun code éthique et c'était spécialement cela qui m'excitait. Je me languissais de l'entraîner dans mon vice.

Mon allure ainsi que mon assurance lui coupèrent le souffle. Je le découvris incapable d'articuler trois mots de suite sans cafouiller. Les yeux ronds comme des billes, une apparence d'écume à la bouche, il ne savait plus comment réagir. Je le vis esquiver un pas vers sa chaise pour se rasseoir, puis un autre en direction inverse pour atteindre la poignée de la porte. Je ne sais s'il songeait à fuir ou à m'expulser, mais il était trop tard; j'avais déjà commencé à retirer langoureusement mon chandail, dévoilant ainsi ma poitrine voluptueuse, et cela acheva de le convaincre qu'il valait mieux garder cette porte fermée.

C'est alors qu'il se figea, les yeux écarquillés, la bouche ouverte comme un poisson. Lorsqu'en titubant il prit place dans son fauteuil, les yeux toujours rivés sur mes seins, j'ai compris qu'il serait incapable de résister à la tentation. Comblée de maîtriser un homme de cette trempe, il ne me restait plus qu'à lui imposer quelques-unes de mes directives, question de vérifier jusqu'où je pouvais pousser mon audace.

— Claude… commençais-je, mielleuse, ayant décidé de l'appeler par son prénom, j'ai besoin que tu me fournisses les questions du prochain examen. Tu vas me sortir ça tranquillement et moi, pendant ce temps, je vais explorer ton lieu de travail. Libre à toi de m'observer en même temps, ajoutai-je en lui adressant un clin d'œil empreint de lubricité.

Contre toute attente, Desrosiers n'a pas hésité une seule seconde. Je présume qu'il devait déjà se douter que j'obtiendrais de lui tout ce que je voulais et que, finalement, je lui dicterais moi-même la note qu'il allait devoir m'attribuer sur le bulletin.

J'ai établi les règles de nos rencontres subséquentes : j'allais désormais lui rendre visite au moins une fois par semaine, il était tenu de m'octroyer la priorité sur les autres élèves et jamais il ne devait me refuser une audience, même lorsque débordé de travail. Son fauteuil en cuir rembourré devenait ma possession, mon trône. Il allait devoir se contenter de la simple chaise droite au dossier en bois qui se trouvait à côté du bureau.

En guise de récompense pour sa docilité, je lui permettais de contempler mon corps, sans le laisser cependant le toucher. Je relevais les jambes, que je posais sur le dessus du bureau, mes jolis pieds bien en vue dans mes souliers à talons aiguilles, mes cuisses bien en évidence. Je n'avais pas d'objection à ce qu'il se branle en m'admirant. Je le regardais jouir, fasciné par mon image, et cela m'enivrait de le laisser languir. S'il espérait pouvoir me caresser un jour, il devrait d'abord se plier à tous mes petits caprices. Cela, il l'avait saisi depuis le tout début, sans même que j'aie à le lui expliquer. C'était moi la maîtresse, flamboyante, et lui mon simple adorateur, assujetti par son désir.

Plus la session scolaire avançait, plus je tirais un malin plaisir à le tourmenter, lui laissant miroiter la possibilité d'une relation entre nous. Alimenter de faux espoirs, voilà un jeu que j'appréciais!

— L'an prochain, j'aurai mes dix-huit ans, lui avais-je soufflé à l'oreille, à la veille de l'octroi des notes. Quand je serai au cégep, tu pourras me visiter chez moi en l'absence de mes parents, et je ne manquerai pas de te récompenser pour ce que tu auras fait pour moi cette année.

Il n'en fallait pas plus pour que s'enflamme ce naïf qui, en fin de compte, n'aurait jamais rien de moi... pas même une bise. Je ne manquerais pas de le faire souffrir de ce désir bien nourri, mais jamais rassasié.

La suite de mon année scolaire se déroula sans anicroche. En fait, le scénario était toujours le même : je décidais et mon enseignant, subjugué, m'obéissait au doigt et à l'œil. Avant chaque examen, il devait me soumettre les textes à apprendre, les questions à choix multiples, le sujet de la composition à écrire. Je me suis même permis d'être présente lors de la correction du dernier examen, qui se tenait en juin.

Non seulement j'ai obtenu mon « A », mais j'ai aussi contraint Desrosiers à octroyer un piètre « C » à l'une des meilleures élèves de la classe, une fille qui m'avait fait suer au cours des cinq dernières années. C'était ma douce vengeance.

⁖

Dès l'automne suivant, je franchissais une nouvelle étape de vie en amorçant mes études au Cégep de Saint-Laurent. Mon ancien professeur de français, monsieur Desrosiers, continuait de me harceler en m'envoyant des messages dans lesquels il exprimait son désir de me revoir, même si je l'avais écarté de ma vie lors de la saison estivale.

— Je n'ai plus besoin de toi, Claude, il est temps de m'oublier, lui avais-je clairement indiqué.

Je crois que mes tenues indécentes lui manquaient, mais, par-dessus tout, il devait être nostalgique des petites branlettes que je lui permettais devant moi. J'imagine qu'il a continué cette petite routine, seul dans son bureau, en admirant la photo que je lui avais laissée dans ce but précis, d'ailleurs.

— Tous les vendredis, à midi trente précisément, tu devras sortir cette photo de ton tiroir et la déposer sur ton bureau, puis me contempler tout en caressant ton sexe, lui avais-je ordonné.

Je trouvais également mon compte dans cette consigne. Savoir qu'une personne, même en mon absence, fantasmait sur moi m'allumait beaucoup. Je n'avais qu'à regarder l'heure pour savoir que cela avait lieu à l'instant précis. Cela me flattait l'ego et m'accrochait un sourire aux lèvres. Je comptais bien donner le même ordre à mes prochains sujets, question d'avoir plusieurs hommes à jouir devant mon image, tous au même moment. Je voulais représenter pour eux une sorte de divinité à qui ils devaient rendre hommage. Plus mes fidèles seraient nombreux, plus mon plaisir serait grand. Le désir des hommes me saoulait; chaque fois que je rencontrais quelqu'un qui me déshabillait des yeux, j'imaginais que je nourrissais ses fantasmes. Alors je jouais le jeu en lui adressant un regard langoureux avant de me dérober comme une ombre.

Toujours est-il qu'au moment de commencer le cégep, j'ai cédé à une nouvelle obsession, un désir qui allait au-delà de mes petites rencontres en privé avec Desrosiers, une forme de domination d'un niveau supérieur : l'humiliation en public.

Afin de satisfaire cette nouvelle idée fixe, j'ai étudié les possibilités en ciblant les étudiants de l'établissement selon leurs caractéristiques. Quoi de mieux qu'un endroit fréquenté par des milliers d'étudiants pour m'adonner à ce petit jeu tordu?

Je devais trouver le moyen le plus approprié pour attirer les garçons ayant soif de soumission. Une annonce sur le babillard était concevable, mais pas très subtile. Alors pourquoi pas un habillement suggestif, un ensemble qui allait plaire aux jeunes fétichistes, ceux qui, même à dix-sept ou dix-huit ans, sont disposés à l'idolâtrie envers une femme fatale. Cette initiative, fort louable, était cependant vouée à l'échec. Je n'allais quand même pas me vêtir en dominatrice pour aller à l'école! Il me fallait trouver autre chose…

Après réflexion, j'ai opté pour une tenue moins provocante, mais osée néanmoins : un ensemble à imprimé léopard avec des bottes en cuir brun, qui remontaient par-dessus mes leggings tachetés jusqu'à la mi-jambe. Un maquillage noir de type *smoky eyes* complétait mon allure. En fin de compte, c'était peut-être un peu excessif… Je l'ai bien saisi lors de mon trajet en autobus, alors que la plupart des passagers m'examinaient d'un air amusé ou incrédule. J'en soupçonnais quelques-uns de s'imaginer des scénarios dont j'étais la vedette.

Pendant mon cours de biologie, dans un auditorium rempli au maximum de sa capacité, j'ai eu droit à de nombreux regards admiratifs de la gent masculine, mais pas tant de la part des étudiantes, cependant. Elles étaient jalouses que je monopolise l'attention des garçons et cela contribuait à mon petit bonheur, même si je jouais les grandes indifférentes pour donner de l'aplomb à mon rôle.

L'effet désiré n'a mis que peu de temps à se produire. Dès la fin du cours, alors que je quittais l'enceinte de l'immeuble, un beau châtain m'a apostrophée. Je l'ai regardé de pied en cap. Il était pas mal, le jeune homme. J'ai scruté les environs à la recherche d'un endroit discret où l'entraîner. De toute façon, cela aurait été ridicule de discuter dans le portique, tant il faisait beau à l'extérieur. Les chauds rayons du soleil nous rappelaient davantage le milieu de l'été que la fin du mois de septembre.

— Chut! Suis-moi, lui avais-je commandé en plaçant l'un de mes longs doigts manucurés sur mes lèvres.

Il a suffi de quelques minutes de marche pour nous retrouver dans le parc du campus, là où se dressait un majestueux peuplier ceinturé d'un immense terrain gazonné, où flottait justement une odeur d'herbe fraîchement coupée. L'endroit était propice aux conversations discrètes. Je venais tout juste de m'asseoir par terre, le dos appuyé contre l'écorce du gros arbre, lorsque le jeune fantasque a osé entreprendre la conversation.

— Je m'appelle Mathieu. Je brûle d'envie de te poser une question indiscrète.

— Je t'écoute.

— Depuis longtemps, avait-il poursuivi d'une voix hésitante, j'ai souvent imaginé des scénarios impliquant des filles, euh… avides d'imposer leur volonté, tu vois? Tu m'excuseras si je fais fausse route, mais en observant ton allure de tigresse, je n'ai pu m'empêcher de songer à cette possibilité.

Bien entendu, il venait de faire preuve d'une belle assurance avec son intervention sans doute répétée plusieurs fois dans sa tête, le temps du trajet séparant le bâtiment du parc.

— Que dirais-tu de me suivre partout, de te rendre entièrement disponible pour moi?

Devant ma réplique au ton supérieur, son élan de courage s'est vite transformé en un regard embarrassé. Il ne savait pas trop comment réagir, mon aplomb le déstabilisait.

— Euh… je dirais que ça me va, avait-il fini par avouer, les yeux rivés au sol.

— Je crois que nous allons bien nous entendre alors.

৵

Jour après jour, nous nous sommes revus sous ce même arbre, toujours dans l'intention de lever le voile sur nos fantasmes respectifs. À travers nos palpitantes discussions, j'ai eu l'audace d'aborder ma récente passion pour l'humiliation publique, un concept qui semblait plaire à Mathieu, à mon grand étonnement.

— Est-ce que tu es libre samedi? lui avais-je demandé.

D'emblée, il a compris que je faisais rarement des détours pour exprimer mes désirs. Nous avons loupé le cours de chimie afin de planifier notre sortie au centre commercial. Ne possédant ni l'un ni l'autre de voiture, j'ai opté pour un endroit muni d'une station de métro : la Place Alexis-Nihon.

৵

Pauvre Mathieu! En l'espace de quelques jours, j'étais devenue méconnaissable. J'avais relégué nos petites discussions amicales aux oubliettes; il n'était plus question d'entretenir des conversations d'égal à égal avec lui.

— À compter de maintenant, tu dois te plier à tous mes caprices, lui avais-je annoncé dès notre entrée au centre commercial. Pendant toute la durée de mes achats, tu es tenu de me suivre pas à pas, jamais à plus de cinq mètres derrière, la tête vers le bas, les yeux rivés sur mon beau petit cul. Les gens ne pourront que constater ton obsession à mon égard. Suis-je bien comprise?

J'ai senti que je venais d'ébranler Mathieu, dont le regard en disait long. *Dans quelle galère me suis-je embarqué?* semblait-il se demander. Évidemment, question de préserver la surprise, je m'étais assurée de ne rien lui dévoiler de mes plans. Pourquoi l'affoler? Il fallait nourrir l'effet de surprise pour un résultat maximal.

Il me collait donc au derrière depuis une bonne vingtaine de minutes, en véritable subordonné, lorsque je suis entrée dans une boutique de chaussures. Déjà, plusieurs clients s'étaient retournés afin d'observer l'allure idiote du gars qui me talonnait. Je ne pouvais m'empêcher d'en rire à gorge déployée.

Pendant plus d'une heure, j'ai obligé Mathieu à demeurer par terre, à genou, afin de m'aider à enfiler la douzaine de paires de souliers que j'avais choisi d'essayer, le tout au beau milieu des clientes. Quel plaisir que de le voir dans cette position, à mes pieds, à mon service!

Je me suis présentée à la caisse avec deux paires de chaussures sous les bras, l'oreille de Mathieu entre mes doigts. La jeune préposée arborait un large sourire, médusée par le caractère loufoque de la scène. Elle croyait peut-être à une forme d'humour, allez savoir. J'avais établi le rôle de mon pantin, mais afin de me satisfaire pleinement, j'ai eu le front d'obliger Mathieu à avouer sa soumission devant les employés.

En fin de journée, nous avons effectué une visite dans un commerce de lingerie. L'endroit était bondé de femmes de tous les âges, à la recherche de ce vêtement unique qui allait plaire à leur partenaire. Encore une fois, les occasions d'humilier Mathieu se sont multipliées, quelques filles semblant même un peu jalouses de mon chevalier servant!

Les achats s'étant accumulés, Mathieu éprouvait de plus en plus de difficulté à me suivre, encombré par une multitude de sacs qu'il n'arrivait plus à tenir convenablement. J'avais quant à moi les mains libres et me dandinais le bassin devant lui, avec mes grands airs de diva. C'est alors que j'ai mis un terme au magasinage, mais mon valet n'avait pas encore terminé son travail pour autant. Il a dû m'accompagner en métro et en autobus, toujours avec les nombreux sacs en main, jusqu'au coin de rue le plus près de chez moi. Avant de le chasser de ma vue, et pour me payer sa tête une dernière fois, je lui ai ordonné de m'embrasser les pieds sur le trottoir, sous l'œil étonné de nombreux passants.

CHAPITRE 7
La journaliste

Dès leur retour de lunch, Annabelle se rend en compagnie de Fournier au bureau de ce dernier, où ils s'apprêtent à recevoir Nancy Tremblay, la journaliste que l'inspecteur a convoquée. Depuis le début de la matinée, il ne cesse de déblatérer à son sujet :

— Il s'agit d'un pressentiment, Annabelle. Cette fille ne m'inspire pas confiance. Lors de notre discussion téléphonique d'hier soir, je l'ai sentie évasive, un peu comme si elle cherchait à camoufler des choses. Par ailleurs, elle me semble plutôt arrogante, alors je n'ai pas l'intention de l'épargner au cours de cet entretien.

Annabelle reconnaît bien là le tempérament grincheux de son collègue, toujours prêt à reprocher – sans trop de justifications – les défauts qu'il perçoit chez ceux qu'il ne peut supporter.

— Je discerne dans tes propos les relents de ton antipathie pour la gent journalistique. Il n'y a rien à faire avec toi, Jacques, tu ne l'as jamais eue en affection. Dis-toi bien cependant que les agissements de Tremblay ne sont peut-être liés qu'à de simples coïncidences; cette insistance dont tu me parles n'est possiblement que le travail acharné d'une excellente journaliste. Il n'y a rien de suspect là-dedans quant à moi. L'univers des médias est une jungle, tu sais, et les reporters se battent pour avoir droit à des exclusivités. Je sais bien qu'elle t'agace par son attitude, mais essaie au moins de prendre ça en considération.

Fournier ronchonne. Il n'aime pas qu'on lui fasse la morale. Il a cependant toujours apprécié l'objectivité d'Annabelle.

— D'autre part, elle aura ce matin, comme elle le souhaitait, son entretien avec toi, poursuit Annabelle, alors ne te targue pas trop de contrôler la situation. Elle a de quoi rire dans sa barbe. Qui sait si elle n'essaie pas de te manipuler? Probablement qu'elle n'aime pas plus les inspecteurs que tu n'affectionnes les journalistes. Dans votre rôle respectif, vous espérez tirer l'un de l'autre des indices pour mener à bien votre travail. Tâche donc, pour le moment, de ne pas te montrer trop méprisant envers cette femme que tu dois considérer comme ton égale dans le cadre de ses fonctions professionnelles.

Fournier marmonne quelques mots en grimaçant, faisant mine de répéter les propos d'Annabelle, agacé par le bon sens de sa collègue. C'est alors que le témoin lumineux de l'appareil téléphonique se met à clignoter. Satisfait d'avoir un prétexte pour mettre un terme à ces remontrances, il appuie sur le bouton.

— Oui, Gisèle, répond-il en s'adressant à son adjointe.

— Madame Tremblay est arrivée pour votre rendez-vous, inspecteur.

Anxieux de l'interroger, Fournier s'empresse d'aller accueillir la journaliste à la réception. La femme se tient debout, habillée d'un chic complet gris qui lui confère une allure de jeune avocate. Elle doit être une femme de rigueur et de principes, en conclut l'inspecteur.

— Veuillez me suivre à mon bureau, l'invite celui-ci en lui serrant la main par obligeance, tâchant de paraître un tant soit peu sympathique.

Annabelle se montre plus courtoise lorsque Nancy Tremblay prend place à ses côtés dans le fauteuil que lui indique Fournier.

— Heureuse de vous rencontrer, assure la policière en tendant la main vers la journaliste.

De retour derrière son bureau, Fournier engage la conversation sur un ton acerbe à peine voilé, tandis que sa collègue lui roule de gros yeux désapprobateurs.

— Je n'irai pas par quatre chemins, madame Tremblay : nous avons plusieurs questions à vous poser concernant vos faits et gestes lors du procès de Robert Pelletier.

— Je suis surprise, s'étonne la journaliste en jetant un œil vers Annabelle afin de sonder l'humeur de cette dernière. Je croyais, poursuit-elle en revenant à Fournier, que vous aviez décidé de répondre enfin à mes questions au sujet du meurtre à Oka…

Fournier jette un regard bouillant en direction de sa collègue, qui perçoit rapidement le sens de son expression. Elle se rappelle les paroles de l'inspecteur : « Cette femme a une attitude prétentieuse. »

— Mais bon… dites-moi de quelle manière je peux vous être utile, inspecteur, reprend Nancy Tremblay.

Dans un geste ferme et sans équivoque, Fournier lève le menton en haussant les sourcils.

— Comprenez-moi bien, madame Tremblay... Nous devons présentement élucider un meurtre des plus inhabituels, sans doute l'homicide le plus étrange dont j'ai été témoin au cours de ma carrière. Voilà qu'hier, j'apprends que la journaliste qui m'a contacté avec tant d'empressement, dans les heures qui ont suivi la découverte du corps de Robert Pelletier, n'est nulle autre que celle-là même qui était affectée à son procès, deux ans plus tôt.

Nancy Tremblay adresse un regard au ciel et laisse tomber les épaules en guise de soulagement.

— Est-ce vraiment ça qui vous trouble, inspecteur? demande cette dernière, étonnée. En quoi donc trouvez-vous ça suspect?

— Laissez-moi terminer, intervient l'inspecteur, irrité. Vous et d'autres journalistes du quotidien pour lequel vous travaillez avez été présents tout au long d'un procès qui s'est échelonné sur une période de six mois, et ce, à cent lieues de votre secteur de couverture médiatique habituel. Voilà surtout ce qui me surprend.

D'un geste de la main, il dirige l'attention vers ses yeux cernés par une veillée de lecture tardive.

— Comme en témoigne mon regard aujourd'hui, poursuit-il, j'ai pris connaissance, jusqu'au petit matin, des dizaines de reportages écrits de votre plume tout au long des procédures. Lorsqu'on a finalement acquitté Pelletier, vous avez émis des opinions pour le moins sévères à son endroit. Ne l'avez-vous pas traité de « lâche » dans un de vos articles?

L'œil vigilant d'Annabelle perçoit un soudain malaise chez Nancy Tremblay, qui se tortille discrètement sur son fauteuil devant les propos incisifs de Fournier. Après plusieurs secondes de réflexion, la journaliste décroise les jambes et s'avance sur le bout de son siège d'un air déterminé.

— Inspecteur, permettez-moi d'éclaircir les circonstances entourant le procès de Robert Pelletier. Souvenez-vous d'abord du battage médiatique qu'avait engendré toute cette histoire de drame conjugal.

Pendant quelques secondes, Fournier songe au rude épisode qui a bouleversé sa vie durant cette même période. Huit longs mois où le temps s'était arrêté, où la lune et le soleil se confondaient. Coupé du monde extérieur, il avait pris soin de sa conjointe pendant qu'elle subissait ses traitements de chimiothérapie. Il ne prenait alors même plus le temps de suivre l'actualité. Ce qu'il sait du procès Pelletier est plutôt le résultat de ses récentes recherches.

— En moins d'une semaine, poursuit Nancy Tremblay avec un regain d'assurance, l'affaire avait pris une telle ampleur que mon patron s'est empressé de m'envoyer sur place, malgré la distance. Au cours des procédures, mon travail m'a permis d'entretenir des relations professionnelles avec les protagonistes, dont la procureure de la Couronne, Mélanie Bilodeau. J'ai eu la chance d'obtenir sa collaboration à quelques occasions, des entretiens qui m'ont permis de rédiger de pertinents reportages.

— Parlons-en justement, de vos textes! interrompt Fournier. Plus que tout autre, votre article traitant de la colère de la procureure a retenu mon attention. Bien que votre description des états d'âme de maître Bilodeau à la suite de cette cuisante défaite me semble fort juste et pertinente, je trouve tout à fait inappropriés vos cris à l'injustice, vos présomptions à propos d'un appareil judiciaire soi-disant corrompu. Votre responsabilité n'est-elle pas de rapporter les faits et non d'émettre vos opinions?

— La manière dont j'écris ne devrait aucunement vous concerner, s'offusque Nancy Tremblay. Je ne vous dis pas comment faire votre travail, moi! Ma liberté d'expression, le soutien de mon patron, voilà tout ce qui m'importe. Les ventes record enregistrées par notre journal au cours de cette période témoignent d'ailleurs de l'engouement de nos lecteurs pour cette affaire, alors vous comprendrez que l'élimination soudaine et particulière de Robert Pelletier suscite d'autant plus l'intérêt de notre lectorat. Par conséquent, il est de mon devoir de sustenter la curiosité de ce dernier. Et puis, mon patron a également des attentes élevées en ce qui concerne la couverture de cet événement peu commun.

Annabelle, attentive à la conversation, hausse un sourcil, l'air dubitatif.

— Je remarque que, malgré le verdict de non-culpabilité, vous n'hésitez pas à qualifier Pelletier de meurtrier, intervient la policière. Ça me porte à croire que le sort qu'il a subi n'est pas pour vous déplaire.

Fournier réprime un petit sourire en constatant que sa partenaire commence à montrer également les crocs. Serait-elle en train de se ranger à son avis à propos de cette femme?

— Si, tout comme moi, vous avez prêté attention aux tribunes téléphoniques des stations de radio, madame Saint-Jean, vous avez pu constater que la majorité de la population est d'avis que Pelletier aurait dû se retrouver derrière les barreaux.

À cet instant, quelqu'un cogne à la porte; les regards se tournent vers l'entrée. Gisèle, qui n'a pas l'habitude de déranger son patron au beau milieu d'une réunion, entre, un emballage en papier brun à la main.

— Excusez-moi, inspecteur, mais le livreur s'est montré insistant quant à l'urgence de vous remettre ce paquet.

Fournier se lève d'un trait et s'empare du colis que lui tend son adjointe. Agacé de ne pouvoir l'ouvrir sur-le-champ, en présence d'une journaliste, il songe à se retirer quelques instants, mais choisit plutôt de déposer la petite boîte sur l'armoire du coin, en se disant que cela peut attendre encore quelques minutes.

— Très bien, reprend l'inspecteur dès que la porte se referme. Maintenant, pour la suite des choses, j'ose espérer que nous pourrons compter sur votre collaboration.

Pour une raison qu'ignorent les enquêteurs, Nancy Tremblay se montre amusée par les paroles de Fournier. Elle s'apprête justement à divulguer une information susceptible d'intéresser les enquêteurs au plus haut point, une donnée qui risque de faire sortir l'inspecteur de ses gonds. Mais avant de larguer la bombe, pourquoi ne pas tenter de gagner un peu plus sa confiance?

— Ai-je déjà refusé de collaborer? C'est vous, monsieur Fournier, qui ne vous montriez pas très disposé à m'accorder un entretien.

— Vous m'en excuserez, dit Fournier avec une certaine hypocrisie, mais vous comprendrez que j'ai eu peu de disponibilités ces derniers jours.

— Qu'à cela ne tienne. N'ayez crainte, inspecteur. Mais qu'attendez-vous de moi, au juste?

— Vous m'avez l'air de bénéficier d'un certain réseau de contacts directement lié au procès Pelletier, et j'imagine que vous pourriez collaborer à l'enquête en portant à notre attention certains faits que nous devrions considérer.

— Vraiment? Vous n'êtes pas sans savoir que les journalistes ne travaillent pas pour la police. Mes informations et mes sources m'appartiennent. Mais je consens à vous partager quelque chose qui vous intéressera...

Nancy Tremblay se penche vers l'avant afin de fouiller dans la serviette de cuir à ses pieds et en retire un papier plié, qu'elle présente à Fournier. Curieux, il tend la main pour le saisir.

— De quoi s'agit-il?

— D'une lettre anonyme reçue au journal en mars dernier, précise la journaliste.

Fournier s'empresse d'en commencer la lecture pendant que Nancy Tremblay renchérit :

— En résumé, l'auteure de la lettre souligne que Robert Pelletier devra répondre de ses actes, qu'elle se chargera de provoquer sa mort.

— Pardon? rugit Fournier d'une voix assourdissante, alors qu'il avale du même coup la gomme à mâcher qu'il chiquait depuis le dîner.

Il regarde la journaliste avec du feu dans les yeux.

— Êtes-vous en train de me dire que la meurtrière probable de Pelletier vous a fait parvenir, *à vous,* une lettre dans laquelle elle annonce ses intentions à la suite du résultat controversé du procès? Et *personne* au journal, pas même *vous,* la principale concernée, n'a jugé bon d'en faire part aux autorités?

— Les messages anonymes de la sorte sont monnaie courante, se défend Nancy Tremblay. Nous ne pouvons tous les prendre au sérieux, ajoute-t-elle sur un ton serein dans l'espoir de détendre l'atmosphère.

— Mais vous êtes inconsciente, ma foi! Ciboire, laissez aux policiers le soin d'en juger! La responsabilité de statuer sur la pertinence d'une pièce à conviction ne vous appartient pas! D'une part, vous décrivez l'ampleur démesurée du procès, alors que de l'autre, vous omettez de fournir aux policiers un document qui peut s'avérer d'une importance cruciale. C'est aberrant!

— Comment se fait-il que vous ayez jugé bon de conserver cette lettre, intervient Annabelle, si vous l'estimiez sans importance?

— C'est une question de politique interne. Au journal, nous devons assurer nos arrières en cas de poursuite; les documents sont archivés, pas détruits ou envoyés au recyclage.

Dans l'exercice de ses fonctions, rarement il a été donné à Nancy Tremblay de voir quelqu'un d'aussi horripilé que l'est Fournier en ce moment. Mais elle n'accepte aucunement de porter le blâme à cause d'une décision administrative.

— Monsieur Fournier, je n'y suis pour rien; la décision ne m'appartenait pas. Par ailleurs, je vous ferai remarquer que j'ai tenté par tous les moyens de vous joindre depuis une semaine afin d'éclaircir avec vous ce dossier, et ce, sans succès.

Fournier demeure de glace, il est absorbé par la lecture de la lettre. Annabelle s'est approchée de lui et se penche au-dessus de son épaule.

— Ce sera tout pour aujourd'hui, crache Fournier. Soyez cependant assurée que nous devrons poursuivre cet entretien après l'analyse de ce nouvel élément.

Nancy Tremblay laisse échapper un petit rire, heureuse d'apprendre que Fournier souhaite demeurer en communication avec elle.

— Au fait, inspecteur, maintenant que j'ai fait preuve de ma bonne collaboration, seriez-vous disposé à répondre à quelques-unes de mes questions à propos du meurtre? Donnant, donnant?

Fournier la fusille du regard.

— Au risque de me répéter, je souligne que l'entretien est terminé, rétorque-t-il avec fermeté. Cependant, vu l'intérêt que vous démontrez pour cette affaire et la lettre que vous venez de fournir, vous serez la première informée de tout progrès dans cette enquête. Pour l'heure, j'ai d'autres chats à fouetter.

Nancy Tremblay ravale sa frustration. Elle vient de leur confier une information cruciale et on la remercie ainsi? Pendant qu'Annabelle se charge de la raccompagner, Fournier commence la rédaction du rapport de la rencontre. Du coup, il se souvient du colis mystérieux que lui a apporté son adjointe, Gisèle, quelques minutes auparavant.

Avide d'en connaître le contenu, il s'empresse d'aller le chercher et remarque aussitôt que le dessous du paquet est humide. En le retournant, il décèle une tache brunâtre. Sans perdre un instant, il déchire le rabat et sursaute.

Le visage blême, il s'élance vers la sortie...

CHAPITRE 8
Imbroglio

Compte tenu des récents développements de l'enquête et de la réception de nombreux résultats en provenance des divers laboratoires d'analyses, l'équipe de Fournier s'apprête à commencer une réunion informative au poste de Mascouche. Ce qui retient l'attention plus que tout demeure le colis macabre qu'a reçu l'inspecteur, à l'intérieur duquel se trouvait un doigt humain ensanglanté.

En raison de l'ampleur que prend l'enquête, et grâce à l'insistance de l'inspecteur auprès de son commandant, l'équipe vient de s'adjoindre les services d'un véritable pilier dans le domaine des enquêtes criminelles, le capitaine Alexandre Gailloux. Grand ami et ancien coéquipier de Jacques Fournier au Service de police de la Ville de Montréal (SPVM), il a notamment œuvré au sein de l'escouade de la moralité, plus précisément au démantèlement de réseaux de prostitution. À l'aube de sa retraite, et à la suite de l'acceptation de sa demande de transfert à la Sûreté, il a récemment quitté la grande ville pour aller vivre à la campagne, dans le secteur des Laurentides. Mais voilà que cet homme au grand cœur et au sens de l'humour aiguisé devra attendre le dénouement de l'enquête de la Justicière avant de réintégrer ses fonctions à la formation des détectives, au poste de Sainte-Agathe.

Déjà, une excitation règne à l'intérieur de la salle de conférence; l'appui stratégique que fournira Gailloux en tant que responsable des opérations spéciales ne manque pas de revigorer l'optimisme de chacun. Tour à tour, les membres de l'équipe se lèvent afin de l'accueillir. Seul le sergent Corriveau, qui cherche encore une pâtisserie à se mettre sous la dent, le salue à distance.

La lieutenante Lyne Granger, dont la silhouette fine et élancée témoigne du souci qu'elle porte à son alimentation, essaie ce matin une nouvelle marque de thé vert et s'assure de s'asseoir loin de Corriveau : elle a encore en mémoire l'épisode du verre d'eau renversé lors de la dernière rencontre.

Un café à la main, l'inspecteur Fournier effectue une entrée remarquée en compagnie de Domenic Cuffaro, un technologue en analyses biomédicales convié à la réunion afin d'expliquer les derniers résultats de laboratoire. En voyant son vieil ami Gailloux, l'inspecteur exhibe un rare sourire et se dirige vers lui afin de l'accueillir avec une poignée de main bien sentie. Il invite ensuite les participants à prendre place autour de la table, tout en avalant la dernière gorgée de son café saturé de sucre.

— Bonjour à tous, commence Fournier. J'aimerais d'abord souhaiter la bienvenue au capitaine Gailloux, qui fera désormais partie de notre équipe d'enquête. À la lumière des constats de la pathologiste Josée Brière, nous envisageons maintenant une infiltration policière du milieu sadomasochiste. Monsieur Gailloux possède une vaste expérience en matière de mœurs, ce qui fait de lui l'homme de la situation. Nous aborderons notre stratégie d'infiltration en fin de rencontre.

Fournier regarde Cuffaro du coin de l'œil.

— Pour l'instant, poursuit-il, voyons ce que notre technologue peut nous révéler au sujet de ce fameux doigt coupé qu'on nous a fait spécialement livrer. Monsieur Cuffaro, la parole est à vous.

Ce dernier, qui ne s'attendait pas à prendre la parole de manière aussi rapide, farfouille dans son assemblage de feuilles afin de trouver la bonne page du rapport à partir de laquelle commencer son exposé de la situation.

— À première vue, prononce enfin le technologue en s'éclaircissant la voix, il est assez difficile de déterminer si cette phalange provient d'un cadavre, car la coagulation sanguine, au moment de la réception, était récente.

Le jeune Vincent Legendre, de nouveau campé aux côtés d'Annabelle, relève la tête.

— Êtes-vous en train d'affirmer que ce doigt pourrait provenir d'une personne toujours vivante?

— C'est exact, agent Legendre. En considération de cette livraison adressée à l'inspecteur Fournier, il vous appartient maintenant de déterminer si cet incident est lié ou non au dossier de la Justicière.

— Si tel est le cas, je conçois mal le motif pour lequel cette femme nous ferait parvenir ce genre de petit présent, soulève la lieutenante Granger. La livraison de ce doigt se veut une bien petite affaire si on la compare au corps entier qu'elle nous a laissé sur la plage d'Oka!

— En effet, Lyne, à moins bien sûr qu'il s'agisse là d'un prélude aux événements à venir… avance Annabelle.

— Je suis du même avis, ajoute Legendre; ça me semble annoncer un autre crime.

Lyne Granger arrête son regard sur ce dernier. Elle n'avait pas encore remarqué sa barbe de quelques jours ni le premier bouton de sa chemise nonchalamment détaché. Legendre, qui déploie mille stratégies pour attirer l'attention d'Annabelle, essaie subtilement de se donner une nouvelle allure de mauvais garçon. *Peut-être que ça va lui plaire,* se disait-il ce matin devant le miroir. Pour le moment, c'est plutôt la lieutenante qui semble apprécier son nouveau look.

— Ou encore, peut-être envoie-t-elle ce genre de colis pour nous faire perdre du temps en spéculations, propose Legendre en feignant une certaine insouciance. J'ai lu récemment que les meurtriers en série ont soif d'attention, qu'ils se prêtent à toutes sortes de pratiques bizarres afin de faire parler d'eux.

— Toutes les hypothèses sont bonnes, intervient Annabelle, incluant celle d'une personne sans aucun lien avec cette affaire, un opportuniste en mal d'attention, qui profite de la médiatisation du dossier de la Justicière pour créer une diversion, faire un *show* de boucane.

— Ou un petit farceur… ajoute Gailloux, un délinquant à l'esprit dérangé qui cherche à se moquer du corps policier. Mais s'il vous plaît, nous n'avons pas encore une série de meurtres semblables sur les bras, alors arrêtons de parler de meurtrière en série. Contentons-nous des faits.

— Chose certaine, il nous appartient d'effectuer un suivi rigoureux de ce dossier, tranche Fournier. Mais pour l'instant, si vous le permettez, nous allons demander à monsieur Cuffaro de poursuivre son exposé, le temps file.

— Pour faire suite aux récentes analyses de laboratoires, reprend ce dernier, le spécialiste de l'identité judiciaire m'a confirmé qu'aucune des empreintes digitales prélevées sur la scène du crime ne correspond à celles de criminels déjà fichés. Ça ne signifie pas pour autant que celles de la Justicière et de son possible complice ne s'y trouvent pas.

— Qu'en est-il des menottes et du scalpel découverts sur la scène du crime? s'informe Annabelle.

— Encore une fois, répond Cuffaro, aucune empreinte n'a été relevée sur l'une ou l'autre de ces pièces à conviction. Nous ne pouvons pas non plus établir la provenance exacte des menottes; toutes les boutiques érotiques vendent ce modèle. Cependant, le scalpel est fait d'un matériau médical professionnel. C'est un vrai scalpel, pas un exacto comme on en retrouve dans les papeteries. C'est peu d'indices, j'en conviens, mais c'est déjà une piste.

Le technologue saisit la mallette qu'il avait déposée par terre, la pose sur ses genoux et en retire un document qui porte le logo du Laboratoire de sciences juridiques et de médecine légale. À bout de bras, il exhibe ce qui constitue le rapport d'autopsie de la pathologiste Josée Brière.

— Il est prêt depuis hier soir seulement, enchaîne Cuffaro. Je vous ferai grâce des détails scientifiques et techniques, mais je tiens à vous mentionner la présence d'éther dans les tissus organiques de Pelletier. Ça démontre qu'on l'aurait intoxiqué quelques heures avant son décès pour une durée bien déterminée, possiblement dans le but de faciliter son enlèvement. Tout indique qu'il aurait été transporté à la plage d'Oka au cours de cette période d'évanouissement. Il est donc fort probable qu'il ait été kidnappé, peut-être même à partir de sa résidence.

Fournier repasse le fil des événements dans sa tête. L'hypothèse est très plausible, songe-t-il, bien qu'aucune trace d'entrée par effraction n'ait été signalée au domicile de Pelletier. Connaissait-il son exécutrice? Lui a-t-il ouvert la porte sans crainte? Il faudra lire les témoignages des voisins en ce sens et comparer les empreintes et autres indices trouvés sur les lieux.

— Pour ce qui est de la suite du rapport, je n'ai ciblé aucune autre révélation susceptible de modifier le cours de votre enquête, termine Cuffaro. Libre à vous toutefois de prendre connaissance du fin détail de ce document et d'en juger par vous-mêmes.

Le sergent Corriveau dépose sur la table la canette de boisson gazeuse dont il vient d'engloutir le contenu, puis empoigne l'anse du pichet d'eau. Sous l'œil vigilant de Lyne Granger, il verse laborieusement le liquide dans son verre. De toute évidence, le veston trop serré qu'il porte depuis dix ans limite le mouvement de ses bras.

— Merci, monsieur Cuffaro, lance Fournier. Corriveau, parlez-nous donc de vos recherches relativement au procès Pelletier, ajoute-t-il en le regardant remettre le pichet sur son socle.

Porté à se plaindre au moindre obstacle et à ronchonner lorsqu'il hérite d'une besogne qui lui déplaît, Corriveau est toujours amer d'avoir été affecté au dossier du procès de Robert Pelletier. Il laisse échapper un soupir :

— J'ai l'impression de tourner en rond, confesse-t-il. Au départ, je n'avais aucune idée de l'ampleur de ce procès controversé. J'ai perdu un temps fou à m'attarder aux menus détails des procédures, aux accusations contre Pelletier, aux arguments de la défense. J'ai enfin compris que j'en apprendrais beaucoup plus par l'interrogation des individus directement impliqués, ce qui exige toutefois une bonne planification.

Il va sûrement demander de l'aide, le pauvre, songe Annabelle en roulant les yeux.

— Le nombre de gens impliqués de près ou de loin dans cette affaire est frappant, poursuit-il : neuf avocats, quarante-sept témoins et autant d'experts appelés à la barre, plus de trois cents personnes interrogées dans la sélection du jury et au-delà de trente journalistes attitrés. Voilà la raison pour laquelle je n'en finis plus de m'éparpiller. En fait, j'aurais bien besoin d'assistance, inspecteur. Seriez-vous en mesure de me fournir un enquêteur pour m'assister?

Annabelle s'efforce de dissimuler un sourire. *Je le savais,* se félicite-t-elle en son for intérieur.

Fournier, qui songe depuis quelques jours à se débarrasser de Legendre pour une petite semaine, entrevoit là l'occasion idéale de l'éloigner d'Annabelle et de modérer ses ardeurs. Le jeune policier l'exaspère avec son arrogante belle gueule et ses tentatives de séduction à peine voilées.

— Je vous envoie Legendre, décrète l'inspecteur.

Du coup, le visage du jeune agent perd toutes ses couleurs; il est consterné par cette nouvelle affectation, qui lui coupe l'herbe sous les pieds. L'idée de délaisser la charmante compagnie d'Annabelle pour des échanges ennuyeux portant sur les pâtisseries, en compagnie du sergent Corriveau, ne lui plaît guère.

— À la suite de votre demande, inspecteur, j'ai creusé un peu plus au sujet de la journaliste que vous avez rencontrée lundi dernier, poursuit Corriveau, qui semble ne s'être rendu compte de rien. Il est surprenant de constater à quel point elle bénéficiait d'un accès privilégié à l'ensemble de l'information lors du procès Pelletier. D'ailleurs, à elle seule, cette reporter a généré une grande partie de l'ensemble de la production journalistique entourant l'affaire.

— De toute évidence, elle s'est dévouée corps et âme à cette cause, mais où voulez-vous en venir, sergent? demande Lyne Granger.

— À ceci : à quand remonte la dernière occasion où vous avez été témoin d'une étroite collaboration entre les avocats de la Couronne et une journaliste? demande-t-il à tous. Dans mon livre à moi, ça ressemble à un traitement préférentiel.

Corriveau baisse les yeux afin de consulter ses notes.

— Ah! Voilà, s'exclame-t-il en repérant le nom qui lui échappait. À titre d'exemple, la procureure Mélanie Bilodeau se refusait à tout commentaire en présence des médias, m'a raconté un journaliste frustré par le favoritisme dont bénéficiait Nancy Tremblay. Maître Bilodeau lui accordait, semble-t-il, des entretiens exclusifs. D'ailleurs, j'ai l'intention de rencontrer cette avocate au cours des prochains jours afin d'en avoir le cœur net.

— J'ose espérer que l'appui de l'agent Legendre au cours de la prochaine semaine vous permettra de rattraper le temps perdu, commente Fournier avec un enjouement mal dissimulé, fier de se débarrasser de son jeune collègue pour un certain temps.

Annabelle affiche un petit sourire narquois.

Sentant qu'il lui appartient à son tour de soumettre son rapport d'activité pour la semaine, Lyne Granger prend la parole :

— De mon côté, j'ai passé de nombreuses heures à repérer les causes d'acquittements douteux, précise-t-elle. J'ai ciblé les dossiers qui, de manière similaire au procès de Robert Pelletier, semblaient pencher vers une inculpation, mais qui ont finalement permis au présumé criminel de s'en tirer.

— Ce sont là des litiges qui risquent d'attirer l'attention de la Justicière, convient Annabelle, puisque sa motivation principale semble être la punition des individus ayant échappé à la justice.

— Malgré ces possibilités, ne présumons de rien, prévient Lyne Granger : mis à part l'hypothèse de la numérotation de sa victime, nous avons peu de raisons de croire qu'elle aurait ciblé d'autres présumés criminels et qu'elle envisage une récidive. Seul le doigt coupé, s'il s'avère lié à la Justicière, nous permet de supposer qu'un autre crime sera bientôt commis. S'il ne l'a pas déjà été.

Fournier expire sans discrétion.

— De manière concrète, lieutenante Granger, avez-vous répertorié parmi ces procès étudiés des causes qui méritent notre attention immédiate? J'ose espérer que vous êtes en mesure de nous fournir des pistes à explorer.

— Aussi curieux que ça puisse paraître, il est difficile d'imaginer à quel point les archives judiciaires regorgent de cas litigieux. C'est à se demander si la justice fait son travail. Pour cette raison, j'ai dû me restreindre aux années récentes, du moins pour le moment, en espérant que la Justicière ne remonte pas plus loin dans le temps. De toute manière, il serait presque impossible d'effectuer un suivi adéquat sur chacune des causes. Mais bon, des affaires de pédophilie, de fraudes financières, de sectes, entre autres, n'ont pas manqué d'attirer mon attention.

Haussant les épaules, Fournier se croise les mains derrière la tête et s'appuie contre le dossier de sa chaise dans le but de réfléchir à la stratégie à adopter dans les circonstances.

— Cette femme a peut-être un accès privilégié aux dossiers judiciaires… spécule Corriveau.

— Je ne vois qu'une option pour le moment, déclare Fournier au bout de quelques instants. Nous devons établir une courte liste des dossiers les plus controversés, ceux qui, prioritairement, risquent d'intéresser la Justicière en fonction de leur similarité avec la cause de Robert Pelletier. Nous serons par la suite en mesure d'instaurer un plan d'action.

— Je m'occupe de dresser cette liste de causes à fouiller, confirme Lyne Granger.

Fournier pointe Annabelle de son stylo, indiquant à cette dernière qu'il est prêt à entendre le compte rendu de sa semaine de travail.

— Vincent et moi avons passé les derniers jours dans la région d'Oka, commence-t-elle. Nos questions s'adressaient surtout aux résidents, question de savoir si l'un d'eux avait repéré une quelconque anomalie dans le secteur la nuit du meurtre.

Legendre sourit intérieurement, heureux d'entendre Annabelle parler du temps qu'ils ont passé ensemble et l'appeler par son prénom.

— La seule information digne de mention que nous ayons obtenue, poursuit Annabelle, nous provient de deux jeunes hommes qui revenaient d'une sortie dans un bar de Laval. Ils prétendent avoir aperçu une camionnette de couleur foncée, quittant les environs de la plage vers quatre heures et quart du matin. C'est encore bien peu comme élément d'enquête, mais ce véhicule représente tout de même notre seule piste. Au fil de nos discussions, Vincent et moi avons également envisagé une nouvelle hypothèse, qui pourrait nous diriger vers des témoins oculaires « insoupçonnés ».

Corriveau la fixe avec intérêt.

— Lors de notre découverte du scalpel, le matin du meurtre, plusieurs d'entre nous étaient d'avis que la Justicière avait égaré l'objet au moment de quitter les lieux. Mais qu'en est-il des menottes? Récemment, nous nous sommes de nouveau posé la question à savoir pourquoi elle aurait omis de les retirer. À moins d'un oubli volontaire, par lequel elle aurait voulu signifier symboliquement son autorité de « Justicière », je ne peux pas croire qu'elle aurait commis ce genre d'impair. Imaginons un instant qu'un visiteur inattendu se soit présenté sur le lieu du crime, que ce dernier ait gêné le déroulement du méfait. Ainsi prise au dépourvu, la meurtrière se serait vue dans l'obligation de mettre fin de manière prématurée à ses occupations et de quitter les lieux aussitôt. Voilà une supposition qui expliquerait les oublis. Par ailleurs, si de tels témoins existent, peut-être recevrons-nous un appel en ce sens sur notre ligne d'information publique.

— Ce genre de renseignement pourrait sans doute nous aider à faire avancer nos recherches, admet Fournier.

Ce dernier jette un coup d'œil à sa montre. La réunion s'étire au-delà des prévisions et Gailloux, qui en a toujours long à dire, n'a pas encore pris la parole. Fournier se dit qu'il ne peut se permettre de rater pour une énième fois un rendez-vous pris chez le dentiste, qu'il reporte depuis des mois.

— Je dois partir dans quelques instants, lance-t-il. Alex, tu n'as que deux minutes pour nous parler de ton activité.

Gailloux connaît bien cette tactique de son ami, celle de ne lui céder la parole qu'en dernier, quand le temps commence à manquer; une façon de l'empêcher d'étirer la sauce. Ce n'est pas la première fois qu'il lui fait le coup!

— Je serai bref, indique le capitaine avec un brin de sarcasme dans la voix. À la lumière des observations de la pathologiste, et afin d'approfondir nos connaissances en matière de sadomasochisme, nous vous convions à une conférence pour le moins particulière ce samedi. Oubliez votre jour de congé. La sexologue Michelle Caron, apparemment renommée pour ses connaissances en la matière, sera ici pour nous instruire à l'occasion d'une formation, d'une durée de deux à trois heures.

Lyne Granger lève les mains de la table, estomaquée :

— On aura tout vu! s'exclame-t-elle. Une formation en SM...

CHAPITRE 9
Confuse

À l'âge de dix-neuf ans, j'ai traversé la période la plus sombre de ma vie. D'une part, la mort de mes parents lors d'un tragique accident de voiture causé par un chauffard – qui devait, ce soir-là, avoir plus d'alcool que de sang dans les veines – m'avait plongée dans un état presque dépressif. Incapable d'accepter cette fatalité, j'avais développé une vive rancœur envers le responsable de cette collision mortelle, qui m'arrachait, par sa conduite dangereuse, les deux personnes qui m'étaient les plus chères au monde. Le quidam, un alcoolique d'une quarantaine d'années d'origine mexicaine, s'en était sorti indemne, avec à peine quelques blessures mineures, ce qui nourrissait en moi un terrible sentiment d'injustice. Bien qu'il ait subi un procès pour négligence criminelle, il avait écopé d'une peine réduite qui m'avait laissée terriblement amère. D'autre part, j'étais à ce moment de ma vie bouleversée par de sérieuses interrogations à propos des fantasmes sadiques que je découvrais au fil du temps et qui me semblaient de plus en plus hors normes. Je me sentais perdue, j'avais l'impression que ma vie n'était plus qu'un labyrinthe constitué de couloirs, dont aucun ne menait à la rédemption. Toutefois, l'idée de consulter un spécialiste afin d'explorer ce sentiment de détresse ne me semblait pas envisageable; j'avais bien trop d'orgueil pour accepter une quelconque forme de soutien psychologique.

Fille unique, j'ai grandi dans une famille m'ayant inculqué de bonnes valeurs au sein d'une communauté catholique, croyante et pratiquante. Nous allions à la messe tous les dimanches et mes parents étaient très bien vus par le voisinage de par leur engagement bénévole dans la communauté. Nous représentions pour les autres, sans doute, une petite famille modèle. Ainsi, ma voie semblait tracée d'avance dans les chemins établis par la norme chrétienne. Mon père, un ingénieur forestier de bonne réputation, soutenait financièrement la famille, ce qui donnait l'occasion à ma mère de demeurer à la maison, de s'acquitter des tâches ménagères et de s'occuper de moi avec grand soin. Mes parents se manifestaient beaucoup d'affection et de respect, et ce petit cocon familial était des plus chaleureux. J'étais choyée et je le leur rendais bien en m'efforçant d'être à leurs yeux une enfant exemplaire.

Lorsque leur décès est survenu, j'ai eu l'impression qu'on me dépossédait d'un trésor. On m'arrachait le cœur, on me déracinait de ce terreau fertile où j'avais grandi. Je me suis retrouvée seule, du jour au lendemain, sous le choc d'une nouvelle que je n'arrivais pas à accepter. J'aurais voulu qu'on me pince, qu'on me gifle pour me ramener à la réalité; tout cela me semblait être le plus horrible des cauchemars. J'espérais me lever, au petit matin, en réalisant avec soulagement que ce n'était qu'un mauvais rêve, mais je devais plutôt encaisser la réalité, me rendre à l'évidence : un connard avait tué mes parents, mes adorables parents. Pour cela, il aurait mérité qu'on lui arrache la langue, afin de l'empêcher de protester et d'inventer des excuses, et qu'on lui enfonce une bouteille de 40 oz de vodka dans la gorge. Voilà ce à quoi je pensais en m'endormant le soir, rongée par la colère.

Malgré l'acceptation graduelle de la perte, je rentrais à la maison le soir avec l'impression qu'en franchissant le seuil, je serais accueillie joyeusement par mon adorable caniche royal Tamy et que je verrais ma mère déposant un plat de service au centre de la table, m'invitant à m'asseoir pour goûter à l'un de ses traditionnels plats mijotés. Je revoyais mon père, les mains jointes, baissant la tête quelques instants, marmonnant une prière avant le repas. À mes pieds, mon chien noir guettait le moment où je lui refilerais un bout de carotte sous la table.

Je n'avais jamais ressenti la nécessité de me rebeller, comme certains autres jeunes de mon âge, car rien dans l'éducation de mes parents ne m'oppressait vraiment. Je m'estimais heureuse en comparaison de certains copains de classe que je savais, à cette époque, en grand conflit avec leurs géniteurs.

À l'école, j'avais toujours été une excellente élève, surtout dans les sciences humaines et les sciences de la technologie. J'avais cette curiosité insatiable, ce goût de la découverte et ce penchant pour l'analyse qui me destinaient à une brillante carrière. C'était du moins ce que mon père répétait avec fierté lorsqu'en rentrant de l'école, je lui remettais les copies de mes examens sur lesquels mes professeurs notaient des commentaires des plus valorisants. Parfois, je le surprenais à bavarder avec le voisin, vantant mes mérites, ce qui ne manquait pas de flatter mon ego de jeune femme en devenir. Il souhaitait que je poursuive mes études et que je devienne médecin ou avocate. Ma mère partageait cette grande satisfaction de me voir réussir et y contribuait autant que possible en m'imposant des horaires très stricts d'études en sa compagnie. Elle suivait avec attention les tâches que je devais accomplir et ne manquait pas de me faire reprendre le travail s'il lui semblait négligé. Elle était une grande perfectionniste et je crois bien avoir hérité d'elle ce trait de personnalité, car je ne fais jamais les choses à moitié et j'exige de moi-même la plus grande minutie dans tout ce que j'entreprends. Ma forte personnalité fait en sorte que j'ai par ailleurs tendance à imposer aux autres mon souci de perfection. Je leur semble donc très exigeante, comme ma mère l'était avec moi sans doute, mais, en cela, je ne me sens pas coupable; je sais trop bien combien il importe d'être hissé vers le haut pour parvenir au dépassement de soi. À la fin de mon secondaire, je comptais parmi les meilleurs élèves de la province; j'ai même remporté la Médaille académique du Gouverneur général du Canada pour l'excellence de mes notes. Puis, comme la plupart des jeunes, j'ai commencé mon cégep sans avoir d'idée précise du domaine dans lequel j'aimerais travailler un jour.

Alors que j'en étais à ma deuxième année d'études collégiales en sciences pures, ma vie de jeune adulte ne m'avait offert qu'un soupçon de réjouissances; je tentais toujours de survivre au deuil de mes parents et j'étais étrangement de plus en plus accablée par mes obsessions de domination masculine.

Mes amies, elles, semblaient filer le parfait bonheur. Elles agrémentaient leurs soirs de semaine de soupers au restaurant en compagnie de prétendants, de sorties amoureuses au cinéma, de visites nocturnes sur le mont Royal, où elles retrouvaient plein de copains pour y fumer de l'herbe : voilà le genre d'activités qui meublaient leur vie sociale. De mon côté, je prétextais devoir rester à la maison pour étudier et, plutôt que d'aller flâner avec elles pour *flirter* bien gentiment avec les garçons de mon âge, j'avais envie de me dégotter un homme et de l'enfermer dans mon placard pour en faire ma chose, mon esclave.

110

Je me rongeais les sangs avec des questions existentielles. Je me demandais si ces idées bizarroïdes n'étaient pas symptomatiques d'un trouble psychiatrique quelconque. Je m'interrogeais par ailleurs à savoir si j'étais seule à entretenir ce genre de fantasmes, si mes copines ne nourrissaient pas les mêmes en secret. J'avais beau scruter le fond de leurs prunelles en échangeant avec elles à propos des garçons qu'elles fréquentaient, rien ne pouvait laisser deviner de telles inclinations chez elles. Je ne savais pas si je devais assumer ces curieuses pulsions qui naissaient en moi ou si je ne devais pas plutôt me précipiter dans une église pour les confesser. Mes désirs étaient cependant si puissants que je ne pouvais me résoudre à y renoncer.

Je m'isolais donc de plus en plus et n'osais me confier à personne à ce sujet. Je n'avais pas l'audace de me lancer plus loin dans la réalisation de mes fantasmes et me trouvais paralysée par cette incompréhension qui me tourmentait. Mon oncle Marcel, qui s'était chargé de régler la succession de mes parents, était la seule personne de ma famille avec qui je gardais contact, sauf qu'il n'était bien sûr pas question d'avouer ce genre de chose au frère de mon père. Je me disais de toute manière que les détails de ma vie sexuelle ne regardaient personne d'autre que moi-même et que je n'avais en ce sens aucun *coming out* à faire.

À l'occasion de ma dernière visite chez mon médecin de famille, j'avais admis être débordée par mes études et me sentir quelque peu dépressive depuis la mort de mes parents, n'osant confier la teneur de mes réels tourments, qui surpassaient en fait tous les autres. Le médecin avait estimé que consulter un psychologue me serait utile pour retrouver mon équilibre.

Prenant mon courage à deux mains, et songeant à profiter de cette occasion pour explorer mes terribles obsessions sexuelles, j'avais fouillé la rubrique appropriée dans les pages jaunes de la région de Pointe-Claire, un secteur passablement éloigné de mon domicile; par souci de confidentialité, je préférais me distancer de l'endroit où les gens me connaissaient.

— Avez-vous des femmes parmi vos psychologues? avais-je demandé à la réceptionniste de la clinique spécialisée.

— Non, nos quatre psychologues sont tous des hommes.

Je ne me sentais pas très à l'aise de révéler à un homme, fut-il psychologue, que je fantasmais à l'idée d'assujettir la gent masculine, de la réduire au rang de strict jouet sexuel. Sur le coup, j'avais remercié la dame et j'avais raccroché la ligne. Mes autres recherches ne s'étant pas avérées très fructueuses, et ayant retourné la question dans tous les sens, j'avais fini par rappeler la même clinique en me disant qu'il fallait considérer le psychologue comme une entité asexuée, capable d'accueillir les confidences de ses patients sans jugement aucun, en conformité avec le code de déontologie. On m'avait alors fixé un rendez-vous avec le docteur Miller.

Je me souviens particulièrement bien de ma seule et unique rencontre avec ce psychologue. Ma journée avait commencé par une visite chez un concessionnaire automobile, là où j'avais pris possession de ma toute première voiture neuve, une Mazda rouge achetée grâce à une partie de mon héritage. Ce fut d'ailleurs ma journée d'adieu aux balades en autobus et, surtout, aux incessantes demandes de *lifts* auprès de mes amis qui me faisaient sentir dépendante, ce que je haïssais au plus haut point!

La clinique de Miller se trouvait dans un édifice flambant neuf, à l'architecture moderne. Un bâtiment luxueux pour lequel on avait dû dépenser une fortune. Même l'aire de stationnement, que les concepteurs avaient réussi à enjoliver à l'aide de plates-bandes ornées de gazon et de fleurs, n'avait pas manqué de m'impressionner. D'ailleurs, dès que j'ai posé les pieds dans le hall d'entrée, tout de marbre, j'ai cessé de me demander comment il se faisait qu'il en coûtait si cher pour une rencontre.

Le temps de remplir le formulaire que m'avait remis la secrétaire, d'inscrire mes antécédents médicaux et de répondre à quelques questions dont je ne voyais pas l'utilité, le psychologue est apparu dans la salle d'attente.

— Veuillez me suivre, mademoiselle, m'invita un homme aux cheveux coupés ras, mi-quarantaine, du haut de ses six pieds et quelques pouces.

À l'intérieur de la pièce où il m'avait conviée se trouvait un chic bureau de bois massif régnant au centre d'un petit salon vers lequel mon hôte s'est empressé de me diriger. Il y avait là deux sièges inclinables à proximité d'une table en noyer garnie de plusieurs bouquins, d'une boîte de papiers-mouchoirs et d'un arrangement de roses blanches, dont le parfum embaumait la pièce. Miller m'a indiqué le fauteuil qui m'était destiné avant de s'enfoncer dans le second, un document à la main.

Le psychologue n'avait mis que quelques minutes à examiner mes réponses avant de m'adresser la parole d'un ton posé et de m'expliquer la procédure qu'il entendait suivre avec moi :

— En fonction des informations que vous allez me fournir, de votre historique familial et social, je serai en mesure de mieux saisir vos préoccupations.

J'avais envie de l'interrompre, de lui avouer d'emblée et sans aucun détour que je nourrissais des fantasmes de domination envers les hommes, puis de lui demander s'il croyait ou non pouvoir m'aider, car je n'avais surtout pas envie de perdre mon temps avec lui. Rongeant mon frein, j'ai cependant attendu la fin de son explication.

—... Ça me permettra d'évaluer votre psyché, de vous transmettre mes impressions, de vous offrir des recommandations. Est-ce que ça vous va?

Je savais pertinemment que son discours était de nature générique, qu'il amorçait toujours ses rencontres de la même manière, mais qu'il serait bientôt estomaqué d'apprendre que mon cas était beaucoup plus insolite que ce à quoi il s'attendait sans doute.

— Mon problème est plutôt particulier, lui avais-je avoué. Avant de me présenter ici, je me suis d'ailleurs demandé si une visite chez un sexologue ne serait pas plus appropriée...

Miller a alors baissé ses lunettes sur le bout de son nez et dirigé son regard par-dessus celles-ci en ma direction.

— Je vous écoute.

Ma première idée était de lui parler de mon éveil à la sexualité, des désirs étranges qui m'habitaient depuis mon tout jeune âge, de mes fantasmes qui me semblaient diamétralement opposés à ceux de mes copines, mais j'ai cru

114

bon d'y aller d'abord en douceur dans les confidences, question de jauger sa capacité à recevoir ma réelle confession. Je lui ai donc parlé de mes parents en premier lieu, de leur mort subite et tragique, de ce deuil encore irrésolu, de mon surinvestissement dans les études afin de me tenir l'esprit occupé à autre chose qu'à ce foutu désir de vengeance qui me hantait, quoi que je fasse. Je lui ai également confié cet état dépressif qui avait commencé à m'envahir à cause sans doute de ces sentiments d'injustice et d'impuissance que j'éprouvais et qui me tuaient à petit feu. J'avais besoin de reprendre les rênes de ma vie, de reprendre le contrôle de mon existence afin de ne pas me laisser abattre et réduire à néant par la fatalité; cela ne me ressemblait pas, il fallait me ressaisir.

Le psychologue me demanda s'il m'était déjà arrivé, outre le cas de ce criminel ayant causé le décès de mes parents, de nourrir des sentiments de hargne et de vengeance. J'entrepris alors, avec beaucoup de nuances, de lui laisser entrevoir quelques pensées pouvant être qualifiées de violentes, toujours dirigées vers la gent masculine, que j'avais déjà éprouvées auparavant et qui avaient même nourri quelques fantasmes de nature sexuelle. Je lui confiais cela sans toutefois oser encore plonger dans le détail, tentant de discerner dans son regard le fond de sa pensée, mais son visage restait impassible et il ne faisait que hocher la tête en guise d'assentiment afin de m'encourager à poursuivre mes confidences. Je voulais surtout savoir si je devais m'en inquiéter, lui avais-je enfin demandé, afin de l'obliger à prendre la parole, puisque son observation soutenue de ma personne commençait à m'embarrasser quelque peu.

— Continuez, m'avait-il priée. Vous êtes encore trop floue dans vos propos pour que je puisse m'en faire une idée. Qu'entendez-vous par « désirs étranges »?

— Eh bien... mes masturbations ont débuté dès l'âge de douze ans. J'imaginais alors des scènes impliquant des garçons à mon service. En quelque sorte, j'étais la commandante et eux, les exécutants. Par exemple, lors de mon adolescence, ma passion pour l'équitation m'a permis d'éprouver de nombreux orgasmes alors que je m'imaginais sur mon cheval en pleine chasse à l'homme. Plus précisément, dans mon scénario, j'invitais les garçons de mon école à venir me visiter au ranch le samedi après-midi. À tour de rôle, je leur demandais de retirer leur chandail, de ne garder que leurs pantalons, puis de s'enfuir dans les champs. C'est alors qu'à dos de cheval, fouet à la main, je partais à leur trousse dans le but de les flageller du haut de ma monture.

Miller avait haussé un sourcil et m'avait avoué d'une voix calme et impassible :

— En effet, il est assez inhabituel pour une jeune fille de cet âge de développer une libido liée à ce genre de mises en scène. Les quelques cas recensés depuis le début de ma pratique ont démontré que ce n'est que plus tard dans leur vie que certaines femmes prennent goût à ce type de fantasmes.

L'espoir venait de naître en moi, j'étais encouragée d'apprendre que ce psy n'était pas en territoire inconnu, qu'il pourrait alors sans doute m'aider.

— Vous connaissez bien ce phénomène? m'étais-je exclamée.

— Je suis plutôt néophyte à cet égard, mais je sais toutefois que, dans ce domaine, les fantasmes ont tendance à s'intensifier au fil du temps. C'est particulièrement ce qui retient mon attention, dans votre cas. Vous avez commencé plutôt jeune...

116

Il ne savait pas si bien dire. Depuis quelques années, mes fantasmes de jeunesse s'étaient dramatiquement transformés. J'en étais rendue à rêver de castrations, mais je n'étais pas disposée à lui confier déjà cette rapide évolution, qui m'étonnait moi-même.

Notre rencontre s'est poursuivie pendant de longues minutes, alors qu'il me ramenait sur le terrain de mon enfance. Miller voulait en savoir davantage sur mon éducation, les gens de mon entourage, mes interactions avec les hommes, la potentialité d'un souvenir de jeunesse traumatisant, outre celui bien sûr lié à ma condition récente d'orpheline.

Rien ne me venait à l'esprit. Impossible de me remémorer un incident susceptible d'avoir modifié le cours de mon cheminement. Puisque je n'avais plus envie de tourner autour du pot et de lui raconter ma vie en vain avant de me voir référée à un autre spécialiste, je n'ai pu m'empêcher de lui poser la question qui me brûlait les lèvres :

— Dites-moi, monsieur Miller, que pouvez-vous faire pour moi précisément?

— Je peux vous aider à découvrir l'origine de votre intérêt pour la domination et possiblement réussir à atténuer vos impulsions, si c'est ce que vous souhaitez.

— Atténuer, dites-vous? J'espérais plutôt les supprimer, me suis-je esclaffée.

— C'est peu probable. Les fantasmes ne se commandent pas, vous savez. Ils sont des sources d'excitation sexuelle propres à chacun, ils viennent de l'inconscient. Certains évoluent alors que d'autres disparaissent, faisant place à de nouvelles préférences. Mais à cet égard, bien sûr, un sexologue serait sans doute pour vous une meilleure option.

— Je comprends. Peut-être que je devrai me contenter de modérer mes élans. Actuellement… il suffit que je me retrouve seule devant un homme pour que le goût de le dominer, de lui faire mal, s'empare de moi, lui avais-je avoué en osant le défier du regard.

Embarrassé, Miller avait mis fin à notre contact visuel et il s'était levé de son fauteuil calmement, m'apprenant que mon temps était écoulé.

Par politesse, sans doute, il m'avait offert de prévoir un deuxième rendez-vous, mais l'expression de son visage me laissait croire qu'il espérait plutôt que je décline cette proposition.

— Je vais y penser, m'étais-je contentée de lui répondre d'un air espiègle, satisfaite de son embarras qui commençait à me titiller.

Le retour chez moi s'était effectué pendant l'heure de pointe, dans un lourd trafic, ce qui m'avait permis de réfléchir pendant de longues minutes à ma conversation avec le psychologue. J'étais maintenant en mesure d'établir mes propres conclusions : Miller me l'avait confirmé... les dominatrices existaient. J'en étais une, mais plutôt précoce, semblait-il. En aucune occasion, lors de notre entretien, je n'avais eu l'impression qu'il s'agissait d'un trouble de comportement psychologique ou psychiatrique, d'une anormalité mentale, d'une maladie. « Les fantasmes ne se commandent pas. » Cette phrase, qu'avait prononcée le psychologue, continuait de me marteler l'esprit.

En fin de compte, cette rencontre m'avait fait du bien. Je quittais la clinique forte d'une confiance renouvelée, prête à affronter l'avenir qui m'était réservé, résolue à m'accepter telle que j'étais.

CHAPITRE 10
John Peters

Lors de sa sortie de prison, l'ex-financier John Peters n'avait pas tardé à s'envoler en solitaire vers le chaud soleil du Mexique pour des vacances d'un mois, un projet qu'il avait concocté derrière les barreaux. Après cette longue période d'enfermement, il avait grand besoin de se remplir les poumons d'air pur et de jouir de sa nouvelle liberté en appréciant l'horizon sans fin de la mer des Caraïbes. Rien ne pouvait lui faire plus de bien que les plages de l'île de Cozumel, où il s'était prélassé pendant des heures sous les rayons de l'astre chaud, se rafraîchissant de temps à autre dans l'eau saline. Il avait enfilé les cocktails l'un derrière l'autre en observant les beautés féminines se balader sur les rivages. L'année précédente, on l'avait condamné à purger une peine de six ans de prison pour avoir orchestré sans aucun scrupule un détournement de plusieurs millions de dollars, fraudant ainsi d'innombrables petits investisseurs. Les victimes de ce scandale financier, d'honnêtes gens, dont la plupart attendaient l'âge de la retraite afin de profiter de leurs économies, avaient tout perdu.

Maintenant libre et sans aucune restriction de déplacement au terme de seulement un sixième de sa sentence, le voilà tout heureux et de retour à Montréal, où il vient à peine de franchir les douanes. Avec ses allures de vacancier – chemise exotique, lunettes fumées au front et sandales aux pieds –, il arbore un large sourire de satisfaction. Au moment de sa sortie, il fouille son bagage à main à la recherche de son manteau d'automne. Un chauffeur en costume sombre, chemise blanche et cravate, l'attend parmi le rassemblement de gens venus accueillir un passager. Casquette noire sur la tête, le gaillard à la peau ambrée tient à la main une pancarte arborant le nom de Peters.

— *It's me!* s'exclame celui-ci en levant le bras pour signaler sa présence.

L'individu qui tient l'écriteau, un costaud au visage inexpressif et aux sourcils broussailleux, le salue avec déférence puis l'invite à le suivre. Les deux hommes se dirigent vers l'extérieur, suivis du bagagiste et de son chariot à roulettes. Ce n'est rien de moins qu'une rutilante limousine noire qui les attend. « J'ai une surprise pour toi à ton arrivée demain », lui avait dit sa sœur lors de leur conversation téléphonique de la veille. Il ne s'attendait toutefois pas à ce qu'elle l'envoie chercher par une voiture d'un tel chic : après tout, elle ne roule pas sur l'or avec son emploi de caissière. La possibilité que les membres de sa famille puissent l'attendre à l'intérieur du véhicule aux vitres teintées, afin de célébrer sa remise en liberté, lui traverse l'esprit. L'homme à casquette prend soin d'ouvrir le coffre alors qu'avec nonchalance Peters remet au bagagiste un généreux pourboire dès que les valises sont déposées à l'arrière du véhicule.

Le chauffeur ouvre ensuite la porte arrière de la voiture et invite l'homme d'affaires à prendre place sur la longue banquette de cuir ivoirin.

Personne ne se trouve à l'intérieur, constate Peters, visiblement déçu de ne partager avec aucun ami ce spacieux habitacle. Un superbe bar à boissons surplombé d'un grand écran plat se trouve juste devant la banquette. Un sourire oblique ne tarde pas à se dessiner sur ses lèvres en réalisant le traitement princier qu'on lui a réservé.

La portière du conducteur s'ouvre et le colosse prend place derrière le volant. Au même moment s'ouvre celle du passager, puis un homme d'un teint et d'une physionomie attestant ses origines hispaniques se laisse choir sur la banquette. Il se retourne ensuite vers l'arrière et plante son regard menaçant dans celui du passager. Sans le quitter des yeux, il glisse une main dans son veston, duquel il tire un révolver de calibre .38 qu'il braque sur Peters, dont le visage devient livide.

— *Hola, señor* Peters! Y'espère qué vous avez fait un bon voyage et qué vous êtes bien réposé, parcé qué les vacances sont terminées, *mi amigo*. Cé qui va suivre né séra pas dé tout répos, yé vous en passe un papier. Il est temps dé sé consacrer aux choses sérieuses, yé né voudré pas avoir à vous ténir en joue pour la durée du voyage, aussi yé vous conseille dé rester tranquille. Mainténant, bouclez votré ceinture, nous prénons la route.

Le cœur dans la gorge, Peters déglutit avec difficulté et s'efforce de garder son calme en tentant de comprendre la situation et d'identifier ses oppresseurs ainsi que leurs motifs. Le moteur démarre et la voiture s'engage sur la route. Peters n'ose pas un seul mouvement ni même une parole. Les deux mains crispées sur la banquette, l'ex-financier est figé par la tournure des événements. Ses réflexions se bousculent dans un tourbillon des plus étourdissants. Il lui est impossible de se concentrer; ses pensées valsent à une vitesse folle entre l'observation minutieuse des événements et les hypothèses envisageables pouvant expliquer son enlèvement. Discrètement, il tente de s'emparer de son cellulaire, mais s'aperçoit aussitôt que l'étui est vide. Une montée d'adrénaline accélère son rythme cardiaque.

— *Excuse me…* Puis-je savoir où nous allons? demande-t-il enfin de son accent anglophone en tentant de faire preuve de contenance.

L'homme armé garde le silence en lui adressant un regard réprobateur. Pour toute réponse, il pointe de nouveau son arme vers le captif, le convainquant ainsi de se tenir coi pour le reste du trajet.

— *I just talked with Mistress Gabriella,* mentionne d'une voix rauque le chauffeur à son collègue.

Peters perçoit chez ce dernier un accent très rude, probablement slave, qui lui confère une allure sévère.

— *She will be home soon,* poursuit le kidnappeur.

Les yeux de Peters s'arrondissent. *Gabriella?* s'interroge-t-il.

— *I'm not your man,* vous faites erreur! bafouille-t-il. Je ne connais personne de ce nom!

— Mé la *señorita* Gabriella vous connaît tré bien, elle, *señor* Peters, sourit malicieusement le passager avant. Ses ordrés né pouvaient pas être plus clairs : « Raménez-moi cé pourri à la maison! »

— Pourri? Moi? Mais… *what the fuck?* Cette histoire est absurde! s'exclame Peters, à bout de nerfs.

Il peine à croire que ces gens soient si bien organisés. Cette logistique le rend perplexe; il se demande comment ces hommes pouvaient savoir qu'il ne serait aucunement sur ses gardes à l'aéroport et que la présence d'un chauffeur de limousine n'attirerait pas ses soupçons outre mesure.

Au tournant d'une rue, le véhicule ralentit puis s'engage dans un chic quartier résidentiel, dont la voie pavée de pierres est bordée de grands érables garnis de feuilles colorées. Devant les demeures s'étalent d'impressionnants aménagements paysagers. La fin éminente du trajet ne manque pas de monopoliser l'attention de Peters, qui tente d'identifier les lieux et de trouver quelques points de repère potentiellement utiles en dépit du déclin de la lumière du jour. À travers la paroi teintée, il observe les alentours : sur la droite, de jeunes adultes quittent un court de tennis; à gauche se trouve une maison blanche pourvue d'une énorme fontaine d'eau et de lions en granite; devant la résidence suivante, il remarque une haie de petits feuillus superbement taillée. Il tente d'emmagasiner dans son cerveau autant d'informations que possible, dans le menu détail. Il s'étonne de l'insouciance dont font preuve les ravisseurs, qui n'ont pas même daigné lui masquer les yeux, ce qui ne manque pas de jeter encore plus de confusion dans son esprit.

L'automobile s'immobilise dans le stationnement d'une somptueuse résidence en pierre grise. Dès que le permet l'ouverture de la grande porte en métal bourgogne, le chauffeur avance la voiture dans l'espace prévu au centre d'un spacieux garage.

— Sortez, *señor* Peters, ordonne l'homme au révolver en lui ouvrant la portière dès qu'ils se trouvent à l'intérieur, hors de vue du voisinage.

Le chauffeur l'accueille à son tour, muni d'une arme semi-automatique. Saisissant Peters par le col de sa chemise à palmiers multicolore, il le rudoie puis force le prisonnier à descendre au sous-sol par un escalier de service en béton. Au même moment, la porte principale de la maison se fait entendre : quelqu'un vient d'entrer.

Les deux molosses entraînent leur captif au seuil d'une authentique cellule, semblable en tous points à celle dans laquelle Peters a croupi la dernière année. Le pauvre homme, dépité, tente de percevoir une issue quelconque par laquelle il pourrait s'évader. Son regard croise alors une silhouette féminine au bas d'un luxueux escalier de bois. La lueur provenant de l'étage ne lui permet pas de bien distinguer les traits du visage de la dame jusqu'à ce qu'un lustre s'allume et jette sur elle un faisceau de lumière ambrée. Un bras appuyé sur la rampe sculptée, la femme adopte une posture souveraine tout en observant la scène, le menton relevé avec suffisance, le regard plein de condescendance. Les deux serviteurs maintiennent le prisonnier et l'un d'eux, de son avant-bras, lui plante un coup dans les reins afin qu'il se tienne bien droit devant leur maîtresse.

— *Es el hijo de puta, señorita.*

— C'est du beau travail, messieurs, reconnaît Gabriella en avançant d'un pas princier vers le captif.

Elle approche son visage du sien et relève la tête en arborant une moue dédaigneuse. La simple présence de Peters, ce personnage hypocrite et mythomane, la dégoûte au plus haut point. La tentation de lui administrer une bonne raclée l'envahit, mais elle s'en abstient pour l'instant. Au moment opportun, il recevra la punition qu'il mérite.

— Sachez, Peters, que votre entretien téléphonique d'hier soir avec votre sœur nous a vraiment facilité la tâche, exulte Gabriella.

Le captif lui adresse un air interrogateur, mais se ravise : on avait de toute évidence placé la ligne résidentielle de sa sœur sur écoute.

— Déshabillez-vous, ordonne-t-elle.

Ce dernier n'en croit pas ses oreilles : a-t-il bien compris?

Voyant qu'il tarde à s'exécuter, Gabriella lui assène une gifle retentissante, le faisant vaciller.

— Ne me faites *jamais* répéter mes ordres! Est-ce bien clair?

— *Just let me know...*

Cette fois, il n'a pas l'occasion de compléter sa phrase. L'Hispanique lui enfonce un coup de poing dans l'estomac et il se retrouve au sol, plié en deux, respirant avec peine.

— Je vous présente Jorge, ricane Gabriella. Mon chauffeur quant à lui se prénomme Boris, indique-t-elle en pointant l'homme à la mâchoire carrée qui se trouve à sa gauche. Ce sont mes serviteurs personnels, exauçant mes moindres souhaits. Ils sont par ailleurs mes gardes du corps. Osez me contrarier et vous risquez qu'ils vous infligent douleurs et blessures.

Peters se remet sur ses pieds en titubant, puis entreprend de se déshabiller aussi rapidement que possible, malgré la douleur qui limite ses mouvements.

— Désormais, vous m'appartenez, Peters. Vous êtes mon prisonnier. Au cours du prochain mois, vous serez victime de mon aversion envers les criminels dans votre style qui se croient tout permis, ces charognards dont notre société pourrait se passer. Dans la mesure où je n'éprouve aucune pitié pour les ordures de votre espèce, je vous ferai subir les conséquences de vos actes, et ce, de mes propres mains. On aurait dû vous laisser pourrir en prison pour le reste de vos jours. Malheureusement, notre système judiciaire trop clément en a voulu autrement. Je me chargerai donc moi-même de votre détention. Faites-moi confiance, votre court séjour en prison vous semblera avoir été de vraies vacances en comparaison de ce qui vous attend ici. Je me propose de vous enfermer dans cette cellule, jour et nuit, entièrement nu. Vous vivrez sans dignité, dépourvu de votre identité. *Esclave* sera le seul nom qui servira à vous désigner.

Gabriella marque une pause, le temps de laisser sa victime se défaire de ses vêtements et de s'amuser de le voir souffrir à chaque mouvement. Les deux hommes l'observent avec un égal mépris.

— Jorge, Boris... veuillez l'enfermer dans la cellule, mais retirez le matelas d'abord. Je veux le voir dormir directement au sol, sur le ciment froid. Donnez-lui un peu d'eau seulement, commande-t-elle avant de quitter l'endroit.

Peters est sidéré. Ses yeux se remplissent de larmes de rage; il ferme les poings et ses dents se resserrent dans sa bouche qui s'assèche. Sortira-t-il vivant de cet endroit? Jusqu'où peut aller la folie de cette femme?

CHAPITRE 11
Formation SM

La conclusion détaillée du rapport d'autopsie de la pathologiste Josée Brière est sans équivoque : Robert Pelletier, tué sauvagement à la plage d'Oka, a subi des blessures dont la nature dénote une pratique sadomasochiste. Les coups portés par la Justicière relèvent d'une grande cruauté.

Plus que jamais, la direction de la Sûreté du Québec est d'avis qu'une formation en matière de BDSM (Bondage, Discipline, Domination, Soumission, Sadomasochisme) ne peut qu'être bénéfique aux agents œuvrant à ce dossier. Une meilleure connaissance des mœurs, des coutumes et des conventions rattachées à ces pratiques et du milieu sadomasochiste permettra de mieux orienter leurs recherches et, qui sait, facilitera peut-être l'arrestation de la criminelle. Le département a mandaté le capitaine Alexandre Gailloux, ex-enquêteur à la division de la moralité, comme coordonnateur de cette rencontre. Dès son affectation à Mascouche, il a entrepris des démarches afin de dénicher le plus grand spécialiste de la province de cet univers particulier, où les experts se font rares. Pour ce faire, il a contacté tous les professionnels du Québec susceptibles de s'y connaître : sexologues, travailleurs sociaux, criminologues, psychiatres et psychologues. De fil en aiguille, il a obtenu des références pertinentes. Parmi les professionnels qui ont manifesté le désir de collaborer, la sexologue Michelle Caron, employée à la prison de Bordeaux, au nord de Montréal, détient un curriculum impressionnant. L'observation et l'analyse du BDSM sous des angles historiques, anthropologiques, sociologiques et psychologiques font partie de ses atouts académiques, mais aussi professionnels; elle agit de temps à autre comme chargée de cours au département de sexologie de l'Université du Québec à Montréal. Ses études avaient bien sûr porté sur quelques incontournables de la littérature, tels que les écrits controversés du marquis de Sade ainsi que ceux de Leopold von Sacher-Masoch, qui ont donné leurs noms à cette pratique extrême de la sexualité. Ses connaissances s'étendent également à quelques autres textes célèbres évoquant des rituels déviants défiant toute morale et se révélant souvent d'une rare violence. Depuis le début de sa jeune carrière, elle a eu l'occasion d'interroger plusieurs patients aux prises avec un irrépressible désir de sadisme ou de masochisme. Dans son ambition de mesurer les paramètres contemporains de ce phénomène, elle a collaboré avec des chercheurs et statisticiens d'universités européennes afin d'élaborer un questionnaire approfondi visant à décortiquer les types de pratiques ainsi que les motifs conscients des adeptes. Ils ont recueilli ces données sur quelques années, les ont compilées et méticuleusement analysées afin d'en tirer des observations sur les grandes tendances, sans oublier les influences de ces pratiques sur la sexualité plus ordinaire des adultes occidentaux. L'expertise de Michelle Caron en la matière lui a valu d'être invitée à quelques reprises à des colloques nationaux et internationaux. Elle a par ailleurs participé à quelques émissions télévisées traitant de sexualité, où on l'interrogeait à propos des frontières entre fantasmes et pratiques sadomasochistes. Intéressée par cet appel à la collaboration policière, elle s'est empressée d'offrir ses services.

Alors que ses collègues défilent devant lui à l'entrée de la salle de réunion, le capitaine Gailloux leur distribue des casquettes en les gratifiant de son sourire narquois.

— Tenez, ceci est un gage de votre affiliation à l'équipe d'enquête, ricane-t-il.

À quelques pas de là, appuyé contre le mur du corridor, Fournier observe la scène d'un œil rigolard. La lieutenante Lyne Granger, qui franchit la porte au même moment que le sergent Corriveau, accepte la casquette noire et rose que lui tend le capitaine Gailloux et l'examine, stupéfaite. Sur la visière, elle remarque l'inscription « ESM » et hausse les épaules en signe d'incompréhension. Satisfait de pouvoir se donner en spectacle, Gailloux en rajoute en annonçant à qui veut l'entendre qu'il avait aussi pensé faire graver des menottes aux initiales de l'unité d'enquête. Pour toute réaction, Fournier lève les yeux au ciel d'un air découragé avant de s'avancer à son tour et de décliner avec exaspération la casquette que Gailloux lui tend, les lèvres fendues jusqu'aux oreilles.

Croyant être en retard, l'agent Legendre se présente en jetant un œil circonspect autour de lui. Il ne porte aucune réelle attention à la calotte que lui offre le capitaine lorsqu'il entre à son tour. Il se contente de l'attraper au vol et se presse de prendre place à la table de réunion, distrait par la présence des deux blondes qui discutent ensemble au fond de la salle. Réalisant que la plupart des participants sont encore debout, ici et là, et qu'il n'est en rien en retard, il prend son aise, relaxe un peu, et appuie confortablement ses épaules sur le dossier d'une chaise à roulettes. Songeur, il porte la main au menton, le regard toujours dirigé vers les deux femmes campées devant la fenêtre et dont la discussion est ponctuée de hochements de tête et de sourires. Contre toute attente, ce n'est pas Annabelle qu'il déshabille du regard, mais plutôt sa séduisante interlocutrice. Vêtue d'un chic tailleur bleu marine à rayures découpant à merveille sa silhouette, la belle étrangère est époustouflante. *Sans doute notre conférencière,* se dit Legendre en se relevant et en avançant dans sa direction, désireux que sa collègue la lui présente en bonne et due forme. C'est alors que Gailloux, l'interrompant dans sa lancée, hausse le ton en agitant les bras :

— Mesdames et messieurs, je vous prierais de bien vouloir prendre place afin que nous puissions commencer dès maintenant la formation.

Chacun des agents se déniche un fauteuil à la table de conférence, sauf Legendre qui, contrarié par cette interruption, choisit de demeurer debout à l'arrière, là où il sera en mesure de mieux observer l'oratrice de la journée. Au même instant, cette dernière se défile sans même le remarquer pour se rendre à l'avant retrouver l'organisateur.

— Comme vous pouvez le constater, commence Gailloux en pointant les trois lettres « ESM » sur le devant de la casquette qu'il porte sur sa tête, nous sommes maintenant l'escouade sadomasochiste, lance-t-il à la blague. Qu'en pensez-vous, inspecteur Fournier?

Ce dernier lève encore une fois les yeux au plafond, secoue la tête pour manifester sa fausse exaspération, en esquissant un petit sourire malgré tout complice. Gailloux est sans contredit un petit comique à ses heures, mais Fournier le sait capable d'un grand sérieux dans le cadre de ses fonctions. Il apprécie d'autant plus sa façon de détendre l'atmosphère.

— Comme vous n'êtes pas sans le savoir, poursuit le capitaine, des considérations éthiques nous empêchent de laisser la Justicière faire le ménage des criminels à notre place.

Les participants s'esclaffent. Le sergent Corriveau, faisant fi de son embonpoint, profite de cette petite diversion pour s'emparer d'une poignée de jujubes à même le bol disposé au centre de la table. Il planque son butin sous celle-ci en prenant soin de ne laisser s'échapper aucun bonbon d'entre ses doigts. Il en portera un à sa bouche dès que les regards seront rivés vers l'avant et qu'il pourra s'exécuter avec discrétion.

— Bon, d'accord, maintenant un peu de sérieux, lance Gailloux pour les ramener à l'ordre. Nous avons parmi nous aujourd'hui une experte en sadomasochisme. Entendez-moi bien, et je le précise à l'intention des esprits tordus, lorsque je parle d'experte, je parle non pas d'une fervente pratiquante, mais bien d'une éminente sexologue, historienne et chercheuse universitaire en la matière, qui nous informera aujourd'hui à ce sujet. Sa présence ici a pour objectif d'abord de nous faire un topo sur le sadomasochisme, bien sûr, et de nous instruire plus spécifiquement sur les règles internes qui régissent ce milieu particulier. Dans le cadre de son exposé, elle ne manquera pas de nous présenter les éléments psychologiques qui disposent les adeptes à de telles pratiques. Elle pourra par ailleurs, en cours d'exposé ou encore à la toute fin, selon ses préférences, répondre à nos questions.

En consultant les notes qu'il tient dans ses mains, Gailloux passe brièvement en revue les diverses qualifications et réalisations de la sexologue et leur présente enfin Michelle Caron.

— Merci, monsieur Gailloux, et bonjour à vous tous, commence-t-elle. Il s'agit de ma première expérience de formation auprès d'un corps policier; je vais tenter de vous transmettre mes connaissances au meilleur de mes habiletés.

En prime, cette beauté n'est en rien prétentieuse, note l'agent Legendre dont un chatouillement parcourt les lèvres. Il ne peut s'empêcher de sourire en se laissant imprégner du charme naturel de cette châtaine pâle aux cheveux noués, à la silhouette svelte et athlétique et aux traits nobles et délicats.

La conférencière, apercevant furtivement son sourire, invite l'assistance à un rapide tour de table afin de permettre à chacun de se présenter. Legendre en profite pour lui décocher un petit clin d'œil lorsque vient son tour de prendre la parole.

— Allons-y maintenant avec quelques notions de base, propose ensuite Michelle Caron. Tout d'abord, il convient de définir ce qu'est le sadomasochisme. D'emblée, disons qu'il s'agit, comme vous n'êtes pas sans le savoir, de pratiques jugées pour le moins hors normes, en ce sens qu'elles consistent en des actes dictés par des préceptes de domination et de soumission. De même manière que le sadique trouve son plaisir dans le fait de mortifier, d'assujettir et de faire souffrir moralement ou physiquement son partenaire, le masochiste obtient quant à lui le sien du fait d'être asservi et humilié par l'autre, tout en tirant sa jouissance d'une douleur physique intense. On peut décrire une relation sadomasochiste, plus simplement dénommée SM par abréviation, comme étant une violence physique ou mentale habituellement ritualisée et faisant l'objet d'un commun accord entre partenaires consentants. On observe cependant que les adeptes de ce genre de pratiques sexuelles finissent la plupart du temps par souffrir d'un certain enfermement à l'intérieur de cet univers de fantasmes « déviants » selon la société, en ce sens que leur plaisir finit par ne dépendre que de ce type particulier de jeux de rôles, de mises en scène et de rapports de force. Bref, après un certain temps, leur excitation ne répond plus qu'à ce genre de stimuli. Une sexualité plus normale finit tôt ou tard par leur sembler relativement fade, voire inintéressante. Je fais ici une petite parenthèse afin de souligner que certains couples, qui n'ont pour objectif que de raviver la flamme ou à tout le moins d'éviter la monotonie, peuvent expérimenter des jeux de rôles liés aux pratiques sadomasochistes. Tout est une affaire de nuances; il convient de faire la part des choses. Aussi, il ne faut entretenir aucune culpabilité du fait de nourrir certains fantasmes du genre; ça ne veut pas dire pour autant que ces activités ludiques deviendront prédominantes dans la vie sexuelle de ceux qui les pratiquent dans un contexte d'intimité. Le cas qui nous préoccupe, et pour lequel nous sommes aujourd'hui réunis, est cependant un exemple de sadisme suprême, mais j'y reviendrai plus tard. Je souligne que les psychanalystes considèrent le sadomasochisme comme étant une pratique extrême de la sexualité, permettant à ses adeptes de vivre des moments très intenses, au même titre que certains pratiquent des sports extrêmes afin de vivre des émotions fortes. Il faut savoir toutefois que, bien avant de se lancer dans le sadomasochisme pur et dur, les gens qui s'y adonnent apprivoisent peu à peu cet univers et adoptent d'abord, dans la plupart des cas, le fétichisme, sorte de préambule à des pratiques un peu plus osées. On peut définir le fétichisme comme une fascination sexuelle liée à un objet quelconque ou encore à une partie du corps. Cette excitation peut naître d'un simple contact visuel ou encore d'une interaction physique avec l'objet de fantasme. Cette érotisation est considérée par les spécialistes, tout comme par les gens en général, comme une légère déviation de la sexualité. Les stimulations exercées par ces objets ou parties du corps débutent souvent dès l'enfance. Un exemple très commun serait celui d'un homme ayant une fascination pour les pieds, pour qui la vénération de cette partie de l'anatomie féminine, souvent par le massage ou le léchage d'orteils, peut s'avérer suffisante pour atteindre l'extase.

Michelle Caron s'arrête un instant, jette un bref regard à l'assistance et demande si jusque-là tout va bien, si ces explications nécessitent quelques éclaircissements avant de continuer. Fournier lui verse un verre d'eau et le lui remet galamment. Elle en avale une lampée avant de poursuivre :

— Des objets tels que les souliers, les bottes, la lingerie ou encore la cigarette font également partie des fantasmes de plusieurs fétichistes, ajoute la conférencière. Ce sont des accessoires auxquels sont souvent associés leurs orgasmes. Pour une femme, par exemple, le simple fait de porter du latex peut contribuer à amplifier ses sensations érotiques et donc augmenter par le fait même son désir sexuel.

Pour aucune raison en particulier, sauf peut-être qu'il l'imagine bien dans ce genre de costume, Legendre pose un regard sur Annabelle. Celle-ci, se sentant observée, choisit de briser la glace :

— Personnellement, je préfère le cuir au latex. C'est aussi sexy et ça sent moins le condom!

Un éclat de rire généralisé s'ensuit.

— Ah! ben, ça dépend, hein, il y a le latex à la banane et au raisin, tu n'as jamais essayé? Il y a aussi à la fraise et à la vanille, puis même à la menthe pour te rafraîchir l'haleine au besoin! rajoute Gailloux.

La sexologue, qui apprécie déjà la dynamique qui règne au sein du groupe, adresse un sourire à Gailloux, une attention que remarque l'agent Legendre avec une pointe de jalousie. Cela l'incite à s'avancer et à prendre place sur le seul fauteuil resté vacant, situé tout près de l'endroit où se tient la ravissante spécialiste.

— Dans cette même veine, certains seront fascinés et excités par d'autres objets tels que les menottes, par exemple, poursuit-elle en balayant la salle du regard. Tous les genres de ligotage comptent également parmi les fantasmes les plus populaires dérivés du fétichisme.

Plusieurs chuchotements parcourent la salle, chacun semblant avoir une histoire à raconter.

— Messieurs, messieurs... un peu de concentration s'il vous plaît, exige Fournier en tapotant sur la table pour capter leur attention.

Michelle Caron lui adresse un hochement de tête en guise de remerciement.

— Il existe également des fantasmes plus rares, comme l'émétophilie. Cette pratique consiste en des actes de vomissements que la dominatrice dirige directement sur le soumis, la plupart du temps au visage, poursuit-elle en arrachant quelques grimaces à l'assistance.

Parmi les participants, des mains se portent à la bouche, des yeux se ferment et des exclamations se font entendre. Legendre cesse de mastiquer les amandes qu'il grignote, n'osant plus les avaler. Une moue de dégoût déforme ses lèvres.

— Cette pratique est aussi connue sous le nom de « douche romaine », enchaîne la jeune femme. D'ailleurs, plusieurs types de « douches » sont pratiqués par les fervents de jeux sexuels, mais je laisse le tout à votre imagination. En ce moment, je ne veux pas m'attarder outre mesure sur les fantasmes plutôt inoffensifs, vous pourrez faire vos propres recherches si le sujet vous intéresse. Des questions avant que je poursuive?

— Venons-en, si vous voulez bien, madame Caron, au dossier de la Justicière, s'impatiente Fournier. Qu'avez-vous à nous apprendre qui serait susceptible de nous aider dans cette affaire?

— Oui, bien sûr, j'arrivais justement à ce qui nous préoccupe dans ce cas-ci : le sadisme, le vrai, l'authentique, celui qui est sans pitié, et non pas le simple fantasme ou jeu de rôle dont nous avons parlé précédemment. Il importe de savoir que le sadisme pur et dur relève d'une pathologie sévère. Le type de personnalité qui l'utilise est infiniment rare, il concerne l'exception. Le véritable sadique tire son plaisir du fait que sa victime ne soit pas consentante et spécialement du fait qu'elle soit effrayée par cette violence. C'est alors que son sentiment de toute-puissance atteint son paroxysme et que sa jouissance s'en trouve décuplée. La fameuse Justicière, sur les traces de laquelle vous êtes actuellement, fait donc de toute évidence partie de cette espèce rarissime et particulière…

Michelle Caron porte à sa bouche son verre d'eau sans quitter des yeux les participants, curieuse d'observer les réactions de tout un chacun. Pour la première fois depuis près d'un quart d'heure, Legendre détache son regard de la sexologue. Il vient de remarquer la présence d'un homme inconnu dans l'embrasure de la porte, qui ne cesse d'étirer

138

le cou pour regarder à l'intérieur. Observant que l'attention de son admirateur est ailleurs, la conférencière se retourne instinctivement, en cherchant à identifier la cause du dérangement. Fournier, qui connaît bien le technicien en audiovisuel, lui fait un geste de la main de manière à l'inviter à se joindre à eux.

— Ah! Voilà le matériel attendu. Pour faire suite à mes propos, je vais vous présenter un court documentaire qui s'adresse, dois-je le préciser, à un public averti, annonce Michelle. Il traite de niveaux avancés de sadomasochisme. Âmes sensibles s'abstenir! Je préfère vous prévenir. Nous en reparlerons après le visionnement.

Le technicien prépare le document audiovisuel à diffuser dans les instants qui suivent. Les policiers sont alors témoins d'une panoplie d'extraits vidéo exposant – de manière théorique puis par scènes reconstituées – les méthodes d'assujettissement préconisées par des domina-trices professionnelles auprès de leurs clients soumis. Le documentaire présente également des entrevues anonymes de pratiquants et ex-pratiquants du SM, et aussi des scènes authentiques plutôt dérangeantes, avec visages masqués, captées dans des clubs privés impliquant fouets et tortures extrêmes, où les corps des victimes sont sévèrement lacérés.

— Ben voyons donc! s'étonne Legendre tout au long de la présentation, en prenant soin de ne pas parler trop fort. D'où proviennent toutes ces séquences? finit-il par demander lorsque la projection se termine.

— Il s'agit d'un amalgame de tournages amateurs dont les accros au sadomasochisme font des copies pour leur usage personnel, précise Michelle Caron. Ce sont souvent des réalisations de piètre qualité, comme vous avez pu le constater. Au fil du temps, ces productions circulent librement sur le Web. Je vous ai concocté un petit montage qui permet – mieux que la théorie ne peut le faire – de se forger une idée assez réaliste du phénomène.

Gisèle, l'adjointe de Fournier, s'amène dans la salle avec un plateau de brioches à la main, qu'elle dépose devant Lyne Granger.

— Prenons une pause de quinze minutes, annonce Gailloux. Ça vous permettra de discuter entre vous de ce que vous venez de voir et de nous revenir ensuite avec des questions clairement formulées.

Les lumières se rallument. Les policiers se lèvent pour se dégourdir les jambes et s'étirer. Legendre en profite pour entamer une discussion avec la belle sexologue. Prétextant devoir remettre un document à celle-ci, Annabelle se joint à eux. Gailloux, cigarette au bec, se rend quant à lui à l'extérieur en compagnie du sergent Corriveau, qui s'empare au passage de deux brioches, laissant Lyne Granger à sa révision d'un dossier et Fournier à ses retours d'appels.

◦᰾

Avant même que ne recommence la conférence, alors que les enquêteurs ont repris place, Legendre, qui vient de passer les vingt dernières minutes à importuner la sexologue, lève l'index.

— Avez-vous encore une autre question, agent Legendre? demande Michelle Caron.

— En fait, j'aimerais que mes collègues puissent prendre connaissance de l'anecdote dont vous venez de nous faire part, à Annabelle et à moi, à propos d'une ex-employée du pénitencier, précise-t-il.

Michelle Caron semble embarrassée. De toute évidence, elle aurait préféré ne pas relater cette histoire devant les autres participants. Les regards curieux que lui adresse l'auditoire l'incitent cependant à s'exécuter.

— Il y a quelque temps déjà, à l'occasion d'un dîner à la cafétéria du pénitencier, on m'a rapporté une histoire de fantasme plutôt particulière, explique la jeune femme. Une psychologue, qui travaillait jadis à l'établissement et qui rencontrait de façon régulière les détenus, prenait plaisir à observer les prisonniers retourner dans leur cellule à la fin d'une consultation alors qu'elle vivait en toute liberté. Lorsqu'un patient venait la consulter à son bureau, elle usait de toute son expertise pour l'assister au meilleur de ses connaissances, ça va de soi. Elle s'assurait cependant de toujours se vêtir d'un accoutrement relativement provocant et d'adopter des postures subtiles, mais à la fois suggestives; elle aimait les faire fantasmer et imaginer ensuite les détenus croupissants au fond de leur minuscule cellule, se masturbant en songeant à elle. Chaque soir, à l'aube du sommeil, elle repensait à eux dans le confort de son lit et cette image était pour elle source d'un plaisir très gratifiant.

Le sergent Corriveau secoue la tête par dépit, ce qui fait sourire Gailloux, qui en a vu d'autres.

— Incroyable! s'étonne Corriveau. Toute une psychologue, cette femme! Comment peut-on conseiller un patient, tenter de lui venir en aide, mais en même temps nourrir de telles pensées en secret?

— Produits de l'imagination, expression des désirs conscients ou inconscients, voilà la définition d'un fantasme, sergent. Il s'agissait là de réflexions qu'avait cette collègue, certes, mais ça ne l'empêchait aucunement d'effectuer son travail de façon professionnelle, sachant très bien faire la différence entre les deux.

— C'est vraiment tordu, il me semble... marmonne-t-il.

— En effet, ça peut sembler l'être... réagit Michelle Caron, à qui le commentaire n'a pas échappé.

— Tout ça a le mérite d'être assez fascinant, ajoute Annabelle. Pour être honnête, j'ai plutôt hâte d'entendre la suite! On ne peut pas imaginer ce qui se passe dans la tête des gens...

— Parfois, je me dis que c'est heureux qu'on ne sache pas tout, rétorque Corriveau, quelque peu ahuri par l'exemple fourni par la sexologue et se demandant secrètement si la psychologue dont elle parle est bel et bien une collègue ou encore si... Mais il secoue la tête pour chasser cette image.

Le capitaine Gailloux incline légèrement la tête et observe la sexologue d'un œil circonspect. Il scrute ses moindres gestes, étudie ses intonations de voix. Nul doute, cette fille éprouve du plaisir à traiter de ce sujet. Le phénomène du SM suscite son intérêt à un point tel qu'il se demande, en la regardant, si cela ne dépasse pas le cadre professionnel. Comment savoir si, à l'instar de la collègue dont elle parle, elle n'alimente pas quelques fantasmes du genre? D'ailleurs, à l'écouter parler, on pourrait croire qu'elle prend sa défense...

142

— Revenons au documentaire que nous venons de visionner, propose Michelle Caron. La partie axée sur les jeux de rôles nous permet de découvrir des pratiques relativement banales, mais, comme vous le savez maintenant, celles-ci servent parfois de tremplin vers des actes plus inusités. Par exemple, l'homme masochiste qui se fait arrêter puis menotter par une policière aimerait éventuellement qu'elle le brutalise; le patron qui souhaite que sa secrétaire le séduise dans son bureau finit par espérer qu'elle le mène par le bout du nez en lui faisant du chantage; la femme qui fantasme à l'idée de se faire violer par un inconnu éprouve finalement le besoin de subir l'agression pour de vrai. Voyez-vous l'évolution?

À son tour, Annabelle est frappée par l'aisance avec laquelle Michelle Caron mène sa conférence. Un commentaire de Gailloux, qui revient à ses habitudes de bouffon, met cependant un terme à sa réflexion.

— Depuis notre toute première rencontre, je rêve de me faire menotter par Annabelle, plaisante-t-il.

— Ce ne serait pas un très gros défi, lui répond-elle du tac au tac. Je n'aurais qu'à le faire pendant que vous dormez à votre bureau!

La réplique d'Annabelle suscite l'hilarité générale. Pas plus tard que la veille, Gailloux s'était endormi à son poste de travail en rédigeant un rapport administratif, sous l'œil amusé de ses collègues, qui avaient alors profité de l'occasion pour le prendre en photo et en faire un fond d'écran pour son ordinateur. C'était un peu leur façon à eux de se venger de toutes les plaisanteries que leur a fait subir le capitaine depuis son arrivée au sein de l'équipe.

— Je suis curieux à propos des dominatrices professionnelles que nous avons observées dans le documentaire, lance
Legendre à brûle-pourpoint. Cette partie du documentaire était
plutôt brève, ce qui ne permet pas d'en avoir une conception
très juste. Dites-nous à quoi peut s'attendre, exactement, un
client qui fait appel aux services de ce type de travailleuse
du sexe.

Annabelle dévisage Legendre en rehaussant les sourcils,
l'air de lui demander s'il n'aimerait pas qu'on lui refile les
coordonnées de l'une d'elles afin qu'il puisse expérimenter la
chose et s'en faire une idée par lui-même. Celui-ci hausse les
épaules en riant avec une mine de garçon pris en flagrant délit.

— Souvent, les dominatrices soumettent leurs clients à des
actes d'humiliation, répond la sexologue après avoir ri de bon
cœur avec les participants, notant du même coup que les joues
de Legendre se sont empourprées. La coulée de cire chaude sur
le corps fait également partie des rituels, ainsi que l'utilisation
de fouets de tous genres, les insertions d'objets dans les
orifices, la torture des parties intimes, la « douche dorée », etc.

— Pardon, madame Caron, pourriez-vous spécifier en quoi
consiste une « douche dorée »? demande l'agent Legendre.

Annabelle porte la main à sa bouche et rigole en anticipant
les explications de la spécialiste. Elle ne peut pas croire que
Legendre ignore ce que sont les fameuses *golden showers*.

—Hum… c'est lorsque la dominatrice urine sur la
personne soumise. L'acte peut s'effectuer de plusieurs
manières. Par exemple...

Michelle Caron s'arrête subitement, incertaine de devoir aller de l'avant, ne sachant trop si son auditoire est disposé à connaître ce genre de détail.

— Mais, encore une fois, ce sont des personnes qui s'amusent d'un commun accord, la coupe Fournier, la voix teintée d'impatience. Des occurrences qui ne ressemblent en rien au meurtre d'Oka, au sadisme exercé par la Justicière.

— J'y arrivais justement, inspecteur. Comme nous en avons parlé un peu en début de rencontre, les sadiques extrémistes ont soif de sujets récalcitrants, c'est-à-dire de victimes non consentantes. Ça ajoute à leur plaisir de domination. Observer leur captif souffrir contre son gré, écouter ses cris et ses supplications, lire le désespoir ou la frayeur dans ses yeux, voilà la véritable source de jouissance de ces maniaques. Ils sont évidemment très dangereux, mais n'oubliez pas une chose : ces personnes peuvent fonctionner tout à fait normalement en société, sans que leur entourage ne soit au courant de leurs obsessions. Ils peuvent très bien n'en laisser rien paraître. Comme quoi vous devez doublement ouvrir les yeux au cours de votre enquête, car ce genre de criminel dissimule très bien sa nature profonde. Je dis souvent que c'est l'imagination qui conçoit tout ce qui existe dans ce monde, poursuit-elle. Si l'esprit est sans limites, il en va donc de même pour la réalité. Les idées des sadiques, aussi tordues soient-elles, finissent toujours par se concrétiser, au péril d'autrui.

— N'oublions pas toutefois que la Justicière agit par vengeance, souligne Annabelle. Je ne cherche pas à l'excuser, mais j'hésiterais à la qualifier de sadique endurcie. Il me semble qu'elle cherche davantage à établir sa propre justice selon sa conception toute personnelle de la chose plutôt que d'en retirer un plaisir purement sexuel, non?

La vibration d'un cellulaire qui repose sur la table interrompt ses paroles; c'est l'appareil de Fournier. Pendant que Michelle Caron tente de répondre à la question, l'inspecteur consulte l'afficheur de son appareil : Nancy Tremblay. En appuyant sur quelques touches, il constate qu'il s'agit d'une troisième tentative de contact de la part de la journaliste depuis le début de la matinée et qu'elle a laissé chaque fois un message vocal. *Simonac!* se dit-il en se levant de son fauteuil, puis en se dirigeant vers la sortie d'un pas feutré.

Dès qu'il arrive dans le corridor, il consulte sa boîte vocale avec empressement. Chacun des trois messages est identique : « Bonjour, inspecteur Fournier, ici Nancy Tremblay. Rappelez-moi le plus rapidement possible. C'est urgent! » L'humeur de Fournier s'assombrit. Que peut-elle lui vouloir un samedi? De par son métier, sachant qu'on ne lésine pas avec les urgences – doutant toutefois un peu que la journaliste puisse en avoir la même définition qu'un policier –, il entreprend en maugréant de composer son numéro et s'étonne d'obtenir une réponse dès la première sonnerie.

— C'est Jacques Fournier à l'appareil, annonce l'inspecteur. Apparemment, il y a urgence à Sherbrooke?

Sentant une pointe d'ironie dans les paroles de son interlocuteur, Nancy Tremblay riposte :

— Écoutez, monsieur Fournier, je ne fais que respecter vos demandes. Lors de notre dernière rencontre, vous m'avez fait promettre de communiquer avec vous à la moindre manifestation de la Justicière.

146

Fournier demeure muet, tout à coup anxieux d'entendre la suite. La journaliste vient enfin de trouver une oreille attentive.

— Le journal vient de recevoir une nouvelle lettre de sa part, inspecteur.

— Êtes-vous certaine qu'il s'agit bien d'elle?

— J'ai envoyé une numérisation du message à votre adresse courriel. En résumé, il s'agit d'un avertissement qu'elle lance à la population. Je vous invite à en prendre connaissance par vous-même.

— Je vérifie à l'instant, affirme Fournier.

Sur le point de raccrocher, il s'enquiert :

— Avez-vous bien dit un avertissement à la population, madame Tremblay?

— C'est exact.

— Il n'est pas question de publier cette lettre. Vous devrez attendre mon approbation, décrète-t-il.

— C'est impossible, inspecteur. Nous ne sommes pas les seuls à avoir reçu l'information. J'ai déjà vérifié auprès de mes collègues à Montréal, à Gatineau et à Chicoutimi. Le communiqué est déjà sur les fils de presse, les détails circulent sur le Net.

— Êtes-vous en train de me dire, madame Tremblay, que la Justicière a fait parvenir cette déclaration aux quatre coins de la province?

— Quelle perspicacité, inspecteur! se moque-t-elle.

Fournier fulmine. Il en a assez de cette journaliste qui ne cesse de le narguer, mais il conserve cependant sa maîtrise de lui-même. Sait-on jamais, peut-être lui dévoilera-t-elle autre chose.

— Tenez-moi au courant, rétorque Fournier avant de raccrocher sur-le-champ, irrité.

Sans perdre de temps, il consulte sa boîte de courriels et repère l'envoi de la journaliste parmi une liste d'une trentaine de nouveaux messages, puis se reporte à la pièce jointe. Dès les premières lignes, il blêmit. Il a peine à croire que la Justicière puisse annoncer une telle chose et s'imagine la réaction de panique qu'auront certains. Ce ne sont que quelques mots, mais combien inquiétants! L'inspecteur se laisse tomber dans le plus proche fauteuil, incrédule, accablé par l'ampleur sans cesse grandissante de cette affaire. *Non, non, non! Ce n'est pas vrai, simonac! Annabelle avait raison,* songe-t-il. Se ressaisissant, il bondit tout à coup de son siège et se dirige d'un pas précipité vers la salle de conférence, dans laquelle il entre en trombe.

— Excusez-moi, madame Caron, mais une urgence vient de survenir dans le déroulement de notre enquête. Je me dois de tenir un huis clos avec mon équipe.

Décontenancée, la conférencière hésite quelques secondes, le temps de précipiter sa conclusion. Elle opte pour la distribution d'un document, dont les exemplaires se trouvent dans une boîte de carton, à ses pieds.

— D'accord, alors… Je vais conclure avec ceci : j'ai préparé pour vous un manuel d'information d'une centaine de pages, explique-t-elle en se penchant vers le sol avec difficulté, la jupe ajustée de son complet limitant ses mouvements. Il s'agit d'un guide qui traite de la psychologie du BDSM, qui met spécialement de l'avant de nombreuses théories et hypothèses qu'ont émises les pionniers quant à la psychanalyse de ces pratiques sexuelles que les gens disent déviantes. J'en suis l'auteure.

Michelle Caron laisse tomber un imprimé devant chacun des participants, promène son regard d'un policier à l'autre, à la recherche d'une âme attentive, mais tous ont les yeux rivés sur Fournier, scrutant avec fébrilité son langage corporel, tentant de décoder la teneur de ce qu'il va leur apprendre. En fait, depuis l'intervention de l'inspecteur, seul Legendre s'intéresse encore aux paroles de la conférencière. Il plonge son regard dans le document et le feuillette en lisant quelques extraits.

— Alors voilà, reprend la conférencière en joignant les mains, un peu inconfortable devant ce silence. Ainsi se termine ma contribution à votre enquête. Voici mes coordonnés en cas de besoin. Peut-être pourrons-nous poursuivre éventuellement la formation, si vous en avez le temps et en éprouvez la nécessité.

Elle distribue ses cartes professionnelles à chacun.

— Merci à tous pour votre écoute.

Sur ce, Gailloux et l'assistance remercient la sexologue, puis Fournier la conduit vers la sortie. En moins de deux, il est de retour et referme la porte derrière lui. Il fait face à ses enquêteurs les deux mains sur les hanches.

— Nous avons un problème, lâche-t-il aussitôt. La Justicière s'est adressée à la population par le biais des médias.

Des regards ahuris s'entrecroisent.

— Sa lettre annonce qu'elle frappera de nouveau. Ça confirme nos craintes; nous sommes bel et bien en présence d'une meurtrière en série.

— Peut-être va-t-elle nous livrer un cadavre qui correspond au bout de doigt que nous avons reçu, s'exclame Legendre.

— Qui sait où elle s'arrêtera… ajoute Annabelle.

— Que fait-on alors, inspecteur? s'enquiert le sergent Corriveau.

— J'y songe. Quelqu'un aurait-il une idée? demande Fournier en s'affaissant sur son siège.

CHAPITRE 12
Brigitte

Près de six mois s'étaient écoulés depuis mon unique visite chez le psychologue. J'en étais venue à la conclusion que ma soif de domination n'était aucunement un trouble de comportement ou même une maladie, mais bel et bien un fantasme qui ne cessait de croître en moi et qui me semblait de plus en plus acceptable.

Pour la première fois de ma vie, à l'aube de mes vingt ans, je n'étais pas retournée en classe lors de la rentrée scolaire, toujours aussi incertaine quant à la carrière que je désirais exercer. Une année sabbatique me semblait la meilleure option, le temps de faire le point, de réorienter ma vie et de faire des choix éclairés. Puis un jour, une rencontre fortuite s'est transformée en une extraordinaire révélation. C'était comme si le destin se chargeait de m'indiquer la voie à suivre.

Je marchais sur le trottoir de la Plaza Saint-Hubert, à Montréal, par une folle journée achalandée de mi-décembre. Le ciel était nuageux et la neige tombait lentement sur le sol, où elle formait un superbe tapis blanc que les voitures souillaient sur leur passage. J'avais accepté l'invitation de ma tante Ginette, la conjointe de Marcel, qui désirait magasiner ses cadeaux de Noël en ma compagnie. Alors que nous venions de terminer nos achats, et que nous n'étions plus qu'à un mètre de la voiture, une jeune femme au regard mystérieux, aux très longs cheveux blonds et vêtue d'une élégante cape de fourrure, passa non loin de nous. Elle chaussait de magnifiques bottes cuissardes noires aux talons aiguilles d'une hauteur vertigineuse. Il y avait quelque chose d'envoûtant dans sa démarche qui lui conférait un air incroyable de supériorité, de confiance absolue en elle. Je ne pouvais m'empêcher de la suivre du regard, éblouie par chacun de ses déhanchements, pendant que ma tante, sans rien remarquer, déposait ses emplettes sur la banquette arrière de la voiture. Cette femme venait de piquer ma curiosité, je devais absolument lui parler.

— Est-ce que tu viens, ma chouette? m'avait demandé tante Ginette, réalisant que j'étais distraite.

— Euh... je vais continuer à explorer les boutiques, lui avais-je menti. Je ne voudrais pas que tu vois le cadeau que je compte acheter pour toi! Je prendrai un taxi pour retourner à la maison. Peux-tu te charger de mes autres paquets? Je passerai les récupérer demain.

J'ai balancé mes trois sacs par-dessus les siens avant de lui offrir une brève accolade qui ne lui laissa pas l'occasion de protester. Je me suis alors engagée sur le trottoir en faisant mine de regarder les vitrines et de poursuivre ainsi mon magasinage, mais il me tardait de la voir quitter les lieux afin de rattraper la femme mystérieuse. Quand ma tante s'est enfin éloignée, je me suis précipitée à travers les passants en direction de la femme, que je pouvais encore apercevoir au loin, et dont la prestance exerçait sur moi une forme de magnétisme.

Au moment où j'étais sur le point de rejoindre la belle inconnue, cette dernière s'est dirigée vers l'entrée du Boléro, que je découvris être un magasin de vêtements et d'accessoires fétichistes, rempli de milliers de costumes de latex, de cuir, de PVC et tutti quanti. J'avais l'impression d'être à l'intérieur de la caverne d'Ali Baba… version sadomasochiste, ce qui ne manquait pas d'ajouter à mon envoûtement. Ma stupéfaction ne cessait de s'accroître. Décidément, le hasard me servait bien. La scène me semblait presque surréelle, je devais suivre cette femme et entrer moi aussi dans la boutique, mue par une force indicible qui m'attachait à sa personne. Sans le savoir, je venais de faire la rencontre de celle qui ne tarderait pas à devenir ma mentore.

La femme à la démarche de panthère s'avança d'un pas leste dans l'allée principale du commerce. À la vue de cette cliente, un homme qui me fit l'impression d'être le propriétaire s'est précipité en sa direction, s'excusant auprès de la personne avec laquelle il s'entretenait. Planquée derrière une rangée de vêtements, j'observais sa réaction. Je le vis s'approcher d'elle pour lui retirer sa cape en toute galanterie avant de la ranger en lieu sûr, le temps qu'elle effectue ses achats. Elle comptait sans aucun doute parmi les meilleures clientes du commerce, car les soins que le patron lui prodiguait semblaient beaucoup plus attentionnés que pour les autres clients que j'observais autour de moi.

Ne sachant trop comment l'aborder, je me suis contentée de l'observer pendant de longues minutes, en toute subtilité, scrutant ses moindres gestes, hypnotisée par sa beauté exceptionnelle, sa silhouette mince aux courbes parfaites.

Après avoir jeté un coup d'œil distrait aux articles du rez-de-chaussée, la diva s'est dirigée d'un pas déterminé vers l'escalier qui menait à l'étage où se trouvaient des costumes fétichistes à couper le souffle, des chaussures de tous genres, ainsi que de la marchandise érotique dont je ne connaissais pas encore l'existence ni même l'utilité. J'étais obnubilée par toutes les possibilités qui s'offraient à moi grâce à ces accessoires et accoutrements des plus excentriques et je me suis promis alors de bien noter l'adresse de cet endroit afin d'y revenir bientôt, lorsque j'aurais l'esprit plus calme et l'attention plus libre qu'elle ne l'était en ce moment. En franchissant la dernière marche d'un nouveau palier, la jeune femme s'est retournée dans ma direction et m'a jeté un bref regard, me signifiant par là qu'elle savait bien que je la talonnais.

Nous nous sommes croisées quelques instants plus tard près de la salle d'essayage, sous l'œil de deux hommes qui épiaient la déesse en feignant de regarder les vêtements. C'est alors que, contre toute attente, elle m'a adressé la parole :

— C'est toujours comme ça quand je viens ici, m'a-t-elle avoué en levant le menton en direction de ses admirateurs. D'ailleurs, ces deux-là sont fort probablement des soumis, qui entretiennent l'espoir de me servir au moindre signal, sachant très bien que quelques dominatrices se pointent ici régulièrement.

J'étais estomaquée, me disant qu'il s'agissait là d'une coïncidence invraisemblable. Comme par miracle, j'avais devant moi une dominatrice, une vraie! Ne sachant trop comment réagir, j'ai bafouillé quelques mots qui m'échappent encore, sauf que je me rappelle lui avoir mentionné mon nom.

— Moi, c'est Brigitte, m'avait-elle indiqué à son tour en me tendant son élégante main manucurée. Est-ce que tu pratiques également la domination?

— Non… enfin, oui et non, enfin… c'est complexe. Mais vous?

— Je la pratique par plaisir, mais c'est également mon travail, m'avait-elle signifié, l'air amusé par mes yeux écarquillés, tout en continuant de fouiner dans les vêtements de latex.

J'étais ébahie. Les idées se bousculaient dans ma tête; j'aurais voulu lui poser mille et une questions en même temps. Depuis plusieurs années, je me sentais seule dans mon univers singulier, je n'avais personne à qui parler, à qui communiquer mes obsessions, et voilà que le destin me présentait cette femme; j'avais l'impression de vivre l'un des plus beaux jours de ma vie.

— Je n'en reviens tout simplement pas, Brigitte… je suis ravie de faire votre rencontre aujourd'hui. Comme le hasard fait bien les choses! Tout au long de ma jeunesse, j'ai dû composer avec des fantasmes de domination qui me semblaient plus bizarres les uns que les autres. Je n'ai jamais trop su comment jongler avec ça, car je ne pouvais en parler à personne. Mais là… j'ai l'impression de faire, en ce moment, la rencontre de quelqu'un par qui je pourrais enfin être comprise, lui avais-je avoué sur un ton rempli d'espoir. Alors, j'aimerais beaucoup vous entretenir de certains événements qui ont marqué ma vie en ce sens et qui me laissent encore perplexe, si je pouvais en avoir l'occasion…

— Je comprends, j'ai vécu une situation semblable, m'avait-elle rassurée. Je suis disposée à discuter de tout ça avec toi. Si tu veux bien, nous allons d'abord terminer nos achats, puis nous irons prendre un café. Ça te va? Et de grâce, cesse de me vouvoyer, nous sommes presque du même âge!

Pendant qu'ici et là, Brigitte décrochait de leurs cintres des costumes en cuir et qu'elle les accumulait sur son bras, je me suis dirigée vers un étalage de magazines aux couvertures explicites. Deux femmes vêtues d'ensembles aguichants en latex, l'une en rouge, l'autre en noir, ornaient la couverture du magazine *Cruella,* la première publication que je me suis empressée de saisir dans le présentoir de bois. Agitée, j'ai consulté les pages intérieures. Quel enchantement! On y retrouvait de juteux récits sadomasochistes, racontés tant par des dominatrices que par des hommes soumis. De fabuleuses photos de femmes professionnelles qui annonçaient leurs services ornaient quantité de pages. Certaines étaient de Montréal, mais la plupart se trouvaient ailleurs en Amérique du Nord, la ville de New York étant la destination de choix pour ce type de services, grâce à ses nombreux donjons. Une série de pages consacrées aux dominatrices de Londres et de plusieurs villes d'Allemagne m'ont rapidement fait comprendre que les vrais adeptes n'hésitaient pas à se déplacer un peu partout dans le monde pour rendre visite à leur dominatrice de prédilection.

Je parcourais donc les pages de la revue avec grande attention, même en sachant que j'allais la ramener à la maison. Puis, j'en ai consulté une autre, suivie d'une troisième. J'étais comme une enfant dans un magasin de jouets, captivée par toutes ces nouveautés qui se trouvaient sous mes yeux. J'aurais voulu toutes les acheter! Je m'imaginais déjà assise sur mon divan, plongée pendant des heures dans des lectures plus passionnantes les unes que les autres.

Sortant des cabines, Brigitte tenait sur son bras plusieurs morceaux, des vêtements qui lui allaient sûrement comme un gant et dont elle était sur le point d'effectuer l'achat.

— Que penses-tu de cet ensemble? m'avait-elle demandé en laissant tout tomber sur une chaise, sauf un morceau qu'elle plaça devant elle pour bien me le montrer. Je crois qu'il t'irait à merveille.

— À moi?

— Pourquoi pas? Qui sait… peut-être auras-tu l'occasion d'amorcer une nouvelle carrière sous peu, de rencontrer ton premier client. Pour une séance de domination, un jeans et un chandail moulant, ce n'est pas très gagnant, tu sais, avait-elle ajouté en scrutant mon habillement d'un air moqueur.

Sur ces mots, un frisson de plaisir m'avait traversé l'épine dorsale. Était-ce possible que le jour soit enfin venu pour moi de passer à une nouvelle étape de ma vie, de devenir une véritable dominatrice professionnelle et de pouvoir assouvir ainsi tous mes fantasmes? De toute évidence, Brigitte semblait n'avoir aucune difficulté à m'imaginer dans ce rôle, aussi est-elle devenue celle qui allait m'enseigner les rudiments du métier au cours des mois suivants. Mais à ce moment, je m'interrogeais encore quant à la raison pour laquelle elle était si chaude à l'idée de m'instruire. Dans ma conception de cet univers excentrique, il s'agissait d'un secteur d'activités dépourvu de clientèle, où les dominatrices devaient s'arracher un mince bassin de clients. Pourquoi souhaitait-elle m'aider à intégrer le milieu? Pouvait-elle nourrir un intérêt caché? J'avais fait preuve d'abord d'une subtile défiance, tiraillée que j'étais entre ma curiosité insatiable et mon souci de ne pas être abusée par ma trop grande candeur. Au fil de nos échanges, j'allais découvrir que, contre toute attente, le milieu sadomasochiste était en fait en pénurie de dominatrices.

Je n'avais pas encore enfilé le costume de femme-chat en PVC que me présentait Brigitte que, déjà, j'étais émoustillée à l'idée de tous ces hommes soumis, ayant soif de supplices, qui se trouveraient bientôt à mes pieds, prêts à me servir et même à me rémunérer en échange du privilège de se retrouver sous mon emprise. Cela me semblait inespéré!

— Tu as tout à fait raison, Brigitte, lui avais-je confié d'un air radieux en observant avec satisfaction ma silhouette dans le miroir extérieur de la salle d'essayage.

Je me sentais magnifiée par ce superbe costume et j'étais envahie par un grisant sentiment de supériorité sur ces deux clients qui nous tournaient autour depuis un bon moment et qui m'observaient avec convoitise. Cela flattait mon ego, ce qui me porta à demander à ma compagne si elle voulait bien m'aider à dégotter quelques autres accoutrements de la sorte qui puissent, comme celui-là, m'aller comme un gant.

Le café que m'avait promis Brigitte ensuite a fini par se muer en un souper dans un chic restaurant français du centre-ville, suivi d'une discussion qui s'est poursuivie en soirée, bien au-delà du repas.

— À vrai dire, je n'ai pas vraiment les moyens de me payer un tel endroit, avais-je confessé à ma nouvelle amie en entrant dans l'établissement à l'élégant décor qu'elle avait choisi.

— Ne t'en fais pas, je t'invite. Tu auras certainement l'occasion de me rendre la pareille à brève échéance. Je soupçonne qu'avec ta nouvelle carrière, sur le point de débuter, tes soucis financiers vont bientôt disparaître, m'avait-elle soufflé discrètement parmi les gens qui attendaient pour prendre place.

158

Au cours de la soirée, Brigitte s'est absentée de la table à plusieurs occasions sous prétexte d'aller se refaire une beauté. J'ai rapidement compris que ce n'était pas tant pour retoucher son maquillage que pour le plaisir de se faire remarquer par les autres clients qu'elle se pavanait en traversant la salle à manger. Non seulement était-elle une dominatrice dans l'âme, mais elle prenait plaisir à étaler sa beauté supérieure, s'amusant à faire tourner la tête des hommes, éblouis par la grâce de sa démarche. Sans contredit, elle était dotée d'un dangereux pouvoir de séduction.

C'est en dégustant une bouteille d'un vin liquoreux en guise de dessert que Brigitte m'a longuement parlé de ses expériences de vie personnelle. En l'écoutant, j'étais étonnée par les nombreuses similitudes avec mon propre cheminement. Les interrogations de jeunesse, l'évolution des fantasmes ainsi que les besoins de dominance de chacune s'apparentaient étrangement.

— Des clients, en majorité des hommes d'affaires, viennent me rencontrer ici même à Montréal lors de leurs passages, m'avait-elle informée. D'autres font le voyage de partout en Amérique dans l'unique but de passer quelques jours avec moi. Quelques-uns m'invitent même à aller les rejoindre chez eux, parfois l'espace d'une semaine, simplement pour vivre l'expérience de se soumettre à mes désirs. Une balade sur un yacht privé dans les Caraïbes, l'année dernière, s'est d'ailleurs avérée l'une de mes plus belles expériences. Je t'en reparlerai un jour...

Toute la soirée, j'étais suspendue aux lèvres de ma nouvelle complice tellement ses histoires me fascinaient. Après ce qui me sembla passer comme un éclair, il ne restait plus que quelques clients, parsemés ici et là dans l'établissement. Les heures avaient filé à une vitesse folle. Toujours assise sur ma chaise coussinée, j'ai jeté un rapide coup d'œil vers l'horloge en bois qui se trouvait sur le mur du fond. Celle-ci indiquait dix heures moins quart. Les trois serveurs toujours sur place se tenaient debout non loin de notre table, immobiles, les mains croisées devant eux, attendant que leurs clients respectifs fassent appel à eux.

— Observe bien ceci, m'avait dit Brigitte.

D'un geste engageant de l'index, elle a fait signe aux trois employés, les invitant à se présenter à notre table. Ils se sont regardés, incertains, avant d'acquiescer à sa demande.

— Il est assez étonnant de vous voir rester là sans rien faire, comme de vulgaires badauds, leur a-t-elle indiqué d'un air condescendant. Vous voyez bien que nous avons terminé notre repas, qu'attendez-vous pour vous enquérir de notre satisfaction? Êtes-vous donc ici tous aussi incompétents les uns que les autres? Est-ce que vous ne devriez pas vous empresser d'être aux petits soins pour votre prestigieuse clientèle? Je tiens à souligner que la qualité du repas était assez médiocre; j'ai vu cent fois mieux ailleurs. Par conséquent, je souhaite que le cuisinier se présente à notre table dès maintenant afin que je lui fasse part en personne de mon insatisfaction.

Je n'en revenais pas, j'étais épatée par son audace. Même en public, elle se permettait d'imposer ses requêtes, en tirant profit du fait que les serveurs n'avaient guère d'autres choix que d'acquiescer à ces caprices et doléances. Le premier serveur eut cependant un regard irrité devant ce ton princier et, tâchant de garder son calme, lui répondit du tac au tac :

160

— Pardon, madame, mais votre intervention a de quoi étonner, vous êtes bien la première cliente ici ce soir à formuler une telle plainte et…

— Pardon? l'avait-elle coupé sèchement. Je vous trouve bien insolent, jeune homme. Seriez-vous en train d'insinuer que ma plainte puisse ne pas être légitime?

L'un des garçons asséna un subtil coup de coude au serveur qui avait osé prendre la parole et s'adressa à son tour à ma compagne, afin de lui assurer que sa requête serait considérée avec tout le respect qu'elle était en droit d'espérer et qu'il y verrait personnellement.

Embarrassés, les deux autres garçons s'étaient alors empressés d'obtempérer en desservant la table et en allant solliciter le chef cuisinier afin qu'il se pointe devant nous.

— Tu vois… les femmes comme nous obtiennent toujours ce qu'elles veulent, avait-elle poursuivi. Il s'agit d'imposer nos caprices. Ce n'est pas seulement lors de nos séances de domination avec nos clients que nous devons utiliser notre pouvoir, mais bien à chaque occasion qui se présente. Une vraie dominatrice impose son contrôle en tout temps. Il s'agit d'un état d'âme et non d'un simple rôle. Nous ne sommes pas de simples prostituées avec un fouet!

Les propos de Brigitte tombaient à point, confirmant l'attitude que je refoulais depuis déjà plusieurs années. En cette soirée magique, j'étais au comble du bonheur, mon état d'esprit se révélait par le sourire démesuré qui se dessinait sur mon visage.

— Voici la note, madame, sur laquelle nous avons appliqué un rabais appréciable en guise d'excuses, avait spécifié notre serveur en déposant la facture sur la table. Le chef sera avec vous sous peu.

— Dites-lui qu'il tarde trop et que nous n'avons plus de temps à lui accorder, lui balança-t-elle d'un air hautain. Vous lui ferez simplement savoir que son poisson était ordinaire.

Sur ces mots, Brigitte a consulté l'addition avant de retirer trois cents dollars en argent comptant de son sac à main. Après avoir glissé les billets bruns dans le petit plateau de bois qu'on venait de lui apporter, elle s'est levée avec prestance en me faisant signe de la suivre.

En quittant le restaurant, elle m'a invitée à assister à l'une de ses prochaines séances de domination. J'allais voir cela *en direct!* Je trépignais de joie en mon for intérieur.

— Je rencontre cette semaine à mon donjon privé un client qui sera sans doute très heureux d'apprendre qu'une complice se joindra à moi à l'occasion de sa visite, m'avait-elle lancé alors que je prenais place dans un taxi. Je t'appelle demain! dit-elle en me saluant de la main, tenant dans l'autre mes coordonnées, au moment où je refermais la porte de la voiture.

෴

C'est devant l'étroite porte blanche d'un bâtiment de deux étages, situé sur une artère commerciale de la métropole, que je me suis retrouvée le jeudi suivant. Le jour de mon initiation était arrivé! Quelques heures plus tôt, j'avais reçu une confirmation de la part de Brigitte m'indiquant que son soumis serait sur place sous peu. Il ne me restait plus qu'à me présenter

162

à l'adresse qu'elle m'avait divulguée au moment de son appel. Pour la suite, je n'avais qu'à suivre ses directives et me laisser guider.

Je n'avais pas encore appuyé sur la sonnette que j'entendais s'actionner le mécanisme d'ouverture de la porte. Brigitte m'avait sûrement aperçue au moyen de la caméra de sécurité, dirigée vers moi. Une fois à l'intérieur, il n'y avait qu'un seul chemin à suivre, celui d'un escalier qui menait au deuxième étage. Brigitte se tenait tout en haut, majestueuse, telle une souveraine accueillant ses loyaux sujets. Elle portait un corset noir qui moulait sa taille de guêpe, amplifiant du même coup le volume de son buste déjà très pigeonnant. C'était la digne allure d'une dominatrice, le genre de femme fatale à faire fléchir les genoux de tous les soumis qui se présentaient devant elle.

— Monte, j'ai déjà commencé la séance. Esclave Claude est bien attaché, en attente de recevoir nos petites attentions, m'avait-elle précisé avec un beau sourire malicieux. Mais d'abord, je te fais visiter.

Ayant franchi la dernière marche de l'escalier, je me suis retrouvée dans l'aire de réception qu'avait aménagée Brigitte, un endroit muni d'une sobre table blanche, de deux chaises en cuir brossé, ainsi que d'un divan noir deux places moderne. C'était le seul endroit, m'expliqua-t-elle, où les clients avaient la permission de s'adresser à leur maîtresse sans lui être soumis, par exemple, juste avant une séance, afin de déterminer la limite des sévices qu'ils se savaient capables de tolérer.

Nous avons ensuite pris un corridor menant au donjon principal, situé à l'autre extrémité. En chemin, sur la droite, se trouvaient deux pièces thématiques permettant de satisfaire les fantasmes moins conventionnels. La première était remplie de vêtements féminins de tous genres.

— Voici l'endroit réservé aux adeptes du travestisme, m'avait-elle indiqué en m'invitant à entrer dans la pièce. J'ai de tout : des souliers à talons hauts, de multiples perruques, une trousse de maquillage et plus encore. Ceux qui adoptent ce type de fétichisme, soit par coquetterie ou pour l'aspect humiliant de la chose, sont bien servis. Si tu regardes par ici, tu verras que je possède également quelques déguisements de nourrissons, des couches en coton, même, pour ceux qui fantasment sur le retour à l'enfance.

J'ai secoué la tête. Plus je découvrais le monde du fétichisme, plus j'étais étonnée par les fantasmes des gens. Leurs divagations me semblaient plus bizarres les unes que les autres, moi qui croyais que j'étais seule avec mes idées tordues. Quelle naïveté! Les fantasmes font partie intégrante de la nature humaine et, somme toute, on n'invente rien, découvrais-je. La seconde pièce ressemblait à un bloc opératoire tellement elle était remplie d'appareils médicaux.

— Voici ma « chambre blanche », l'endroit où j'examine tous les orifices de mes clients, m'a-t-elle précisé en m'adressant un œil amusé. C'est ici que je m'occupe de ceux qui désirent se livrer à mes caprices d'infirmière d'un jour.

Mon regard se déplaçait d'un accessoire à l'autre; j'étais subjuguée par tout l'équipement qui se trouvait devant moi. La table d'examen, en plein centre, constituait la pièce maîtresse de la salle. Juste derrière, accrochés au mur, se trouvaient un boyau de lavement, une pompe aspirante, un masque à gaz, ainsi que de multiples équipements d'électrothérapie. Sur la droite, une armoire vitrée me permettait d'apercevoir – à travers le verre – les spéculums, sondes anales, ventouses et pots de crèmes qui reposaient sur les tablettes.

— Je vois que tu as vraiment pensé à tout…

— Et ce n'est rien encore, j'ai gardé la pièce de résistance pour la fin.

Dès mon entrée dans son donjon, mes yeux se sont écarquillés. Je ne pouvais croire l'attention qui avait été portée aux fins détails de la décoration. Un véritable chef-d'œuvre artistique! Une installation qui avait dû coûter des milliers de dollars. Il suffisait de contempler les pourtours de la pièce peinte à la main pour s'en convaincre. L'artiste avait réussi à recréer l'archétype des murs de pierres bruns et gris typiques des donjons d'autrefois. Il n'avait d'ailleurs pas manqué d'ajouter de petites touches de peinture blanche à son œuvre, imitant ainsi les reflets de lumière. Et à la lueur des nombreuses chandelles qui brûlaient en ce moment, l'effet de relief était saisissant.

Ébahie par le décor, je n'avais pas encore remarqué le pauvre esclave qui se trouvait ligoté, bras et jambes, à une espèce de roue en bois située sur la gauche. De toute évidence, celle-ci était amovible puisque le soumis avait les pieds en haut et la tête vers le bas.

— Tu le laisses longtemps dans cette position? m'étais-je informée. Il me semble qu'il a le visage passablement rouge...

Plutôt que de me répondre, Brigitte s'est emparée de deux bougies en forme de piliers qui se trouvaient sur une petite table en bois. À la base de chaque flamme logeait une importante accumulation de cire rouge brûlante sous forme liquide, alors qu'au fond des bougeoirs s'ancraient les cierges dans un amoncellement de cire figée.

— Tiens, amuse-toi, me commanda-t-elle en me présentant l'un des bougeoirs.

J'ai saisi la chandelle que me tendait Brigitte. J'avais une bonne idée de l'acte que je devais maintenant commettre, sous son regard satisfait et approbateur. Sans hésiter, je me suis approchée de notre victime, un brin de malice dans les yeux, avec l'envie irrépressible de lui faire du mal. Au même moment, à l'aide d'un puissant coup de poignet du bras gauche, ma collègue a fait tourner la roue d'un demi-tour, de sorte que le visage du soumis s'est ainsi retrouvé directement devant moi.

— Oh... ce n'est pas vrai! me suis-je exclamée avant de pouffer de rire.

— Quoi donc? demanda Brigitte.

— Mais c'est... c'est Claude, mon ancien prof de français! Celui dont je t'ai parlé l'autre soir au restaurant!

La coïncidence amusa beaucoup Brigitte, qui s'esclaffa à son tour en le traitant de vieux vicieux fantasmant sur les écolières.

— Oh, ma petite pouliche chérie... s'écria Claude en s'adressant à moi, les yeux remplis de larmes de joie, mon fantasme depuis toujours! Comme je suis heureux de te retrouver! Tu m'as tellement manqué...

Dans son expression de réjouissance, je pouvais lire l'humiliation mêlée d'excitation que ressentait mon ancien professeur du fait de se trouver devant moi, nu comme un ver, alors que j'étais devenue une très jolie femme. Le gonflement soudain du petit organe entre ses jambes a eu tôt fait de me donner matière à me moquer de lui.

— Alors, Claude, me suis-je informée, est-ce que tu t'es bien masturbé ces dernières années devant ma photo, tous les vendredis à midi trente comme je te l'avais ordonné?

— Oui, oui… aussi souvent que j'ai pu, s'empressa-t-il de me confirmer. Il y a peut-être seulement quelques fois où…

— Quoi? Qu'est-ce que j'entends? le coupai-je. Pauvre idiot! Es-tu en train de me dire qu'en certaines occasions tu as manqué à ta dévotion?

Il a fait quelques rapides petits hochements de tête, l'air piteux, ses yeux se plissant et débordant de larmes de honte.

J'ai alors arboré un air de grande sévérité et j'ai avancé mon bras droit vers lui, puis, en inclinant le bougeoir vers l'avant, j'ai déversé la cire brûlante sur son torse. Ma comparse et moi avons bien rigolé en constatant sa souffrance, qui a persisté pendant ma lente et cruelle manœuvre. Le voilà qui était bien puni de ne pas s'être branlé comme il le devait devant mon image.

— Je me doutais bien que tu prendrais plaisir à ce genre de cruauté, avait commenté ma complice. Tu es une véritable dominatrice dans l'âme!

— Attends... je n'ai pas terminé, il nous reste encore des munitions. Le meilleur reste à venir, me suis-je exclamée en me saisissant de l'autre bougeoir.

Sans plus attendre, je me suis accroupie devant mon souffre-douleur, juste à la hauteur de son sexe. Malgré la douleur que je venais de lui faire subir, les fortes pulsations qui émanaient de son organe durci trahissaient son excitation.

— Puisque tu n'es qu'un sale infidèle, je vais te faire perdre le goût de bander devant moi, l'avais-je menacé.

À l'aide de la chandelle que je tenais toujours dans ma main gauche, j'ai eu tôt fait de recouvrir sa verge en totalité avec la cire liquide accumulée en surface. Cette fois, les cris ont résonné encore plus fort, jusqu'à ce que le liquide se fige sur sa peau.

Ne pouvant plus se contenter de regarder, Brigitte a promptement saisi la première cravache qui lui est tombée sous la main. Il n'a suffi que de quelques secondes pour qu'elle inflige à Claude plusieurs coups de fouet sur son sexe, dont le volume diminuait à chaque frappe. Ce faisant, de petits morceaux de cire refroidie volaient en éclat, ici et là, au grand désarroi de notre victime, qui commençait sans doute à craindre pour l'état de sa verge après tant de supplices.

— Tu as entendu mon invitée? disait Brigitte à quelques pouces de son visage effrayé. Nous ne souhaitons aucunement te voir en érection devant nous.

Ce n'est que lorsque son sexe est devenu complètement mou que Brigitte a cessé de l'assaillir avec le fouet. Elle n'avait cependant pas encore terminé de s'acharner sur lui.

— Ouvre ta bouche! lui a-t-elle ordonné d'un ton ferme.

C'est alors qu'elle a enfoncé la cravache à l'horizontale entre ses dents.

— Mords maintenant.

Tout en déposant ses deux mains sur chacune des épaules de l'esclave, Brigitte s'est brièvement retournée vers moi, un sourire narquois accroché aux lèvres.

— Regarde bien ceci.

Il n'a suffi que d'une fraction de seconde pour que le genou droit de ma collègue se bute violemment contre le scrotum du pauvre Claude. Sans les liens qui le retenaient, il aurait sans doute croulé par terre.

— Dommage que, dans cette position, il ne puisse se tordre de douleur, rigolait Brigitte.

Les yeux plissés et le visage contracté, notre supplicié démontrait à quel point le coup lui avait fait mal. Mais moi, je ne pensais qu'à une chose... lui asséner un coup de pied à mon tour. Tant de fois, au cours de ma jeunesse, j'avais imaginé des scénarios semblables sans avoir l'occasion de les réaliser. En ce moment, à moins d'un mètre de moi, se trouvait une paire de testicules que je pouvais blesser à l'aide de mon pied, de mon genou, de mes mains.

Constatant une certaine fébrilité de ma part, Brigitte a vite compris que je désirais m'exécuter à mon tour.

— Il est à toi, m'a-t-elle indiqué d'une main tendue vers lui en sortant de la pièce. Prends ton temps, j'ai un appel téléphonique à effectuer.

D'un air sournois, j'ai d'abord soulevé mon pied droit – chaussé de mes bottes noires toutes neuves – pour ensuite écraser la verge du pauvre Claude, à l'aide de ma semelle, contre le panneau de bois circulaire sur lequel il était attaché en croix. Pendant de longues minutes, ma chaussure bien appuyée, j'ai ainsi effectué plusieurs mouvements vers la gauche, puis vers la droite, afin de lui infliger une intense douleur. Enfin, alors que Brigitte réintégrait la pièce, j'ai balancé ma jambe vers l'arrière avant de laisser partir avec grand élan une frappe qui fut suivie d'un hurlement assourdissant.

— Ahhh, ferme là! avait ordonné Brigitte. Tu nous irrites.

D'un pas résolu, ma comparse est passée devant moi pour se diriger vers le mur du fond, où se trouvait sa collection de fouets de tous genres, accrochés dans un ordre qui semblait minutieusement prédéterminé, allant du martinet à la cravache d'attelage. C'est avec le modèle à lanières qu'elle s'est de nouveau présentée devant notre pantin, l'air défiant, une main sur une hanche, tenant de l'autre son instrument de torture. Elle s'est approchée un peu plus, le regardant dans les yeux avant de lui cracher au visage.

Par terre, à la base de la roue, se trouvait la petite cravache que l'esclave n'avait pu garder entre ses dents au moment de mon coup de pied sauvage. C'était tout ce dont j'avais besoin pour assister Brigitte au cours de la prochaine étape de la séance.

— Je peux lui laisser des marques? lui avais-je demandé.

— Certainement… Claude est célibataire, marque-le pour au moins un mois, jusqu'à sa prochaine visite. Si par hasard il avait à se dévêtir en public, ce serait une belle humiliation...

Il n'y avait plus de doute dans mon esprit, Brigitte était de celles qui faisaient de la dominance un mode de vie. Elle était de ces rares femmes dont la démarche ne s'arrête pas à la fin d'une séance. À son signal, je me suis exécutée, assénant plusieurs frappes cinglantes à ma victime. Puis, alors qu'en tandem nous venions de passer plusieurs minutes à nous attaquer au torse, aux bras et aux jambes de notre soumis, Brigitte a finalement levé la main.

— C'est suffisant.

Malgré notre acharnement, j'ai remarqué que la verge de Claude avait repris de la vigueur. De toute évidence, il prenait plaisir à recevoir ce genre de traitement de la part de jolies maîtresses. Une fois de plus, Brigitte a fait tourner la roue d'un demi-tour afin de remettre l'esclave dans une position inconfortable, la tête au ras du sol. D'un air espiègle, elle s'est emparée d'un gant en latex qu'elle a ensuite habilement enfilé sur sa main droite. De l'autre, elle a empoigné la bouteille d'huile pour bébé qui reposait sur l'armoire du coin.

— Malgré mon intransigeance, mes esclaves ne quittent jamais mon donjon sans leur petite jouissance, m'avait-elle glissé dans le creux de l'oreille. C'est d'ailleurs un régal pour moi que d'être témoin de leurs éjaculations en mon honneur. Laisse-moi te montrer ma technique préférée...

Je me doutais bien qu'il y avait un peu de malice dans ses intentions. En voyant Brigitte manipuler l'organe de son client, qu'elle dirigeait vers le bas, j'ai compris qu'elle voulait le voir éjaculer sur son propre visage.

Les gémissements du quinquagénaire se sont graduellement amplifiés alors que Brigitte le branlait avec une vigueur croissante. Au seuil de l'orgasme, il n'a suffi que de quelques instants avant qu'il n'atteigne le point culminant, le premier jet de son liquide se logeant directement dans son œil.

— Touché! s'est exclamée Brigitte, alors que le sperme continuait de jaillir.

— J'adore... est-ce que tu lui en fais manger parfois?

— Je te laisse l'honneur.

Il ne m'en fallait pas plus pour que j'agrippe à mon tour un gant de latex. À l'aide de mon index, j'ai cueilli une accumulation de liquide qui s'était logée dans le creux de son cou, sous sa pomme d'Adam.

— Ouvre ta bouche toute grande, lui avais-je dicté avant d'y insérer mon doigt enduit de sa semence. Lèche!

Et l'homme avait léché goulûment mes doigts.

Les deux heures qu'avait réservées l'esclave en compagnie de sa maîtresse de prédilection étaient maintenant terminées. Le temps de le détacher, de lui faire prendre une douche, de ranger les accessoires, puis de le renvoyer chez lui, l'après-midi tirait déjà à sa fin.

෨

Aujourd'hui, lorsque je me remémore cette première véritable séance de domination en compagnie de Brigitte, je me souviens de l'enthousiasme que nous avions l'une et l'autre à ce moment. Toutes les deux, nous étions tellement heureuses d'avoir été unies par le destin. En elle, j'avais découvert ma mentore. En moi, Brigitte avait déniché une précieuse complice. Ensemble, nous étions sur le point de révolutionner le milieu sadomasochiste de la métropole. Nous allions passer quelques années à évoluer ensemble, jusqu'au jour où cette amie me quitterait, beaucoup trop jeune, emportée par la maladie.

CHAPITRE 13
Meurtre à Saint-Calixte

Le Québec entier est sur le qui-vive depuis la publication dans les journaux, deux jours plus tôt, d'un message de la Justicière dévoilant ses intentions de récidive. Ce matin, comme il fallait s'y attendre, on vient de découvrir le corps mutilé d'un homme gisant dans un boisé de la municipalité de Saint-Calixte. C'est un enfant qui, passant par là pour se rendre à une cabane qu'il avait construite avec ses amis, s'est retrouvé face au cadavre d'un homme ligoté à un arbre. Saisi de frayeur, le jeune garçon a décampé en hurlant, attirant l'attention du voisinage. Des adultes ayant intercepté l'enfant dans sa course folle ont réussi, en lui prodiguant des paroles réconfortantes, à lui faire exprimer la raison de son énervement. Un petit attroupement d'adultes et d'adolescents s'est alors formé autour du garçonnet, qui s'est laissé choir sur l'asphalte, éclatant en sanglots après avoir décrit son horrible découverte. Un des badauds qui se trouvaient sur place a alors glissé la main dans sa poche pour en tirer son appareil cellulaire, s'empressant de contacter le 911.

Dès qu'on l'a avisé, Fournier a sauté dans sa voiture. Il roule en ce moment sur la sinueuse route de campagne que lui indique de suivre son GPS. Il souhaite se rendre aussi rapidement que possible sur les lieux du crime et évite donc la circulation des grandes artères, encombrées par des travaux de réfection routière.

Lorsqu'il approche de sa destination, l'inspecteur remarque au loin des lumières de gyrophares qui illuminent l'horizon brumeux de la matinée. En poursuivant un peu plus sa route, il rejoint un attroupement de curieux que tente de disperser un groupe de policiers. Vivement, il range son véhicule sur l'accotement. La voiture s'immobilise après un léger dérapage sur le gravier, laissant s'élever derrière elle un nuage de poussière. L'inspecteur sort en toute hâte, claque la portière, puis se dirige vers ses collègues policiers qui délimitent la zone de sécurité à l'aide d'un grand ruban jaune. Des adultes s'informent entre eux, d'autres éloignent prestement les enfants, alors que des adolescents, qui flânent autour en bavassant, captent des vidéos à l'aide de leurs cellulaires. Certains vont même jusqu'à prendre des *selfies* en faisant de la main un signe de « Yo » et en tirant la langue, se glorifiant d'être présents sur les lieux du crime et n'hésitant pas à publier leurs photos sur les réseaux sociaux. Fournier les aperçoit au passage et se désole de cette jeunesse insensible à la violence, banalisée par le cinéma et les jeux vidéo. *Comment peut-on en venir à être si déconnecté de l'horreur et de la souffrance?* se demande-t-il. *Ces jeunes adultes en devenir ne perçoivent-ils plus la réalité telle qu'elle est, trop habitués de la considérer par le truchement de leurs écrans, comme si la vie n'était plus qu'une fiction? L'avenir ainsi déshumanisé ne laisse augurer rien de bon,* songe-t-il encore en se frayant un chemin à travers la horde de curieux.

— Pouvez-vous éloigner encore un peu plus ces écornifleurs et agrandir le périmètre de sécurité? demande-t-il au premier policier qu'il intercepte.

176

— C'est sans doute la femme dans les journaux, celle qui a écrit la lettre, affirme haut et fort une voix féminine parmi les indiscrets massés le long de la route principale.

— De toute ma vie, je n'ai jamais rien vu de pareil, se désole un octogénaire.

Annabelle, qui devait se rendre ce matin au Cégep de Joliette afin de donner une séance d'information aux étudiants en Techniques policières, a annulé sa prestation et est déjà sur place. Elle attend avec impatience, à proximité de la dépouille, l'arrivée de Fournier. Ce dernier, qui entrevoit sa coéquipière à travers le sapinage, s'engage sur le sentier cahoteux menant à la petite clairière où elle se tient. Tout en prenant soin de ne pas perdre pied, il franchit la distance le séparant du lieu où se trouve, tel un fantôme recouvert d'un drap blanc, le cadavre de l'homme ligoté à un érable. Annabelle, jusque-là attentive au travail du technicien en scènes de crime, se désintéresse de ce dernier pour accueillir son partenaire en lui tendant son cellulaire.

— Tiens, Jacques, voici une photo de la note originale que la Justicière a brochée au front de la victime.

— Brochée? répète-t-il, incrédule.

— Oui, brochée. J'ai pris une photo avant que le technicien ne place la pièce à conviction en lieu sûr.

Fournier lui arrache le téléphone des mains.

— Bon sens, ce n'est pas possible…

Il lui redonne l'appareil d'un air absent, puis s'approche du corps. Avec délicatesse, il soulève le voile recouvrant le macchabée et constate que la Justicière a encore une fois fait subir une mort atroce à sa victime. Abstraction faite des nombreuses marques de brûlures ici et là, et du projectile qu'il a reçu en plein milieu du front, ce sont les aiguilles chirurgicales qu'on lui a plantées dans les yeux qui font frémir Fournier.

— Je n'ai jamais rien vu de tel… murmure-t-il, le cœur lui remontant dans la gorge.

Il secoue la tête à plusieurs reprises en signe de répulsion, puis s'accroupit pour examiner méticuleusement les doigts du cadavre.

— Ce n'est pas lui, s'étonne Fournier. Bon sens…

— Euh… de quoi parles-tu, au juste?

— De l'auriculaire ensanglanté que nous avons reçu au poste de police. Il provient d'une autre personne; les doigts de cette victime sont intacts…

Tout en se relevant, il fixe le torse du cadavre, à l'endroit même où la Justicière a une fois de plus apposé sa signature. Il ne s'étonne pas d'y lire l'inscription « Lâche #2 » que cette dernière a burinée sur la peau de sa victime, comme elle l'avait fait pour Pelletier. Il demande à Annabelle de lui remettre son appareil et relit la note laissée par la meurtrière :

« J'aurais souhaité que tu sois né aveugle. Combien d'enfants auraient alors échappé à tes agressions! À tout le moins, j'aurai eu le plaisir de les venger en t'infligeant ce châtiment puis en te donnant la mort. La Justicière. »

— C'était donc un pédophile… marmonne Fournier.

— On dirait bien, mais des vérifications s'imposent à ce sujet. Pour l'instant, nous ne connaissons que son nom. Ses pièces d'identité, retrouvées dans un portefeuille au sol, indiquent qu'il s'agit de Bruno Savoie, 36 ans, un résident de Saint-Jérôme.

En examinant le corps de plus près, Fournier note que la région pelvienne est particulièrement ensanglantée.

— Elle lui a coupé la queue! s'exclame-t-il, incrédule.

Il scrute le sol à la recherche du membre tranché, mais il ne le voit nulle part. Il consulte alors le technicien pour savoir si ce dernier aurait repéré l'organe, mais il lui répond que non. L'inspecteur commence à s'inquiéter; il appréhende de recevoir au poste de police le membre ensanglanté par livraison express en cours de journée.

— Elle est encore plus sadique que je l'avais imaginé, laisse tomber Fournier, toujours sous le choc.

Un roulement de tonnerre détonne tout à coup et un vent orageux se lève.

— Quelqu'un peut-il m'apporter un rouleau de polyéthylène? s'écrie le technicien. La pluie risque de tout gâcher!

Non loin de là, un policier attentif saute sur un véhicule tout-terrain et se dirige à fond de train vers le poste de commandement mobile que vient d'installer la SQ en périphérie. Le ciel se noircit, les premières gouttes se mettent à marteler le sol, plusieurs badauds se couvrent et d'autres se dispersent en prévision de l'orage imminent.

Munis d'imperméables jaunes, les policiers demeurés aux abords de la route accueillent Charles Roy, un fameux criminologue. Depuis l'annonce par la Justicière de l'imminence d'un nouveau meurtre, Fournier ne ménage aucun effort afin de s'adjoindre les meilleurs spécialistes. Pendant qu'il était seul à son bureau hier soir, il a communiqué avec Roy, une connaissance de longue date, afin de s'assurer de pouvoir compter sur sa collaboration dans le présent dossier. En lui disant de se tenir prêt en cas de récidive de la Justicière, Fournier ne s'attendait pas à devoir le rappeler de sitôt. Grâce à Roy, il espère obtenir un filon qui pourrait lui permettre d'élucider le mystère entourant les actes de barbarie de la meurtrière.

— Embarquez derrière, monsieur Roy, propose un patrouilleur en chevauchant un quatre roues. Je vous conduis à l'inspecteur Fournier.

Au même moment, un tout-terrain chargé de longs piquets rouges, d'une bâche et d'accessoires de toutes sortes passe en épouvante à quelques mètres de ces derniers, suivi d'un deuxième véhicule sur lequel prennent place l'agent Legendre et la pathologiste Josée Brière. Dès qu'il a appris la nouvelle du meurtre, Fournier s'est empressé de communiquer avec cette dernière, question de s'assurer de la présence de la même pathologiste qui a œuvré au dossier de Robert Pelletier, la première victime de la Justicière.

Aux abords du cadavre, le technicien, Marc Bissonnette, commence à s'impatienter.

— Ça va tomber fort dans les prochaines minutes, s'inquiète-t-il en scrutant le ciel. À ce rythme, nous n'aurons que très peu de temps pour ériger un abri et protéger le corps.

Dès que s'immobilisent les nombreux véhicules tout-terrain, la pluie commence à s'intensifier. Soucieux de faire bonne impression auprès de la pathologiste, Legendre lui tend une main courtoise, mais elle s'empresse de la refuser. Habillée de leggings noirs qui définissent ses formes athlétiques, elle enjambe le siège tout en pivotant sur ses fesses… un mouvement digne d'une gymnaste, mais qui lui vaut tout de même une chute au sol, le derrière dans une flaque de boue. Legendre ne peut s'empêcher de s'esclaffer. Il l'aide à se relever en lui reprochant d'avoir repoussé sa galanterie. La voilà maintenant, lui fait-il remarquer, en position de ne pas pouvoir refuser la main qu'il lui tend. C'est en le fusillant du regard qu'elle consent enfin à lui donner la sienne, qu'elle libère toutefois très rapidement dès qu'elle est remise sur pied. Alors que s'abat sur eux une pluie battante, et que la femme essuie la terre mouillée qui lui colle aux fesses, l'agent Legendre amarre son regard au décolleté de la pathologiste, dont le chandail blanc est imprégné d'eau.

— Votre aide serait fort appréciée, lance Fournier à l'endroit de Legendre, en tentant de retenir un morceau de polyéthylène qui virevolte au vent.

En peu de temps, l'équipe réussit à ériger un abri rudimentaire au-dessus de la dépouille. Faisant fi des conditions météorologiques, et pendant que Josée Brière effectue ses préparatifs, le profileur Charles Roy amorce son examen du cadavre, qu'il scrute d'un œil fasciné. En regardant le pantalon de la victime, qui traîne au sol autour de ses chevilles, Roy fronce les sourcils.

— Je remarque que son pantalon n'a pas de ceinture. A-t-elle été retirée par l'un d'entre vous? demande-t-il.

— Pas du tout! s'étonne le technicien, réalisant du même coup qu'il n'avait pas remarqué ce détail. En fait, je n'en ai trouvé aucune jusqu'à maintenant...

— Pourtant, la victime porte une marque de strangulation au cou, affirme Roy. Je dirais même que l'empreinte correspond assez précisément à celle d'une ceinture.

L'air pensif, Roy se gratte la tête, fouille la poche intérieure de son veston gris, puis pose ses lunettes sur son nez aquilin.

— Tout bien considéré, reprend-il, la meurtrière a possiblement conservé cet accessoire en guise de souvenir... si je puis dire. Les tueurs en série ont tendance à prélever un objet de leur victime, parfois un reste de dépouille, qui leur servira à se rappeler le meurtre, à revivre l'événement ou, si vous préférez, à recréer l'émotion de satisfaction ressentie au moment de l'acte assassin. D'après mes premières constatations, votre meurtrière est du type *organisé,* un terme que l'on emploie pour circonscrire certaines caractéristiques de meurtriers en série. Par exemple, cette personne est probablement d'une intelligence supérieure à la moyenne, méthodique, astucieuse et rusée. Son crime est bien réfléchi, planifié dans les moindres détails, le lieu bien choisi. Très peu d'indices sont laissés derrière, la scène est normalement bien nettoyée. Habituellement très social, il est quasi impossible de cibler le meurtrier *organisé* par son comportement au quotidien. Il est d'ailleurs pleinement conscient de l'envergure de son acte, familiarisé avec les procédures policières. Il aime retourner sur le lieu de son crime, agir de manière à contrecarrer l'enquête. Il apprécie l'attention que lui portent les médias, suit tout ce qui s'écrit à son sujet.

— Intéressant... souffle Josée Brière qui, le temps de porter attention aux propos du spécialiste, a cessé toute activité. Mais, dites-nous, qu'est-ce qui peut bien motiver un individu à sévir aussi cruellement?

— Afin de mieux comprendre les motivations du meurtrier en série, il est plus important de s'attarder à la « signature » de l'assassin qu'au *modus operandi,* précise Roy. Bien que ses méthodes puissent s'améliorer, progresser au fil du temps, le motif émotionnel pour lequel il commet l'acte ne change aucunement. Cette « signature », c'est ce détail personnel qui est unique à l'individu, la raison pour laquelle il s'exécute, le détail qui le stimule.

— Il faut trouver un dénominateur commun à ces meurtres, commente Annabelle. Ça nous permettra de remonter jusqu'à la meurtrière.

— C'est une évidence! rétorque Josée Brière, quelque peu froissée par une vive impression que la policière s'adresse à elle comme si elle était née de la dernière pluie.

Mon expertise se limite peut-être à la médecine légiste, mais ça ne fait pas de moi une idiote incapable de tirer la moindre conclusion à propos d'une enquête, pense-t-elle.

— Dans le cas présent, poursuit le criminologue, qui ne semble rien percevoir de cette petite rivalité féminine, le sadisme sexuel auquel s'est livrée la meurtrière est plutôt rare de la part d'une femme; seulement cinq pour cent des meurtres en série sont l'œuvre de la gent féminine. Si ça peut vous rassurer, la nature répétitive de ce type de meurtre rend d'autant plus prévisibles les actes des protagonistes. À vous d'exploiter cette avenue.

Le spécialiste, qui donne l'impression de se parler à lui-même depuis le tout début, fouille à nouveau l'intérieur de son veston, en marmottant, et retire un morceau de tissu beige avec lequel il se mouche bruyamment.

De manière aussi rapide qu'elle a commencée, l'averse cesse pour faire place à quelques timides rayons de soleil, qui percent les nuages. Josée Brière, qui s'était aventurée au-delà de la protection de l'abri, enfonce un bouton sur le manche de son parapluie fleuri, qu'elle referme avant de le remettre froidement à Legendre, estimant que, puisqu'il insistait pour jouer les galants, il vaut mieux en tirer profit.

Malgré le sol vaseux, un travail d'envergure s'effectue au cours des trois heures qui suivent. Roy quitte le premier les lieux, talonné par Legendre qui, le parapluie toujours en main, ne cesse de lui poser mille et une questions, un véritable interrogatoire qui ne se termine qu'au moment où le spécialiste réussit à refermer derrière lui la portière de sa voiture.

Toujours debout à proximité du cadavre, Fournier saisit le cellulaire qui sonne sur sa hanche.

— Bonjour, commandant Dupont. Pardon? Excusez-moi... j'ai de la difficulté à vous entendre, le signal est trop faible... Une urgence, vous dites? Donnez-moi quelques instants, je retourne à la voiture au pas de course et je vous rappelle immédiatement.

Du coup, Fournier claque des doigts afin de capter l'attention d'Annabelle, qui observe méticuleusement le travail de la pathologiste.

— Dupont veut me parler tout de suite, Annabelle. Ça semble urgent. Tu viens avec moi? C'est complet pour nous ici de toute manière, les gens de la morgue vont s'occuper du reste.

L'inspecteur se dirige d'un pas rapide vers la sortie du boisé, suivi de sa collègue. À distance, il déverrouille les portières de son véhicule. Dès qu'il pose les fesses sur le siège du conducteur, il appuie sur la touche automatique de son appareil mains libres afin de joindre le grand patron.

— Annabelle Saint-Jean est avec nous sur la ligne, commandant. Que disiez-vous plus tôt?

— Écoutez, Fournier : la famille de John Peters, un riche financier de Montréal, vient de nous signaler sa disparition. Il n'a pas été revu depuis son retour d'un voyage au Mexique, il y a environ trois semaines. Pour une raison que nous ignorons en ce moment, la famille n'a pas daigné rapporter sa disparition avant ce matin.

— Ce nom me dit quelque chose, intervient Annabelle. Est-ce le même homme qu'on a condamné pour fraude?

— C'est exact, confirme le commandant. D'ailleurs, il vient tout juste de sortir de prison, après un an d'incarcération. Il détournait l'argent de petits investisseurs dans ses comptes personnels aux îles Caïmans.

Fournier se frotte le menton d'un air songeur.

— Et je présume que vous soupçonnez la Justicière d'être responsable de cet enlèvement?

— Évidemment, Jacques. Par contre, celle-ci n'a pas l'habitude – si on peut parler ainsi après deux seules occurrences – de cacher ses cadavres. Or, on n'a toujours pas trouvé celui de Peters...

— À moins qu'elle ne l'ait pas encore tué, suppute Annabelle. Au cours de ma courte conversation en privé avec Roy, tout à l'heure, il a souligné que l'enlèvement de la victime, sa détention et la torture font partie des habitudes de ce genre de meurtrier en série.

L'hypothèse du prisonnier laisse Fournier plutôt perplexe. Il y a quelque chose qui cloche dans toute cette histoire, une anomalie qu'il s'empresse de partager :

— Si Peters a fait de la prison, et ainsi payé sa dette à la société, pourquoi la Justicière voudrait-elle s'en prendre à lui?

— Il a servi une peine d'un an, précise Dupont. Une seule petite année! La population crie à l'injustice. Ce n'est pas suffisant pour toutes les vies qu'il a ruinées, selon l'opinion publique. Ne croyez-vous pas que la Justicière puisse être du même avis?

— Je vais réfléchir à tout ça sur le chemin du retour, promet Fournier avant de le saluer et de couper la ligne, n'ayant aucune idée encore de la surprise qui l'attend à son bureau.

CHAPITRE 14
Témoignage

Un résident de Louiseville, en Mauricie, est en attente sur la ligne téléphonique du quartier général de Montréal. L'homme souhaite parler avec l'enquêteur responsable du dossier de la sadique meurtrière. La standardiste l'a informé de l'absence de Fournier, qui devrait cependant être de retour à son bureau de Mascouche dans les prochaines minutes, et l'homme a demandé à patienter en ligne.

Dès leur arrivée, l'inspecteur et Annabelle sont pris d'assaut par leurs collègues, tous empressés de s'informer au sujet de l'invraisemblable matinée qui vient de se dérouler à Saint-Calixte. L'air découragé, les traits tirés et les épaules basses, Fournier est encore sous le choc des répulsives images qui se sont imprégnées sur sa rétine. Dès qu'il ferme les yeux, même une seconde, la morbidité de la scène lui revient en mémoire comme s'il y était encore. Il se demande bien comment il arrivera à dormir avec de telles atrocités en tête. Un arrière-goût amer lui traverse la gorge et, chaque fois qu'il avale sa salive, un curieux goût de sang remonte jusqu'à sa langue et provoque des nausées. Annabelle l'avait convaincu d'arrêter en chemin pour manger un petit quelque chose avant de retourner au poste, mais la seule mention de « steaks & frites » sur le menu du restaurant avait suffi à lui causer un important haut-le-cœur. Il n'avait finalement rien commandé d'autre qu'un café noir, incapable d'avaler quoi que ce soit d'autre. D'un œil étonné, il observait Annabelle dont l'appétit ne semblait pas incommodé et il n'arrivait pas à comprendre comment une aussi délicate femme pouvait avoir l'esprit plus robuste que le sien. Assise devant lui, elle mangeait sa salade californienne en se moquant bien de la petite nature de Fournier qui, pour toute réaction, lui avait adressé une grimace courroucée, ce qui avait semblé l'amuser davantage.

Entouré de plusieurs policiers, à proximité de la machine à café, Fournier sent le poids d'une main féminine qui se pose sur son épaule. Son assistante Gisèle lui souffle à l'oreille qu'un homme attend depuis de longues minutes au téléphone et, qu'en vertu de la récompense offerte pour toute information permettant de capturer la Justicière, il désire lui parler de toute urgence. Il prétend connaître l'identité de cette dernière.

— Je vais prendre l'appel tout de suite, déclare-t-il en s'excusant auprès de ses collègues.

Sans perdre un instant, il retourne à son bureau et referme la porte derrière lui. Du confort de son fauteuil, il prend une grande respiration et décroche l'appareil avec quelques réticences, ne sachant trop à quoi s'attendre avec cette affaire qui ne cesse de le surprendre.

— Jacques Fournier, annonce-t-il dans le combiné.

— Bonjour, inspecteur. Je m'appelle Martin Sinclair. J'ai de l'information précieuse au sujet de la meurtrière dont les médias parlent en long et en large par les temps qui courent, affirme l'homme d'une voix nerveuse.

— Je vous écoute, indique Fournier en faisant tournoyer son stylo au bout de ses doigts, calepin bien à plat devant lui, prêt à prendre des notes.

— Je soupçonne la Justicière d'être la même femme que j'ai côtoyée en quelques occasions, il y a environ six ou sept ans, poursuit le dénonciateur.

— Ah! Et vous avez survécu... lance Fournier de cet humour douteux qu'on lui reproche parfois. Mais encore...? ajoute-t-il pour l'inciter à poursuivre.

— Euh, c'est un peu gênant, disons, je ne veux pas...

— Venez-en aux faits, monsieur Sinclair, balance Fournier avec brusquerie. Mon temps est précieux, je ne suis pas votre confesseur ni votre psychologue, je suis inspecteur et la seule et unique chose qui m'intéresse en ce moment est de recueillir des informations pouvant mener à l'arrestation de cette meurtrière. Alors, ne commencez surtout pas à tourner autour du pot. Dites-moi simplement ce que vous savez à propos de cette femme. Tous les appels demeurent confidentiels, je vous l'assure.

— Bon... d'accord, acquiesce l'homme. À cette époque, j'étais à la recherche d'une... euh... dominatrice profession-nelle. Vous voyez ce que je veux dire, inspecteur?

— Oui, oui, bien sûr, ça va... je ne suis pas né de la dernière pluie, quand même. Continuez.

— Eh bien... J'avais un fantasme pour ce genre de femme, mais bon... J'aimerais mieux ne pas m'étendre sur le sujet.

— Je comprends, et je n'ai pas intérêt non plus à connaître votre vie privée, monsieur. Restons-en à cette fameuse dominatrice. Poursuivez, je vous prie, l'invite Fournier, dont la patience en cette journée éprouvante commence déjà à atteindre ses limites.

— Une publication sur Internet d'une fille qui annonçait des services particuliers avait retenu mon attention. Il s'agissait d'une jeune femme au milieu de la vingtaine, tout au plus.

Fournier fait le compte rapidement dans sa tête, question de cibler l'âge qu'elle aurait aujourd'hui.

— Vous rappelez-vous le nom de ce fameux site sur Internet? Existe-t-il encore?

— Mmm… je ne sais pas, et je ne me souviens pas non plus du nom. Peut-être pourrai-je vous le fournir éventuellement, si la mémoire me revient.

— D'accord, alors que s'est-il passé au moment où vous avez pris contact avec cette femme?

— Pour notre première rencontre, elle m'a proposé un rendez-vous à l'Hôtel Universel Montréal, un chic hôtel situé à quelques minutes du Stade olympique. De chez moi, ça représentait environ une heure de route, mais nos échanges virtuels préliminaires m'ont vite convaincu qu'elle valait le déplacement. Elle était, il faut le dire, très habile dans l'art d'aguicher un client. Elle avait su m'enjôler, au cours de nos quelques séances de clavardage. Vous savez, inspecteur, elle était… vraiment attrayante, ensorcelante, et je crois que j'aurais fait quatre heures de route, s'il l'avait fallu, pour me rendre à elle!

Embarrassé par l'excès d'enthousiasme de Sinclair qui, quelques instants plus tôt, semblait paralysé par la timidité, Fournier le relance :

— Vous avez parlé d'une première rencontre. Des rendez-vous de ce genre avec elle, vous en avez eus beaucoup?

— Oui, plusieurs, avoue l'homme en hésitant un peu, je n'avais pas vraiment le choix...

— Pourquoi donc?

Un long moment de silence s'ensuit.

— Vous êtes toujours là, monsieur Sinclair?

— Écoutez, inspecteur, disons que mon obligation de lui rendre visite était liée à mon fantasme. Voilà.

Une multitude de scénarios hypothétiques parcourent l'imagination de Fournier, mais il reprend rapidement le fil de ses idées.

— Bon, d'accord, revenons-en à nos moutons. J'aimerais comprendre ce qui vous pousse à croire qu'il existe un lien entre votre dominatrice d'autrefois et la Justicière actuelle. Quelle est l'origine de cette supposition de votre part?

— Après une dizaine de rencontres, répond Sinclair, elle m'a invité à une soirée en compagnie de l'une de ses amies dominatrices, un souper de groupe dans un restaurant du centre-ville. Outre les deux femmes, nous étions... oh... je dirais une douzaine d'hommes, invités sur place en tant que serviteurs pour la soirée et dans l'obligation d'obtempérer à leurs moindres désirs.

— En public? Au beau milieu d'un restaurant?

— Elles avaient réservé une salle privée au sous-sol, en mentionnant au personnel de l'établissement de ne nous déranger sous aucun prétexte en cours de repas. Toujours est-il qu'à la fin de la soirée, alors que chacun racontait ses fantasmes, ma maîtresse a prononcé des paroles qui m'ont pétrifié.

Fournier change l'appareil de côté et appuie fermement le combiné contre son autre oreille, prêt à entendre la suite.

— Continuez, continuez… je vous écoute.

— Elle nous a avoué des désirs de torture qui dépassent les limites du simple jeu, voyez-vous… sa prédilection, en fait, pour l'élimination pure et simple d'un homme. J'entends par là, pour y aller sans détour, son désir de tuer un homme au terme de cruelles souffrances infligées. Je me souviens du sentiment de frayeur que j'ai éprouvé; mes poils se sont dressés sur la peau de mes avant-bras, explique Sinclair d'une voix brisée. Elle ne bluffait pas, inspecteur… oh non… vous savez, toutes ses expressions faciales ainsi que son langage corporel le démontraient; elle nous révélait sa terrible vérité. Et on pouvait sentir dans son attitude et dans sa gestuelle que le simple fait de se confesser à nous lui procurait un réel plaisir. À la suite de cet épisode, je ne l'ai jamais revue, son aveu m'avait bien trop terrifié...

— Mmm… intéressant. Ces informations pourraient s'avérer importantes dans le cadre de notre enquête, mais il faut demeurer prudent, vous savez, et ne pas sauter trop vite aux conclusions. Caresser ce genre de fantasme est une chose, mais de là à le mettre à exécution… il y a tout de même une marge!

192

— Je comprends, inspecteur. Mon but était aujourd'hui de vous mettre la puce à l'oreille, mais sachez que, pour ma part, je suis persuadé du bien-fondé de ce que j'avance. Cette fille était passionnée par le sadomasochisme et a avoué ses penchants meurtriers. Ce n'est pas rien, quand même.

— En effet, c'est à ne pas négliger. Au fait, vous souvenez-vous du nom de cette dominatrice?

— Elle se faisait appeler Maîtresse Gabriella.

— Et sa collègue?

— Maîtresse… Brigitte.

— Vous l'avez bien connue, elle aussi?

Un sentiment d'embarras envahit l'interlocuteur, qui finit par admettre qu'elle est devenue sa nouvelle dominatrice à la suite de cet événement.

— Elle était tellement radieuse et mystérieuse, précise-t-il sur un ton rêveur.

— Bon… je vois. Voici *la* question maintenant, monsieur Sinclair : croyez-vous pouvoir, aujourd'hui, nous aider à retrouver ces deux femmes? Avez-vous un moyen quelconque d'entrer en communication avec elles?

— Non. Malheureusement, je n'ai plus leurs coordonnées. Apparemment, Maîtresse Gabriella ne voit plus de clients depuis plusieurs années. Pendant des mois, j'ai également perdu la trace de Maîtresse Brigitte avant d'apprendre, entre les branches, qu'elle avait succombé à une maladie rare.

Fournier gribouille quelques phrases supplémentaires sur une feuille déjà remplie de notes.

— Je vois… Du moins, pourriez-vous nous fournir une description physique de ces deux femmes?

— Certainement. Mais mieux encore, vu que je suis artiste peintre, je pourrais vous préparer un portrait de chacune d'elles. Leur physionomie est encore gravée dans ma mémoire. J'ai même souvenir d'un tatouage particulier que portait Maîtresse Gabriella sur une hanche, une silhouette à l'effigie d'une femme aux longs cheveux tenant dans ses mains un fouet au-dessus de sa tête.

— Écoutez, monsieur Sinclair... tout ceci est très intéressant. J'aimerais que nous puissions prévoir une rencontre avec vous au cours des prochains jours au poste de Louiseville. Seriez-vous en mesure de vous y présenter pour une déposition en bonne et due forme auprès de l'un de mes collègues? Par la suite, notre équipe sera apte à juger du bien-fondé de toute cette affaire. Ça vous va?

— Ce n'est qu'à partir de la semaine prochaine que je serai libre, inspecteur. Je pourrai alors me rendre au poste du lundi au vendredi à compter de seize heures, après le travail. Je connais l'endroit.

— Parfait, un de nos agents entrera en contact avec vous sous peu.

Alors que Fournier s'apprête à raccrocher, un « Ah oui! » à l'autre bout de l'appareil capte son attention.

— Avant d'oublier, inspecteur, un détail supplémentaire vient tout juste de traverser mon esprit. Avant même la tenue du fameux souper de groupe, environ un mois plus tôt, Maîtresse Gabriella m'avait indiqué qu'elle songeait à mettre un terme à ses séances de domination dans la région montréalaise.

— Et elle vous en a précisé la raison?

— Elle disait avoir l'intention de retourner aux études et de mener un jour une carrière dans une spécialité où elle serait bien en vue. Elle ne pouvait donc plus se permettre ce genre de double vie.

CHAPITRE 15
Le cocu

Je me souviendrai toujours de ma première escapade dans la ville de Québec, où j'avais passé trois jours en compagnie de Brigitte. Seulement six mois s'étaient écoulés depuis notre première rencontre, mais déjà, nous étions devenues de grandes amies. Depuis quelque temps, j'exerçais, à l'instar de ma nouvelle complice, le métier de dominatrice professionnelle. Mon compte en banque gonflait à vue d'œil grâce aux trois mille dollars que j'arrachais à mes clients chaque semaine. J'avais le sentiment de m'accomplir enfin, je m'épanouissais selon ma véritable nature. J'avais fini de m'emmerder sur les bancs d'école et je ne pensais plus y retourner. À vingt-deux ans, j'estimais avoir toute la vie devant moi et je comptais en profiter sans perdre un seul instant. Malgré mon enthousiasme, il y avait un petit bémol : à mesure qu'augmentait le nombre de mes esclaves masculins, il me semblait de plus en plus irréaliste de pouvoir un jour entretenir une relation avec un homme, mais la perspective d'en inviter un dans mon lit m'allumait tout de même un peu. En fait, j'étais curieuse d'évaluer où j'en étais, au juste, en regard de la soi-disant normalité sexuelle. J'avais donc décidé de garder l'œil ouvert sur les mâles célibataires disposés à une relation, disons… affective ou, à tout le moins, de couple tel qu'on le conçoit habituellement. Il faut dire que je ne me sentais pas très à l'aise avec la notion d'intimité – moi qui aime tant me donner en spectacle –, mais à cette époque, j'avais envie de mener une telle expérience pour me distraire, d'une part, et d'autre part afin de mieux cerner mes limites personnelles s'opposant, semblait-il, à celles de mes semblables. Pour paraphraser et pervertir la célèbre maxime, ma propre liberté semblait commencer là où celle des autres s'achevait. À l'intérieur de la leur, ça ne faisait pas de doute, je me sentais à l'étroit. Je ne commençais à respirer vraiment que lorsque je franchissais les frontières de la conformité. Ma personnalité était en plein processus d'émancipation, je devais encore me jauger moi-même, en quelque sorte, afin de parvenir à mieux me définir. Enfin… j'avais besoin de continuer à expérimenter et à cogiter à ce sujet.

Pour notre séjour dans la capitale, Brigitte et moi n'avions rien négligé : une voiture de location décapotable, la réservation pour deux soirs consécutifs au Château Frontenac d'une chambre de luxe offrant une vue imprenable sur le fleuve, un important budget de magasinage et de délicieux repas dans les plus chics restaurants de la ville.

Par ce beau samedi ensoleillé de juin, alors que nous marchions dans le Nouvo Saint-Roch avec déjà quelques sacs d'emplettes à la main, nous avons croisé un jeune blond au teint légèrement basané. Son allure m'avait impressionnée : une gueule de Brad Pitt, le type d'homme qui affriole toutes les femmes, de quel style ou de quelle classe sociale qu'elles soient. Il portait un jeans bleu et un chandail blanc qui laissait paraître le galbe de son torse. À en juger par les muscles de ses bras, il devait fréquenter un gymnase; *c'est sans doute le genre de mec qui passe des heures devant le miroir à se trouver beau*, avais-je pensé. C'est toutefois son air rebelle, surtout, qui m'avait fait craquer. Il semblait nonchalant, se foutant un peu de tout.

Il était passé près de moi sans même me reluquer. J'étais étonnée qu'il n'ait pas non plus regardé ma copine, d'une beauté pourtant égale à la mienne. Elle m'en fit d'ailleurs la remarque, en haussant les sourcils, lui trouvant un petit quelque chose de fantasque. Afin de résoudre ce non-sens, j'en ai conclu que le jeune homme devait être trop absorbé par la musique émanant de son casque d'écoute, ou encore simplement intéressé par les individus de son propre sexe.

Dans l'intention d'en avoir le cœur net, j'ai sauté sur l'occasion d'attirer son attention au moment où il se dégageait une oreille, au tournant de la rue, afin de réajuster ses écouteurs. J'ai feint de me tordre la cheville en hurlant de douleur pour qu'enfin il dirige son regard vers moi et je me suis affaissée au sol avec mes paquets. Brigitte regardait la scène, planquée à mes côtés, les deux mains encombrées de sacs, l'air de ne rien comprendre à mon petit jeu. Le jeune homme s'est précipité en ma direction pour m'aider à me relever sous le regard désormais complice de ma copine, qui m'adressa un petit clin d'œil de félicitations. Je venais de tisser le premier fil de la toile me permettant de capturer ma proie.

Tout comme moi, Zach n'était à ce moment-là que de passage à Québec. En fait, il habitait sur la Rive-Nord de Montréal, à moins d'une demi-heure de voiture de chez moi; une heureuse coïncidence! Au fil des semaines suivantes, il est devenu mon partenaire de convenance, à qui je faisais appel lorsque j'avais envie de baiser. Ce n'était pas à proprement parler mon petit ami, mais à tout le moins une fréquentation régulière, ce qui était assez nouveau pour moi.

Je sentais bien que Zach souhaitait une relation plus sérieuse. De type romantique, il ne ménageait pas les efforts pour me séduire; il m'invitait au cinéma, au restaurant et il m'appelait deux fois par jour pour me souhaiter bonne journée et bonne nuit, des attentions qui me semblaient mièvres et ridicules. J'aimais bien sa personnalité cependant. Il était plutôt divertissant, même s'il n'avait que sa voiture Honda Prelude et le sport comme sujets de conversation.

Il n'a fallu que quelques semaines avant que nos baises improvisées chez lui, chez moi, ou sur la banquette arrière de sa voiture perdent de mon intérêt et que mes fantasmes tordus redeviennent ma priorité. Déjà, il n'était plus très important pour moi de préserver avec Zach cette relation que je commençais à trouver insipide. J'avais le goût de mettre fin à tout ça, de m'en débarrasser comme on jette un mouchoir usé au fond d'une poubelle, mais après réflexion j'ai changé mon fusil d'épaule. Avant de m'en départir, pourquoi ne pas me servir de lui pour concrétiser un scénario qui prenait forme dans mon esprit? J'avais en tête de torturer mentalement mon « petit copain » en le privant de certains plaisirs sexuels, de le rendre fou de jalousie et, pour couronner le tout, de le faire cocu sous ses propres yeux. Je savourais cette idée machiavélique qui me procurait une grande excitation rien qu'à en imaginer la réalisation.

C'est le jour même de l'anniversaire de Zach – le 27 juillet si je me souviens bien – que j'ai mis mon plan à exécution. J'en avais assez de le voir prendre ses aises chez moi, sa présence m'horripilait de plus en plus. Je me fâchais de le voir flâner en robe de chambre les week-ends, pendant des heures, et se bourrer la panse en mangeant MES céréales. J'avais l'impression d'être en couple depuis vingt ans avec le même homme et cette seule pensée me donnait la nausée. J'avais besoin de piquant dans ma vie quotidienne, en dehors de mon boulot de dominatrice, dont il ne soupçonnait absolument rien, croyant que j'étais étudiante en sexologie à l'université.

La naïveté de cet homme-là n'avait pas encore fini de me surprendre. Il gobait tout ce que je lui disais et, pour cette raison, je le méprisais davantage, prenant cela dit un grand plaisir à l'abhorrer de la sorte.

Ce matin-là, je me suis donc plantée devant lui avec un joli petit sourire hypocrite dont il a été dupe.

— Zach, une idée géniale m'est apparue cette nuit pour ton cadeau de fête, lui avais-je annoncé en camouflant mes intentions perverses. Va t'habiller tout de suite, nous partons à sa recherche dans cinq minutes.

Alors que sa bouche entrouverte s'apprêtait à recevoir une cuillérée de Weetabix, le mouvement de son bras s'est arrêté brusquement.

— Ça presse vraiment tant que ça? J'aimerais d'abord prendre une douche, m'avait-il indiqué d'un air stupéfait.

— Ta douche devra attendre; j'ai trop hâte de voir ta réaction. Allez... dépêche-toi!

— Nous allons où exactement? m'avait-il demandé en franchissant le seuil de la chambre à coucher, là où ses vêtements de la veille traînaient encore par terre.

— C'est une surprise, cesse de me questionner.

En prenant place dans la voiture de Zach, sa Prelude tant adorée qui datait de plusieurs années, je l'ai sommé de se diriger vers Montréal. Il semblait amusé par le mystère que je laissais planer quant à notre destination finale, insistant pour que je lui fournisse des indices que je m'obstinais à lui refuser.

Lorsque nous sommes arrivés à l'endroit prévu, je lui ai désigné l'espace de stationnement dans lequel il devait garer la voiture, en bordure de la rue. Nous sommes sortis du véhicule et c'est en se donnant la main, comme un jeune couple amoureux, que nous avons fait notre entrée dans la boutique érotique, à la grande surprise de Zach. Les yeux écarquillés, il observait les étalages à gauche et à droite, en s'étonnant de la diversité de la marchandise. J'aurais juré qu'il mettait les pieds dans ce genre d'endroit pour la première fois. Nous sommes passés d'abord devant les préservatifs à saveur de fruits et de bonbons, puis devant les vibrateurs aux couleurs et formats variés. La section des accessoires fétichistes se trouvait tout au fond du magasin, dans une pièce spécialement aménagée pour les fervents des jeux de domination. Impatiente de mettre la main sur l'objet convoité, j'ai foncé vers la première vendeuse qui avait attiré mon attention.

— Pardon, mademoiselle, l'avais-je abordé d'un ton enjoué devant le regard éberlué de Zach. C'est aujourd'hui l'anniversaire de mon copain et je désire lui procurer un dispositif de chasteté, cette espèce de machin en plastique rigide dans lequel on enferme le pénis d'un homme et auquel on fixe un cadenas à clé. Je ne vous cacherai pas que je cherche à tenir en mon pouvoir chacun de ses orgasmes. Ce genre de bidule est-il offert en magasin?

La jeune fille, qui portait une jupe courte à carreaux rouges et noirs lui conférant un look d'écolière, a hoché la tête tout en esquissant un petit sourire. Zach, quant à lui, ne semblait pas du tout amusé. Son regard ahuri témoignait d'une incompréhension profonde à l'égard de ma soudaine envie de le soumettre à des caprices extravagants. On aurait dit qu'il se croyait la victime d'une émission de gags, tant il avait l'air surpris. Cette confusion contribuait à mon amusement.

— À quoi rime cette histoire? m'avait-il soufflé à voix basse.

J'ai alors posé mon index sur mes lèvres, lui indiquant ainsi de garder le silence et lui signifiant que ses préoccupations ne m'intéressaient guère.

— Nous avons deux types de modèles, avait proposé la demoiselle en déposant l'un des appareils dans le creux de ma main. Celui que vous tenez, le plus petit des deux, est fabriqué en silicone, ce qui lui confère légèreté et confort. Comme vous êtes en mesure de le constater, il est cependant réservé aux hommes peu favorisés par la nature. Celui-ci, m'avait-elle expliqué en m'offrant de manipuler le second, est en acier inoxydable, ce qui le rend beaucoup plus lourd et, par le fait même, moins confortable. Il est cependant ajustable en longueur, ce qui convient mieux à ceux dotés de plus longues verges.

— J'opte pour celui en métal, avais-je prononcé sans hésitation. J'apprécie le fait qu'il soit plus encombrant à porter, même si mon petit ami n'a pas ce qu'il faut pour bien le remplir, avais-je ironisé en faisant un signe désespéré de la main.

Zach était devenu rouge de honte, mais il était demeuré étonnamment à mes côtés. J'aurais cru qu'il aurait quitté le magasin sur-le-champ, mais non... à mon grand plaisir, il était comme pétrifié. J'estimais que c'était là une démonstration de sa dévotion. Il souhaitait tant se rapprocher de moi, alors que j'étais distante… Sans cesse, au cours de nos fréquentations, il m'avait manifesté son attachement. Il avait même délaissé ses soirées de poker du vendredi soir avec ses copains pour rester en ma compagnie. Son adoration était palpable, amplifiée par son petit côté possessif, car il savait très bien que j'étais en mesure d'attirer tous les hommes de mon choix. La crainte de me voir le quitter au moindre faux pas était suffisante, je pense, pour qu'il évite de me contrarier.

Sur le chemin du retour, alors que je prenais cette fois moi-même le volant, je me suis amusée à le tourmenter. Je lui ai fait part de mon intention d'utiliser cette nouvelle ceinture de chasteté afin de l'exciter sexuellement, sans pour autant lui permettre son plaisir, le confinant ainsi à l'abstinence pour de longues périodes.

— Je t'alloue quelques jours pour y penser, lui avais-je annoncé dès notre retour. Pour le moment, retourne chez toi. J'ai envie ce soir d'une sortie de célibataire. Souhaite que je ne me retrouve pas dans les bras d'un inconnu…

Son visage s'est décomposé sous mes yeux. J'attendais qu'il me confirme que c'était fini entre nous, mais il est demeuré muet. Armée d'un sourire méprisant, j'ai quitté le salon pour aller faire ma toilette et me préparer pour une sortie resto et boîte de nuit.

À ma très grande surprise, lorsque j'ai achevé mes préparatifs, il était toujours là à m'attendre, installé sur le sofa à regarder la télé. Je portais la robe noire moulante qu'il m'avait offerte une semaine plus tôt, un double affront puisqu'il ne serait pas témoin de l'impact qu'elle aurait sur les autres hommes.

— Pourquoi es-tu encore ici? lui avais-je demandé d'une voix froide.

— J'ai eu une idée, avait-il proposé nerveusement. Si ça peut vraiment te faire plaisir, même si tes motivations dépassent ma compréhension, je serais disposé à porter ton bidule pour un soir, juste pour essayer.

Sa déclaration n'était pas très convaincante; une incertitude lui teintait la voix. Je me demandais bien ce qui expliquait cette ouverture. Avait-il peur de devoir dire adieu à nos nuits d'ébats déchaînés s'il devait me décevoir? Ses réflexions des dernières heures avaient-elles révélé en lui des fantasmes dormants, une facette de son être qu'il ne connaissait pas lui-même jusque-là? Peut-être était-il tiraillé entre la curiosité d'essayer et la peur de perdre le contrôle. Mais bon, ce n'était là que des suppositions, peut-être même un peu de fabulation de la part d'une femme de pouvoir qui ne demandait pas mieux que de soumettre un homme à ses petits caprices.

— Voilà l'attitude à laquelle je m'attends de ta part, lui avais-je soufflé à l'oreille en posant ma main sur sa joue. Ne bouge pas, je reviens.

Je me suis alors précipitée vers ma chambre, où j'avais déposé sur le lit mon nouveau jouet. À mon retour, sans dire un mot, je lui ai fait un signe de la main pour l'inviter à se lever du fauteuil. J'ai détaché son pantalon, le laissant tomber au sol, à ses chevilles. J'ai ensuite inséré mes deux mains à l'intérieur de son sous-vêtement, une sur chacune de ses fesses, afin de le retirer lentement tout en m'accroupissant devant lui. Lorsque ma bouche s'est retrouvée à quelques centimètres de son sexe, j'ai fait une pause, question de lui laisser croire que je songeais à lui faire plaisir pour son anniversaire. Mais ce n'était pas le cas. J'avais plutôt hâte de lui enfermer la verge, un acte qui établirait mon pouvoir absolu sur son plaisir sexuel. Savoir que le plaisir ne lui serait permis qu'en ma présence faisait éclore des papillons dans mes entrailles.

Dès l'instant où il s'est retrouvé à moitié nu devant moi, je n'ai eu besoin que de quelques secondes pour fixer à son sexe le dispositif de chasteté, que j'ai bien pris soin de verrouiller à l'aide du cadenas doré fourni avec l'appareil.

— Voilà, nous verrons pour la suite des choses, avais-je murmuré en balançant la petite clé devant son nez, avant de la glisser dans la pochette de mon sac à main sous son regard attentif.

Zach s'efforça de relever son pantalon. C'était assez amusant de le voir procéder avec difficulté. Je m'esclaffais en l'observant. Dès qu'il a eu terminé de se revêtir, je lui ai indiqué la porte de sortie en lui mentionnant que j'aurais possiblement recours à ses services plus tard en soirée.

Sur le chemin du centre-ville, le regard insistant du chauffeur de taxi – un sexagénaire replet au crâne dégarni – a fini par m'irriter. Il avait la parole facile et s'était mis à me faire la conversation sur des sujets qui ne m'intéressaient pas du tout. En cinq minutes à peine, j'apprenais qu'il demeurait au Québec depuis cinq ans, qu'il venait d'une petite commune dénommée Linkebeek, en banlieue de Bruxelles, et que ses enfants vivaient toujours là-bas. Ses coups d'œil vicieux dans le rétroviseur ponctuaient son discours. Outrée par son flagrant manque de respect, je me suis chargée de lui couper la parole et de l'embarrasser à mon tour :

— J'aimerais que vous cessiez de me regarder de cette manière, avais-je balancé sur un ton plein de reproches. Il s'agit d'une façon vulgaire de me considérer et je ne le supporte pas. Est-ce clair?

J'aimais beaucoup couvrir les gens de honte pour les punir de leur comportement inacceptable. Rabrouer un homme de presque trois fois mon âge, voilà qui m'accrochait un sourire aux lèvres. Quelle agréable sensation que de démontrer à ces vieux schnocks que les jeunes femmes ne sont pas toujours aussi naïves et sans défense qu'ils le croient! Question de lui faire savoir à quel point j'étais libre et affranchie de toute domination masculine, je lui ai fait part avec effronterie de mon intention de me dénicher ce soir-là un homme ouvert d'esprit, un beau pétard à faire pâlir les autres hommes de jalousie, prêt à participer à mon stratagème de cocufier mon copain!

Cela avait eu pour effet de lui fermer le clapet. À peine quelques instants plus tard, nous avons atteint le débarcadère de l'Oasis, le resto-bar de rencontres où j'allais passer la soirée. Lorsque la portière s'est ouverte, j'ai déposé les quarante dollars de la course dans les mains du Belge avant de m'éloigner, sans même le remercier ni lui laisser le moindre pourboire.

Une fois à l'intérieur de l'immeuble, une dizaine de minutes ont suffi avant que ne se présente à ma table un prétendant. Le quatuor chargé de divertir la clientèle au son d'une musique jazzée venait tout juste de reprendre le collier lorsque l'homme, un grand brun en fin de vingtaine, s'est approché avec en tête, de toute évidence, l'intention de s'inviter à prendre une bouchée en ma compagnie. Son assurance, le regard admirateur qu'il a posé sur moi et son physique olympien ont eu tôt fait de me charmer. J'ai accepté sans hésiter une seule seconde, ravie par le fait que mes projets pour la soirée augurent si bien. Je touchais du bois pour la suite des événements.

Tout au long du repas, nos échanges m'ont permis d'apprendre que Mario était boxeur professionnel, domicilié en Louisiane. Il était en préparation pour un combat devant avoir lieu deux semaines plus tard au Centre Bell. Sa carrière l'avait amené dans plusieurs pays francophones et c'était la raison pour laquelle il s'exprimait si bien dans la langue de Molière, malgré un petit accent que j'estimais séduisant. Aussi, je ne me lassais pas d'écouter ses histoires.

Nous étions à manger notre dessert lorsque je lui ai parlé de Zach et du traitement que je lui réservais au cours des prochaines semaines. Je lui ai fait part du scénario d'humiliation que j'avais concocté, une mise en scène qui allait nécessiter l'implication d'un autre homme. À ma grande surprise, Mario s'est montré réceptif à l'idée, mais je crois qu'il était surtout prêt à faire plusieurs concessions afin de se retrouver au lit avec moi. Peut-être aussi était-il aventurier à sa manière…

En trinquant avec mon verre de vodka, vers la fin d'une soirée de bavardage agrémentée de danses lascives, j'avais une folle envie de retourner à la maison avec lui et, par la même occasion, de tourmenter mon copain en l'obligeant, impuissant, à nous regarder baiser. Mario, pour sa part, était presque aussi enivré que moi et disposé à donner suite à mes idées tordues.

Sans plus attendre, j'ai composé le numéro de Zach sur les touches de mon cellulaire. Après plusieurs sonneries, il m'a répondu d'une voix engourdie, me laissant deviner, à mon grand amusement, que je venais de le tirer du sommeil.

— Amène-toi à l'Oasis sans tarder, lui avais-je ordonné. J'ai besoin d'un chauffeur et je n'ai pas envie d'appeler un taxi.

Du fait qu'il ne disait rien, j'ai présumé qu'il évaluait les options, qu'il jonglait avec l'idée de m'envoyer paître plutôt que de se plier à ma demande. C'était clair que s'il devait choisir de demeurer au lit, il serait contraint de dire adieu à notre relation ainsi qu'à la petite clé qui logeait dans mon sac à main. Dans mon esprit, cela ne changeait pas grand-chose; j'étais certaine que, de toute manière, notre liaison allait bientôt se terminer, mais j'espérais tout de même que Zach accepte, sans le savoir, l'affront que je m'apprêtais à lui faire subir.

— J'arrive… avait-il finalement annoncé avec résignation, après avoir poussé un profond soupir.

Lorsqu'il s'est enfin présenté à l'Oasis, je me tenais debout près de la sortie, tout juste sous l'affiche néon qui indiquait le nom de l'endroit. Alors qu'il s'approchait avec la voiture, nos regards se sont croisés par la fenêtre de la portière du côté passager. J'ai pointé en direction d'un espace de stationnement afin de lui faire savoir que je voulais qu'il y gare la voiture et qu'il vienne me rejoindre à pied. Le front plissé, l'air confus, il venait de me confirmer qu'il avait remarqué l'homme dont je tenais la main.

— Je te présente Mario, lui avais-je spécifié au moment où il s'est avancé près de nous avec la rage au cœur et du feu dans les yeux.

Zach a serré les poings et la mâchoire.

Pendant quelques instants, j'ai cru que pour une première fois deux hommes allaient se battre pour moi. C'était une belle sensation, une expérience que j'avais tout à coup envie de vivre. Je me découvrais là un nouveau fantasme.

— Calme-toi, Zach, étais-je intervenue en me plaçant entre les deux hommes, une main soulevée bien haut. Je vais d'abord t'expliquer ma vision des choses et ensuite, il t'appartiendra d'accepter ou non la suite des événements. Si tu choisis de partir, je ne te retiendrai pas. Bien que je sois disposée à demeurer ta copine, je souhaite réaliser ce soir un fantasme particulier en compagnie de Mario, qui requiert ta présence durant nos ébats.

Le regard dubitatif de Zach trahissait ses pensées : *elle est complètement dingue,* semblait-il se dire en scrutant les alentours de coups d'œil répétés afin de s'assurer que personne n'écoute la conversation, ou peut-être était-ce à la recherche de regards désapprobateurs pouvant lui permettre de valider ses impressions, allez savoir... Mis à part un couple qui discutait avec le portier, seule une jeune femme se tenait debout à proximité.

— Ce n'est pas pour rien que tu portes une entrave, avais-je poursuivi en haussant le ton. Je souhaite conserver le contrôle de tes activités sexuelles, être la seule avec qui tu pourras avoir une relation, et ce, selon ma bonne volonté. De mon côté, ce sera tout le contraire; je me réserve le droit de choisir tout partenaire qui me conviendra. Ce soir, je t'offre le privilège d'être présent, ce qui ne sera pas toujours le cas! Est-ce que ça te pose problème?

C'est alors que nous avons été éblouis par les phares d'une voiture qui approchait. Arborant un sourire en coin, la demoiselle solitaire, qui attendait depuis quelques minutes l'arrivée de son chauffeur, s'est retournée vers moi en prenant place sur la banquette avant du véhicule. J'avais la nette impression qu'elle avait tout entendu et cela m'accrocha aux lèvres un petit sourire narquois.

De nouveau, j'ai dirigé mon attention vers Zach. J'aurais juré qu'il venait d'avaler un épi de maïs tellement il avait la gorge gonflée de colère. De toute évidence, mes demandes le troublaient, mais j'étais convaincue qu'il n'était pas disposé à renoncer à notre liaison, du moins pour l'instant. Peut-être aussi évaluait-il le fait que je possédais la clé de son sous-vêtement et que cela le plaçait dans l'obligation d'obtempérer. Il était demeuré sans mots, hochant la tête pour me confirmer son accord pas très enthousiaste.

— Nous retournons tous à mon domicile, avais-je précisé. Mario et moi allons nous asseoir sur la banquette arrière et tu agiras à titre de chauffeur, Zach.

Sur le chemin du retour, j'ai pris soin d'embrasser langoureusement Mario à plusieurs reprises, sachant très bien que Zach nous observait d'un œil vigilant dans le rétroviseur. Peu à peu, mon amant est devenu plus audacieux, détachant ma blouse, puis mon soutien-gorge, duquel mes mamelons se sont rapidement évadés.

Le comportement de Mario était conforme à mes désirs. J'avais l'impression qu'à son tour il prenait plaisir à narguer mon pauvre guignol, jetant même un regard provocateur en sa direction avant de se pencher pour me lécher un sein. À la lueur des lampadaires de la voie rapide qui défilaient sur notre passage, je regardais mon amant d'un air alangui, tout en observant avec ivresse les yeux exorbités de Zach lorsqu'il levait le regard pour nous épier. Il nous observait si fréquemment qu'il y avait de quoi s'inquiéter d'une sortie de route, mais ce danger, que je n'avais pourtant pas prévu, avait pour effet de m'insuffler une dose encore plus puissante d'adrénaline qui décuplait mes plaisirs vicieux.

Lorsque nous sommes enfin entrés chez moi, j'ai d'abord invité Mario à se verser une consommation parmi les quelques bouteilles d'alcool qui reposaient sur le dessus de mon bahut. Pendant qu'il arrêtait son choix sur le Jack Daniels, j'ai bousculé Zach en direction de ma chambre à coucher.

— Enlève tes vêtements et assois-toi sur la chaise du coin. Je reviens dans deux minutes.

C'est avec une corde, du ruban adhésif industriel et un bâillon-boule à la main que je me suis présentée devant Zach quelques instants plus tard. Déjà, il prenait place comme demandé sur la chaise, docile, nu comme un ver, sauf pour le carcan qui enfermait toujours son organe. J'étais agréablement surprise par cette collaboration, songeant même à la possibilité qu'il puisse prendre plaisir à ce scénario. Peut-être qu'une âme soumise dormait en lui, mais je penchais plutôt vers l'hypothèse de l'état de choc. Je me demandais toutefois s'il finirait par sortir de sa torpeur et mettre un terme à cette aventure pour aller tout raconter aux gens de mon entourage. À bien y penser, cela ne me posait aucun problème; j'étais à l'aise avec mes choix, prête à assumer ma dominance.

— Ouvre ta bouche, lui avais-je ordonné.

J'ai saisi le bâillon-boule en caoutchouc noir, que je lui ai enfoncé dans la bouche en prenant bien soin d'attacher les lanières de cuir à l'arrière de sa tête. Je le sentais très appréhensif. Sa respiration devenait plus courte et la moiteur de ses mains allait de pair avec l'eau qui lui perlait au front. J'ai lié ses bras aux accoudoirs du siège à l'aide de la corde, puis je me suis servi du ruban adhésif pour fixer chacune de ses jambes aux deux montants avant du fauteuil. Le voyant ainsi restreint, privé de toute liberté de mouvement, j'avais bon espoir d'amplifier son désir sexuel envers moi. Son incapacité d'agir et son impotence ne seraient alors pour moi qu'une source de satisfaction accrue.

— Voilà, tout est parfait, avais-je affirmé en appréciant le résultat de mon ligotage. Je retourne au salon avec Mario. Je reviendrai plus tard en sa compagnie, quand nous serons prêts. J'ai vraiment hâte de te contraindre à regarder sa performance au lit.

Au grand désarroi de mon petit copain, Mario s'est avéré être un superbe amant, dont la dimension du sexe était admirable et l'énergie quasi inépuisable. Peu importe la position, je ne pouvais m'empêcher de crier mon extase, toujours en fixant les yeux larmoyants de Zach. Je faisais tout en mon pouvoir pour exagérer la démonstration du plaisir que je ressentais, bougeant mon corps avec une sensualité qui ne m'était pas habituelle, accentuant le creux de mes reins chaque fois que Mario me pénétrait par derrière avec une vigueur accrue. Sentant que ce dernier était sur le point d'exploser, c'est à haute voix que je lui ai indiqué ma préférence :

— Je veux te voir éjaculer partout sur mes seins, lui avais-je suggéré d'une voix enflammée.

Sur ses mots, ne pouvant plus contenir son excitation, il m'a retournée et a déversé son liquide chaud sur ma poitrine, après quoi je lui ai chuchoté quelques paroles à l'oreille.

D'un air amusé, mon amant s'est alors dirigé vers Zach afin de le libérer de ses nombreux liens, dont le bâillon qui l'empêchait de s'exprimer. D'un geste du doigt, je lui ai fait signe de s'approcher alors que j'étais toujours étendue sur le lit. Il s'est avancé d'un pas incertain, le visage grimaçant, appréhendant ce que j'étais sur le point de lui demander. Ses craintes ont eu tôt fait de se confirmer dès que j'ai pointé le sperme de Mario qui dégoulinait sur ma poitrine.

Dégoûté, ne pouvant croire que je lui demandais de lécher le foutre d'un autre homme, Zach a reculé d'un pas. J'ai cru qu'il allait se sauver en courant, mais je n'avais rien à perdre. J'ai tenté ma chance une nouvelle fois :

— J'ai horreur qu'on me défie. Dois-je demander à Mario de t'y forcer?

Le regard dégoûté de Zach s'est alors dirigé en direction du boxeur. En raison de toute la gamme d'émotions à travers laquelle il venait de passer, je crois qu'il n'avait pas encore remarqué la stature imposante de Mario, un homme athlétique faisant plus d'un mètre quatre-vingt-dix, d'une centaine de kilos. De manière tout à fait surprenante, il s'est résigné. D'un air découragé, il est monté sur le lit afin d'exécuter mes ordres.

∽

Comme je m'y attendais, mes sorties avec d'autres hommes dans le seul but d'humilier Zach ont fini par m'ennuyer aussi, m'obligeant ainsi à adopter une approche de véritable garce afin de pimenter mes aventures d'un soir. J'amorçais donc mes soirées par une courte visite chez Zach, où je lui retirais temporairement son entrave avant de lui enduire le sexe d'une quantité abondante d'huile lubrifiante. Je m'amusais ensuite à faire durcir sa verge en l'enveloppant de mes doigts habiles et en effectuant des manœuvres érotiques où je ne faisais que lui effleurer la peau, question de l'affrioler au plus haut point sans toutefois lui permettre d'atteindre l'orgasme. J'aimais beaucoup l'effet de frustration que provoquait l'arrêt de mes mouvements, juste au moment tant attendu. Avant de partir, je fixais à nouveau l'appareil de chasteté, question de garder ses spasmes voluptueux sous mon contrôle. J'avoue que c'était plutôt amusant de l'appeler tard le soir pour lui faire entendre, dans le combiné du téléphone, mes cris de plaisir dans les bras d'un autre homme. Savoir qu'il nous écoutait ne faisait qu'augmenter mon excitation et accroître l'intensité de l'orgasme que me donnait mon partenaire d'un soir.

Plus les jours passaient, plus je songeais à mettre un terme à ma relation avec Zach. Son incroyable tolérance nourrissait mon mépris. Il essayait de me ramener à la raison, de me séduire de nouveau pour que je lui revienne. Cela me semblait risible. Les dernières semaines m'avaient démontré une fois pour toutes que les fleurs, le chocolat et les soupers en tête-à-tête n'étaient pas faits pour moi, que les relations de couple m'emmerdaient plus qu'autre chose. Ce dont j'avais besoin était un pantin, en dehors de toute sentimentalité, un serviteur prêt à obtempérer à mes moindres demandes sans qu'il ne mette en doute mes décisions. Les soupçons de Zach à l'égard de mes intentions de rupture se sont amplifiés dès le moment où je lui ai retiré sa ceinture de chasteté de manière permanente.

Si seulement il avait attendu notre rupture définitive avant de s'aventurer dans le lit d'une autre fille – un affront que je ne pouvais passer sous silence –, il aurait évité de subir la terrible pénitence que je lui ai infligée.

La présence d'un condom dans la poche de son veston m'avait mis la puce à l'oreille. Il n'en fallait pas plus pour que j'entreprenne une petite opération de filature m'ayant permis de découvrir le pot aux roses. À quelques occasions, il avait donné rendez-vous dans un motel de Laval à une jolie rousse de mon âge qui s'entraînait à son gymnase. Quelle hypocrisie! Je n'entendais pas le laisser impuni pour une telle déloyauté. Je me suis mise à planifier une vengeance que je pourrais lui administrer, un châtiment à la mesure de l'injure que je subissais.

Quelques jours plus tard, alors que je me prélassais dans mon lit, une idée tout à fait originale, pour ne pas dire géniale, m'a traversé l'esprit. Mon amie Pascale Sauriol, une brunette d'une beauté exceptionnelle avec qui j'avais étudié au cégep et qui venait d'entreprendre des études en droit, n'avait rien d'une dominatrice. Pourtant, je la savais très ouverte d'esprit. Malgré l'audace de ma demande, j'avais bon espoir qu'elle accepte de participer à mon stratagème.

— J'aimerais que tu séduises mon copain, lui avais-je demandé à brûle-pourpoint avant d'entrer avec elle au cinéma, en lui expliquant que je soupçonnais celui-ci d'infidélité et que je souhaitais le prendre sur le fait.

Pascale s'était presque étouffée avec son maïs soufflé, puis dans un grand éclat de rire, amusée à l'idée de relever le défi que je lui proposais, elle m'avait répondu :

— Je pourrais me rendre au gymnase où il s'entraîne, l'approcher en lui demandant de l'aide avec mon programme de conditionnement, puis lui offrir une pipe après sa douche! avait-elle rigolé.

— Tu fais comme tu veux, mais il ne doit se douter de rien.

À la fin de la représentation, nous sommes demeurées assises dans nos fauteuils pendant de longues minutes à peaufiner le plan. Alors que j'informais Pascale du détail de mes intentions, elle a porté la main à la bouche :

— Oh mon Dieu! Ce n'est pas vrai, tu ne vas pas lui faire ça?

— À vrai dire, j'aimerais que tu participes également, lui avais-je suggéré en tentant de deviner l'expression de son visage, qu'elle couvrait de ses deux mains tout en secouant sans cesse la tête.

— Je ne te promets rien, avait-elle fini par me répondre en s'esclaffant, mais je vais au moins essayer. J'avoue que ça doit fournir toute une sensation...

Pascale n'avait mis que deux jours avant de me confirmer qu'elle avait réussi à enfirouaper Zach, qu'un souper suivi d'une visite plus que probable dans un motel de Rosemère étaient prévus pour le vendredi suivant. Tout était en place pour la suite des procédures.

— Est-ce que tu passes chez moi ce soir? avais-je demandé à Zach lors d'un appel téléphonique dans la matinée du vendredi.

— C'est impossible, une de mes cousines du Nouveau-Brunswick est présentement en visite chez mes parents et ils tiennent mordicus à ce que je sois présent au repas familial.

J'ai joué les copines compréhensives en me disant que, le soir venu, il allait payer cher cet autre mensonge. Comme il fallait s'y attendre, Pascale n'a eu aucune difficulté à entraîner Zach dans le guet-apens. Dès la fin de leur repas au restaurant, ils se sont dirigés dans un hôtel que Zach avait lui-même proposé.

— Va devant... je vais te suivre avec ma voiture, avait-elle insisté en profitant du trajet pour m'appeler et m'informer de l'endroit où ils se dirigeaient, afin que je puisse m'y rendre aussi.

Une fois à l'hôtel, Pascale m'avait discrètement précisé le numéro de la chambre par texto avant de ranger son appareil dans son sac à main et de monter avec Zach à l'étage. Ce dernier semblait très empressé de la baiser, ne pouvant s'empêcher de la caresser et de l'embrasser à pleine bouche dès leur entrée dans la chambre. Lorsqu'il a dû s'interrompre pour une visite à la salle de bains, Pascale m'a ouvert la porte de la chambre et je me suis faufilée en silence à l'intérieur de la pièce. À sa sortie des toilettes, j'ai cru que Zach allait faire une syncope tellement il est devenu blême en me voyant étendue sur l'un des deux grands lits, à l'endroit même où se trouvait Pascale quelques minutes plus tôt. Il n'a mis qu'une fraction de seconde à se rendre compte que je lui avais tendu un piège.

— Ah! J... je comprends... un autre de... de tes plans diaboliques, avait-il bafouillé.

— Disons qu'il s'agit plutôt d'une façon particulière de mettre un terme à notre relation, Zach. Je remercie Pascale d'avoir bien voulu se prêter à ce jeu...

Je percevais une expression de soulagement dans ses yeux, exaspéré qu'il était par ma constante persécution à son égard. Cette rupture se voulait donc une sorte de libération pour lui, car il n'avait rien d'un véritable soumis.

— Une dernière baise, ça te dit? avais-je proposé à son grand étonnement.

218

— Sans obéissance obligatoire?

Je lui ai offert mon plus beau sourire en guise de réponse.

— N'exagère pas, quand même, tu sais bien que je transporte toujours mes jouets dans mon sac à main! Je vais simplement te menotter.

J'ai eu peur qu'il ne se doute de quelque chose, qu'il découvre mes véritables intentions, mais non... il a acquiescé. Je suppose qu'il pensait avoir la chance de baiser avec deux femmes d'un seul coup, croyant qu'en ces derniers instants ce serait ses fantasmes à lui qui seraient réalisés. Quel naïf! Avant qu'il ne se ravise, je me suis empressée de fixer ses deux bras à la tête de lit. Il m'a alors regardée dans les yeux, d'une mine devenue très craintive, ne sachant plus trop à quoi s'attendre. Un doigt sur les lèvres, je lui ai indiqué de garder le silence, mais il avait déjà compris que rouspéter ne lui servirait à rien.

Malgré toute ma préparation, je n'avais pas anticipé la scène érotique qui était sur le point d'avoir lieu entre Pascale et moi. La conjoncture étant propice aux rapprochements, un ardent désir de forniquer avec cette fille au regard angélique s'était emparé de moi. À vrai dire, je la désirais depuis nos premières rencontres, mais je n'avais jamais eu l'audace de me jeter dans ses bras. Lorsque nos regards se sont croisés, j'ai remarqué dans ses yeux des étincelles qui trahissaient la réciprocité de ses envies.

Sous l'œil attentif de Zach, nous nous sommes enlacées, passant plusieurs minutes à nous embrasser lascivement avant de nous laisser tomber sur l'autre lit. Morceau par morceau, nos vêtements se sont retrouvés au sol. Condamné à l'immobilité, Zach se tordait le cou, tentant d'obtenir une meilleure vue sur la chorégraphie de nos corps nus.

J'étais étendue sur le dos, les longs cheveux de Pascale se baladaient sur ma poitrine pendant qu'elle léchait mes mamelons durcis. En utilisant mes deux mains, j'ai poussé sa tête vers mon mont de Vénus. Je n'en pouvais plus d'attendre le moment où sa langue exploratrice atteindrait mon clitoris. C'est alors que mon corps a frissonné en entier. Rien ne valait une femme pour connaître les secrets de mon sexe. Elle agissait comme une experte. Mes gémissements ininterrompus ne faisaient qu'encourager ma partenaire à poursuivre la dégustation, à me stimuler à l'aide d'un doigt qu'elle a plongé à l'intérieur de mon sexe humide, en sachant exactement comment le mouvoir pour m'arracher du plaisir. J'étais sur le point d'exploser, de crier ma jouissance à pleins poumons.

— Fais-moi jouir, avais-je râlé d'une voix étouffée en agrippant solidement ses cheveux.

Un puissant jet aqueux s'est alors dégagé de mon entrejambe, aspergeant le visage de Pascale. Surprise, mais amusée à la fois, elle a levé vers moi ses yeux, dont les cils étaient enduits de mon liquide. Je venais de découvrir que j'étais une femme fontaine! Jamais encore un de mes orgasmes n'avait donné lieu à une telle éjaculation.

N'eût été une fin empressée de nos ébats – après que j'aie eu rendu la pareille à Pascale –, Zach aurait sûrement souffert d'un sévère torticolis, mais nous étions toutes les deux impatientes de lui régler son cas.

— Il est temps de nous occuper de toi maintenant, lui avais-je annoncé d'un ton menaçant.

Connaissant mon plan d'action, Pascale lui a chevauché le torse, lui pinçant ensuite les oreilles entre ses doigts afin de tenir sa tête bien en place. J'ai pour ma part appliqué un ruban adhésif sur la bouche grimaçante de mon pantin, le contraignant à respirer par le nez. Bientôt, il aurait à se débattre pour trouver son oxygène…

Sans plus attendre, lorsque Pascale l'a libéré de son emprise, je me suis positionnée sur lui à mon tour et me suis retournée en plaçant mes fesses juste au-dessus de son visage. Je me suis accroupie et, au grand désarroi de ma victime, qui tentait de se libérer par tous les moyens, je me suis délestée de mes excréments sur son front, en prenant bien soin qu'il en ait également sur ses yeux et son nez. Je venais avec grande satisfaction de prodiguer ma première douche brune!

Pendant que Zach criait sous son bâillon collant, Pascale regardait la scène d'un œil réjoui et je l'ai invitée à s'exécuter à son tour. J'ai applaudi en m'exclamant de joie lors de l'exécution de sa défécation. Alors que notre victime était toujours attachée et plutôt mal en point, nous nous sommes rhabillées en vitesse. Ne me croyant pas si cruelle, Zach semblait conserver l'espoir que je le libère avant notre départ, mais ce n'était pas du tout mon intention.

— J'aimerais beaucoup être témoin de la réaction qu'aura la femme de chambre, lui avais-je lancé malicieusement avant de lui souffler un baiser de ma main, d'éteindre les lumières et de refermer la porte derrière Pascale et moi.

CHAPITRE 16
Déposition

Plus d'une semaine après sa conversation téléphonique avec l'inspecteur Fournier, Martin Sinclair fait les cent pas dans l'aire de réception du poste de la SQ de Louiseville. L'homme à la chevelure clairsemée et à la silhouette frêle ne cesse de se ronger les ongles. La préposée à l'accueil, témoin de la flagrante nervosité de l'informateur, invite ce dernier à prendre un siège et lui offre gentiment un café, mais il refuse sans façon, incapable de tenir en place.

Moins brave que lors de son appel, le voilà qui songe aux répercussions que pourrait avoir son témoignage. Il pensait avoir bien évalué les tenants et les aboutissants de sa déposition, avant de prendre l'initiative de contacter les services policiers, mais, soudain, des craintes irraisonnées l'assaillent et font naître en lui un sentiment de panique sur lequel il n'exerce guère de contrôle. Il tente d'inspirer longuement et d'expirer doucement, en jetant un œil dehors par la fenêtre de l'édifice. Son discours intérieur arrive à le calmer un peu en le ramenant à des considérations rationnelles; néanmoins, ses mains sont moites et sa chemise se détrempe. De nature timorée, il craint que la Justicière ne finisse par apprendre qu'il est le délateur et qu'elle puisse chercher à se venger en lui faisant subir un sort semblable à ces précédentes victimes. Il en a fait des cauchemars, au cours de la nuit, dans lesquels la Justicière apparaissait dans des costumes abracadabrants, dignes du Cirque du Soleil, les yeux injectés de sang, les lèvres écumantes, avec un curieux outil ressemblant à un arrache-pissenlit dans les mains. Avec l'instrument, elle s'apprêtait à lui couper la queue puis la tête, jusqu'à ce qu'il se réveille en sursaut, dégoulinant de sueur.

Pour se convaincre d'aller de l'avant, il chasse ces images horrifiantes et songe à l'éventualité que sa déposition puisse conduire à la capture de la meurtrière. Le cas échéant, il touchera la récompense monétaire promise par les autorités et se verra par le fait même soulagé de ses milliers de dollars de dettes de jeu.

En apercevant le policier qui se dirige en sa direction, Sinclair s'immobilise.

— Monsieur Sinclair? s'informe l'homme en uniforme.

— Oui, c'est moi, assure le visiteur en réajustant ses lunettes d'un geste nerveux, tentant d'afficher autant de contenance que possible.

L'autre lui offre une solide poignée de main, qui fait paraître celle de Sinclair plutôt mollasse.

— Sergent Hamel. Veuillez me suivre s'il vous plaît.

D'une démarche assurée, l'agent de police conduit Sinclair à la salle d'interrogation, une minuscule pièce où se trouvent une table en bois laqué et quelques chaises droites. Sinclair, qui n'a jamais mis les pieds dans ce type d'endroit, examine les alentours en songeant que le décor ne lui semble pas des plus chaleureux.

Le sergent Hamel, un homme de forte carrure et au visage joufflu, s'assoit devant lui et consulte le document qu'il tient entre les mains. Curieux, Sinclair étire le cou et tente d'en discerner le contenu. Le policier relève tout à coup les yeux et appuie sur la touche d'enregistrement du dictaphone, posé à plat au centre de la table. Sinclair déglutit avec difficulté.

— Ce rapport, que m'a fait parvenir l'inspecteur Fournier, indique que vous détenez des informations qui pourraient s'avérer utiles dans l'enquête en cours. Il mentionne que vous avez signifié par ailleurs votre intention de nous remettre des croquis représentant les deux dominatrices que vous avez côtoyées jadis. C'est bien ça?

Sinclair dissimule son embarras en baissant le regard, puis il fouille dans son porte-documents, duquel il retire deux portraits au fusain.

— En effet, concède-t-il en tendant d'une main tremblante les images promises. J'ai identifié les deux filles par leurs surnoms professionnels.

Hamel observe d'abord avec attention le portrait de Brigitte, une femme aux traits nobles, sourcils arqués, yeux ronds et paupières larges, nez aquilin, lèvres pulpeuses et longs cheveux retombant derrière le dos. En consultant enfin le deuxième croquis, placé sous le premier, il laisse tomber les avant-bras contre la surface de bois et décoche un regard caustique au portraitiste.

— C'est une plaisanterie, monsieur Sinclair? Vous lui avez dessiné un masque en pleine figure!

— Je suis désolé, mais Gabriella dissimulait toujours ses traits lors de ses séances. Pour ce faire, elle utilisait parfois un maquillage outrancier. En d'autres occasions, elle avait recours à des masques de tous genres. Lors du fameux souper de groupe dont j'ai fait part à l'inspecteur Fournier, les organisatrices avaient d'ailleurs invité les participants à se masquer eux aussi, sous prétexte d'un genre de soirée thématique, ce qui rendait la chose banale, quoiqu'originale, auprès du personnel et des autres clients de l'établissement. Cela peut rendre son identification plus difficile, j'en conviens, mais n'est-ce pas là son but, justement? Le dessin vous fournit quand même un aperçu de son allure...

L'agent plisse le front, dubitatif.

— Dans votre témoignage, vous avez indiqué l'avoir rencontrée plus d'une dizaine de fois! rappelle Hamel.

— C'est exact, mais il n'en demeure pas moins que cette reproduction reflète la vision précise que j'avais d'elle. Je ne la connais que de cette manière, sergent. Je n'ai jamais vu son visage complet. Ce masque à la Zorro, c'était sa marque de commerce.

Pris d'un léger fou rire, Hamel a déjà une petite idée de la réaction qu'aura Fournier lorsqu'il prendra connaissance de ce croquis et du chapelet de blasphèmes qui s'ensuivra. Tâchant de recouvrer tout son sérieux, il demande :

— Auriez-vous encore en votre possession des annonces, des coordonnées ou autres informations susceptibles de nous mener à ces deux femmes?

Sinclair songe au moment où il a pris la décision d'effacer toute trace de ses activités, de peur que sa nouvelle copine ne s'affole en découvrant quelques vestiges de son passé sexuellement téméraire.

— Non... je ne possède plus rien. Comme je l'ai déjà mentionné à votre collègue, Gabriella était très inquiétante. Hormis son fantasme d'homicide, elle participait à de prestigieuses soirées de torture, avec des victimes plus ou moins consentantes. Tout ça a fini par m'effrayer. J'ai disjoncté. Et un soir, j'ai tout foutu à la poubelle; je voulais en finir avec la soumission.

Sinclair lève un œil incertain vers le policier, en espérant avoir été convaincant. Les fantasmes de soumission font toujours partie de son quotidien, maintenant plus que jamais, mais cela, il n'est pas prêt à le révéler. Raconter son passé dans l'espoir de mettre la main sur un magot est une chose, mais dévoiler son actuelle vie privée en est une autre, surtout lorsqu'on s'adonne à des pratiques aussi peu orthodoxes et que cet attrait pour la perversité est au-delà de tout contrôle. Il souhaite éviter qu'on le soupçonne d'être dérangé et tâche de laisser entendre que ces pratiques tordues sont loin derrière lui, que tout cela n'était qu'une audacieuse exploration de sa sexualité, sans plus. Si l'agent savait qu'à peine quelques instants auparavant, il fantasmait d'être soumis à un interrogatoire par une policière rigide aux allures séduisantes qui, insatisfaite de ses réponses, lui aurait passé les menottes pour le châtier selon son bon plaisir...

Hamel, qui ne semble pas conscient de ce qui se trame dans l'esprit du témoin, consulte encore une fois le rapport à la recherche d'une information précise.

— Je ne vois aucune mention de ces soirées de torture dans le compte rendu de l'inspecteur Fournier, monsieur Sinclair. De quoi s'agit-il au juste?

Sinclair peine à trouver ses mots. Il n'avait pas envisagé de divulguer cette information. Il est embarrassé à l'idée de devoir décrire une activité secrète à laquelle participait Gabriella, impliquant des gens issus des hautes sphères de la société. Il ne voudrait pas être responsable de la divulgation d'un terrible scandale sexuel. Si cela s'avérait, il y aurait bien plus que la seule Justicière à ses trousses pour lui faire payer le fait d'avoir été trop bavard. Des dizaines de gens très puissants et influents, concernés par cette galère, ne tarderaient pas à vouloir lui régler son cas.

— Je vous écoute, insiste le policier en scrutant les traits de Sinclair, sur le front duquel perle la sueur.

— Cet entretien restera confidentiel, n'est-ce pas? Je veux dire… je ne voudrais pas m'attirer des ennuis.

— Soyez sans crainte, monsieur Sinclair, tout est strictement confidentiel, précise Hamel, persuadé qu'il vient de mettre le doigt sur un élément de grande importance.

Le témoin se penche vers l'avant, le front appuyé contre la paume de sa main, entièrement absorbé dans ses pensées.

— À… à l'époque… commence-t-il en bafouillant, un club sélect venait de voir le jour à Montréal. Je n'ai aucune idée si cette organisation existe encore aujourd'hui, mais je suppose que oui. Les membres étaient des hommes d'affaires très riches; on ne parle pas ici de simples millionnaires, mais bien de gens *extrêmement* fortunés. L'adhésion annuelle se chiffrait dans les centaines de milliers de dollars et ne pouvait s'effectuer que sur invitation d'un autre membre. Cinq ans d'appartenance au club étaient nécessaires avant d'avoir le droit de recruter. Il va de soi qu'un comité de sélection des plus rigoureux devait approuver toute recommandation avant que l'invité ne soit admis au sein du groupe.

L'agent Hamel retire de sa bouche le bout de stylo qu'il mâchouille depuis le début du récit et griffonne quelques phrases sur un bloc-notes. D'une main impatiente, il fait signe à Sinclair de poursuivre.

— Parmi ce groupe d'une quarantaine de personnes, reprend ce dernier en gagnant un peu d'assurance, quelques-uns s'adonnaient à des fantasmes particuliers, disons… extrêmes.

Hamel se redresse.

— Expliquez-moi ça.

— Je parle d'actes sadiques, sergent. Pas d'un sadisme de pacotille, mais d'un sadisme extrême. Ces voyeurs se divertissaient en assistant à la maltraitance de pauvres victimes sans défense qui, sous leurs yeux, étaient soumises à des tortures par des dominatrices aguerries. En l'occurrence, cette fameuse Gabriella en faisait partie.

— Et ces soirées avaient lieu dans des endroits isolés?

Sinclair acquiesce.

— Mais d'où vous proviennent toutes ces informations? demande Hamel, qui s'imagine mal comment cet homme sobrement vêtu pourrait appartenir à la classe des gens fortunés. Avez-vous été témoin de ces fameuses soirées?

— Non… je ne me suis jamais rendu dans ces endroits, je ne devrais même pas connaître l'existence de ces événements. J'ai appris tout ça de la bouche même de Maîtresse Brigitte, la dominatrice avec laquelle j'ai poursuivi mes séances à la suite du souper de groupe. Puisque les aveux de Gabriella m'avaient effrayé, et que, de toute manière, celle-ci avait annoncé un retour aux études et la cessation de ses activités, je me suis tourné vers Brigitte pour la suite des choses. Personnellement, je trouvais plutôt étrange le fait que Gabriella veuille quitter un métier qui lui semblait pourtant divertissant et lucratif, sauf que, selon Brigitte, elle était fraîchement revenue d'un voyage en Allemagne avec en tête un nouveau plan de carrière.

Perplexe, Hamel se demande en quoi cette Brigitte pouvait avoir intérêt à révéler l'existence de ce club et les activités qui s'y déroulaient. Sinclair, qui semble lire dans ses pensées, poursuit ses aveux :

— Vous savez, sergent... Maîtresse Brigitte appréciait beaucoup le vin. Parfois, elle en avalait un peu trop lors de nos rencontres. Puisque j'étais de l'extérieur de la ville, je profitais de mes visites peu fréquentes pour réserver des périodes de quatre heures d'intimité avec elle. Nous allions d'abord manger au restaurant avant de poursuivre la soirée avec une séance de domination à son donjon privé. Vers la toute fin de nos rencontres, ayant consommé de l'alcool tout au long de la soirée, elle me racontait parfois des histoires à faire friser un homme chauve. À la suite de son décès, quelques années plus tard, j'ai appris que Brigitte avait commencé à boire autant parce qu'elle se savait grandement malade.

— Que vous a-t-elle raconté d'autre?

Sinclair retire ses lunettes et s'essuie le front avec son avant-bras.

— Elle disait que la plupart des membres de ce cercle fermé possédaient de luxueux chalets en Estrie ainsi que dans les Laurentides, là où se tenaient ces fameuses soirées, tous les deux mois. À tour de rôle, les multimillionnaires agissaient en tant qu'hôte pour leurs richissimes amis. Apparemment, chacun d'eux possédait un sous-sol spécialement aménagé en donjon, meublé de confortables fauteuils disposés en demi-cercle, permettant ainsi aux voyeurs d'observer le spectacle qui se déroulait au centre de la pièce, là où les victimes subissaient les sévices de la dominatrice. L'exhibition était agrémentée de portos rares et de cigares de la plus grande qualité, que les spectateurs dégustaient en s'amusant.

Hamel laisse échapper un bruyant soupir. Il se cale dans sa chaise tout en croisant les doigts derrière la tête, question de prendre une pause, de réfléchir aux dernières paroles de Sinclair. Les questions se bousculent dans sa cervelle. Les victimes étaient-elles consentantes? D'où provenaient-elles? À la fin d'une séance, quel sort leur était réservé?

— Dites-moi, reprend Hamel, Brigitte vous a-t-elle confirmé sa propre participation à ces soirées?

— Non, elle parlait toujours de Gabriella, sa bonne amie, à qui ces messieurs demandaient régulièrement d'effectuer le boulot, moyennant quelques milliers de dollars. À mon avis, Gabriella se voulait l'actrice principale de ces soirées de tortures, mais je ne peux croire que Brigitte n'ait jamais participé à ces sulfureuses prestations. Elle semblait tellement à l'aise d'en parler et elle était surtout bien informée.

— Les hommes qui leur servaient de cobayes, les soumis, étaient recrutés de quelle manière? Brigitte vous a-t-elle fourni ces détails?

— Brigitte m'avait présenté une explication détaillée du *modus operandi* de l'affaire. Elle racontait qu'il s'agissait d'une démarche enivrante et qu'elle était toujours disponible lorsque Gabriella lui demandait sa collaboration. Pour rien au monde elle n'aurait raté cette « partie de chasse ».

— Que voulez-vous dire? Qui étaient ces victimes, précisément?

— Les sans-abri, monsieur Hamel, les sans-abri. C'était eux, les victimes. Des gens sans toit, sans le sou, prêts à n'importe quoi! L'approche était toujours la même : tard la nuit, Gabriella et Brigitte déambulaient le long de certaines artères stratégiques, souvent sur la rue Sainte-Catherine, à la recherche de clochards qu'elles réveillaient à l'aide d'un coup de pied dans les côtes. C'est alors qu'elles leur offraient une rémunération de cinq cents dollars en échange d'un contrat signé. De toute évidence, il y avait des volontaires.

— Un instant, interrompt Hamel, expliquez-moi en quoi consistait cette histoire de contrat.

— Les mendiants devaient signer une entente dans laquelle ils s'engageaient à ne pas porter plainte auprès des autorités. Moyennant une somme d'argent, ils acceptaient de recevoir quelques châtiments. Ils ne pouvaient cependant pas s'imaginer à quoi ils consentaient réellement!

Hamel fronce les sourcils.

— J'imagine…

— Disons qu'ils étaient conscients du genre d'activité qui leur était proposée, mais loin de se douter de l'intensité et de la fougue avec laquelle la dominatrice allait s'acharner sur eux, et, surtout, de l'ampleur de l'humiliation et des sévices physiques qui leur seraient infligés. Ils ne devaient entretenir, comme tout un chacun, qu'une vision très stéréotypée et ludique de la chose sadomasochiste, mais, sans le savoir encore, ils avaient affaire à du sérieux.

Sinclair s'arrête brièvement. Hamel hausse les sourcils, l'air de demander si son interlocuteur a autre chose à ajouter.

— Voilà, c'est tout. Je vous ai dit tout ce que je sais, conclut le témoin.

Hamel s'avance, appuie sur le bouton « arrêt » du dictaphone.

— Je dois vous avouer, monsieur Sinclair, que toutes ces informations sont de nature à intéresser les enquêteurs et que vos révélations seront considérées avec grand sérieux dans le dossier de la Justicière. J'envoie tout ça à l'inspecteur Fournier dès que j'aurai terminé mon rapport.

Sur le point de mettre un terme à la déposition, le sergent Hamel baisse les yeux et jette un dernier coup d'œil à ses notes. Il remue les lèvres à la relecture de celles-ci. Il se frappe tout à coup le front de la paume de sa main et redémarre l'enregistreur.

— J'ai oublié de vous poser une question, monsieur Sinclair. Vous avez mentionné que Gabriella s'apprêtait à retourner aux études. Êtes-vous en mesure de nous en apprendre davantage à ce sujet, comme le domaine auquel elle s'intéressait par exemple?

Sinclair hésite, lève la tête et se gratte le front, alors qu'il fouille dans sa mémoire défaillante.

— Désolé, je n'arrive plus à me rappeler précisément, mais je me souviens cependant de sa passion pour la psychologie et les sciences sociales.

CHAPITRE 17
Méli-mélo

Deux semaines se sont écoulées depuis la découverte du cadavre de Bruno Savoie, à Saint-Calixte. Les rapports confirment l'identité de la victime, un homme bien connu des milieux policiers relativement à une affaire de pornographie infantile. Savoie avait été arrêté trois ans plus tôt pour possession de près de six mille photos et vidéos de gamins dans les fichiers de son ordinateur. Les images mettaient en scène des enfants dénudés, garçons et filles de différentes ethnies, âgés en moyenne de cinq à dix ans, dans des positions explicites ou encore subissant des actes sexuels perpétrés par des adultes. Lors de cette première offense, pour des raisons nébuleuses, il s'en était tiré avec une peine minimale.

Au moment de son assassinat, il venait à peine d'être acquitté d'un procès pour double meurtre sur les personnes de deux jeunes filles qu'on avait retrouvées mortes l'année précédente dans un boisé du secteur Chomedey, à Laval. Les fillettes avaient été ligotées puis abusées sexuellement. On leur avait enfoncé dans le vagin une bouteille de Coca Cola qu'on avait ensuite cassée à l'aide d'un objet solide. Leur gorge avait été tranchée à l'aide d'un tesson bien coupant. Faute de preuves, l'homme avait retrouvé son entière liberté, au grand dam des citoyens qui le honnissaient et le tenaient à l'œil depuis ses premiers démêlés avec la justice.

Debout derrière son bureau, les deux poings appuyés contre la surface encombrée de documents, Fournier balaie du regard l'amas de rapports qu'il a reçus en matinée. Le faisceau de lumière émergeant d'entre les rideaux, telle une grande épée blafarde, tranche l'accumulation en deux. *Si les choses pouvaient être aussi simples,* songe Fournier. Mais non... il faut tout lire et tout prendre en considération. Il ne peut négliger aucun indice, aussi minime soit-il.

— Voici le bilan judiciaire de Bruno Savoie, les résultats d'autopsie et la déposition de monsieur Sinclair, avait précisé son assistante en venant lui livrer les documents supplémentaires.

Il a tant à faire ce matin qu'il sait à peine par où commencer. Après quelques heures à consulter les divers rapports, il convoque une réunion d'urgence. Il appuie sur la touche « interphone » de son appareil.

— Gisèle, j'aimerais que tu communiques avec les membres de l'équipe d'enquête. Nous allons tenir une conférence téléphonique à quatorze heures cet après-midi. La participation de la sexologue Michelle Caron serait également souhaitable.

Accusant déjà un léger retard sur ses collègues pour le dîner traditionnel du vendredi à la pizzéria du coin, Fournier s'approche du portemanteau et agrippe sa veste d'un geste vif. Tracassé, il revient sur ses pas quelques instants plus tard pour noter quelque chose dans son calepin de notes, qu'il décide finalement d'emporter avec lui. Il prend la direction du restaurant, impatient de rejoindre ses collègues. Son ventre crie famine et son cerveau a besoin d'une petite pause.

Annabelle et le capitaine Gailloux, prenant place sur une banquette au fond du restaurant, conversent avec la responsable des relations publiques de la Sûreté du Québec, Lise Chapleau, assise devant eux.

— Désolé pour le retard, déclare Fournier en s'asseyant à son tour sur le siège de cuirette bordeaux, aux côtés de cette dernière.

La serveuse s'arrête un instant à la table pour s'enquérir de ce qu'il désire boire avec la pizza déjà commandée par ses collègues. L'inspecteur jette un regard rapide à la limonade de Gailloux, puis au Pellegrino des deux femmes. Peu inspiré par leurs sélections, il opte pour une boisson gazeuse. Malgré son impatience à divulguer une nouvelle d'importance, il évite de discuter de cet élément d'enquête en présence de la spécialiste des relations publiques.

— Je vous remercie d'avoir accepté mon invitation, madame Chapleau, affirme-t-il en s'adressant à sa voisine de siège. Dites-moi, à la lumière de tout ce que véhiculent les médias dans cette affaire, comment la population réagit-elle?

— La réaction est mitigée.

Annabelle et Fournier échangent des regards anxieux.

— J'avoue qu'il s'agit d'une situation plutôt insolite, poursuit Lise Chapleau, mais la Justicière bénéficie d'un certain appui de la part de citoyens irrités comme elle par le système judiciaire, qu'ils estiment inefficace.

— C'est bien ce que je craignais… marmonne Fournier.

— Qu'entendez-vous par là?

— Que ce n'est pas pour nous aider! Nous comptons sur l'appui du public, voyez-vous, pour obtenir des informations pouvant mener à l'arrestation de la Justicière. S'il faut que les citoyens se mettent à lui trouver un petit quelque chose de sympathique, à cette pseudo-défenderesse des opprimés, leur collaboration est moins certaine.

— C'est embarrassant, en effet, mais d'autre part, il ne faut pas oublier que la fameuse récompense promise, une importante somme d'argent, saura bien les motiver... souligne Annabelle.

— Mouais... fait l'inspecteur, espérons.

Près de la table, une serveuse dépose une très grande pizza toute garnie sur un plateau à trépied. L'arôme vient titiller les narines de Fournier, dont le ventre gargouille. Il ferme les yeux un instant pour mieux en apprécier le parfum et commence déjà à saliver. À l'aide d'un couteau-roulette, la serveuse découpe huit morceaux puis entreprend, tout en se débrouillant tant bien que mal avec les longs filets de fromage fondu, de glisser une première pointe dans l'assiette de chacun.

— Quoi qu'il en soit, poursuit Lise Chapleau sans trop faire de cas du service en cours, ce phénomène de tueurs comptant des admirateurs n'est pas nouveau. Dans une certaine mesure, ça peut se comprendre. Dans le cas qui nous préoccupe, il faut considérer qu'avec tout ce qui se trame au Québec actuellement, plusieurs en ont marre de la corruption, des scandales financiers et des pédophiles qui circulent impunément dans nos rues. Ça ne veut pas dire que les citoyens souscrivent aux méthodes sanguinaires de la Justicière, mais il n'en demeure pas moins qu'ils ne semblent pas avoir beaucoup de compassion pour ses victimes.

Fournier secoue la tête à plusieurs reprises.

— Baptême! On parle quand même ici de meurtres en série d'une barbarie extrême…

— C'est juste, inspecteur. Cependant, il semble que les gens ne se sentent pas directement menacés par cette meurtrière. Ils ont bien assimilé le fait qu'elle n'en veut qu'aux criminels afin de leur faire payer leur dette à la société. Avez-vous remarqué la frénésie qui s'installe lentement au sein de la population? Les gens sont curieux, tous ont hâte de connaître la suite… C'est le *reality show* de l'heure… tout le monde en parle!

Fournier est plus sérieux que jamais. Cette situation ne lui plaît pas particulièrement, mais il doit bien faire avec. Gailloux mord dans la pointe de pizza qu'il tient entre ses doigts et mastique longuement la bouchée, perdu dans ses pensées.

— Au point où nous en sommes, finit-il par déclarer après avoir avalé sa nourriture, je ne serais pas surpris qu'un *fan-club* de la Justicière fasse son apparition sur les réseaux sociaux.

Contrarié, l'inspecteur lui roule de gros yeux :

— Ne pousse pas le bouchon trop loin, tout de même, s'il fallait…

La discussion se poursuit jusqu'à ce que Fournier réclame l'addition en annonçant à tous qu'il offre gracieusement le repas. Lise Chapleau saisit cette occasion pour le remercier et quitte les lieux dans les instants qui suivent en alléguant un après-midi chargé.

Alors que Gailloux s'apprête à se lever, Fournier lui fait signe de rester assis. Ce faisant, il scrute les alentours, question de s'assurer que les autres clients ne sont pas trop près de leur table et qu'il peut s'exprimer en toute discrétion.

— Il y a quelque chose d'important, un nouvel événement dont je dois vous parler.

Les yeux d'Annabelle s'obscurcissent. Qu'arrive-t-il de la parfaite complicité qui existe habituellement entre elle et lui? Depuis quand n'est-elle pas la première à apprendre les nouvelles de la bouche de Jacques? Une pointe de jalousie lui noue l'estomac.

— Ce matin, en arrivant au bureau, j'ai trouvé ceci dans mon courrier...

Il glisse la main à l'intérieur de sa veste et en retire une enveloppe beige, qu'il dépose sur la table.

—De quoi s'agit-il? demande Gailloux, tandis qu'Annabelle, quelque peu froissée de cette perte de privilège, se mordille les lèvres de manière à réprimer tout commentaire désobligeant.

—D'une lettre de la Justicière! chuchote Fournier, comme si c'était une évidence. En fait, il s'agit d'une copie de l'originale, nos spécialistes analysent présentement celle que j'ai reçue. Dès que j'en ai pris connaissance, j'ai informé le commandant Dupont. C'est alors qu'il m'a montré une enveloppe identique à la mienne, scellée dans un sac de plastique. Il en avait également reçu une copie, comme tous les commandants de districts de la province, d'ailleurs. On dirait que la Justicière cherche à nous provoquer, à nous mettre au défi de la capturer. D'ailleurs, je commence à me demander si elle n'a pas fait exprès de laisser quelques pièces à conviction derrière elle à l'occasion du meurtre d'Oka.

Annabelle saisit l'enveloppe.

— Je peux? s'enquiert-elle sur un ton pincé.

— Oui, vas-y, bien sûr, vas-y… répond Fournier, qui vient enfin de percevoir sa frustration. Au départ, Dupont m'a demandé d'attendre son autorisation avant de partager l'information que dévoile la Justicière dans cette lettre écrite à l'ordinateur. Puisque je viens de recevoir son consentement, tu peux maintenant en prendre connaissance.

Annabelle soulève le rebord, retire une feuille blanche qu'elle déplie, puis en effectue la lecture à voix haute :

« Les homicides de Pelletier et de Savoie ne constituent que le début d'une série de sanctions que je compte imposer à d'autres criminels. Je détiens en ce moment un certain John Peters, dont beaucoup se souviennent comme étant celui qui leur a volé sans scrupules leurs seules économies. Je prends plaisir à le torturer un peu plus chaque jour en attendant le traitement fatal que je lui réserve. Je présume que personne ne va pleurer la mort de cet enculé. La Justicière. »

— Bordel! Voilà que nos doutes à propos de cet enlèvement se confirment, s'exclame Gailloux. Il est grand temps de lui mettre la main au collet, à cette folle furieuse. Les gens vont commencer à nous prendre pour des incompétents si elle continue à se jouer de nous de la sorte.

— Elle a une bonne écriture, remarque Annabelle en scrutant la lettre, ce n'est pas une idiote. Ce texte ne semble contenir aucune faute d'orthographe ou de syntaxe, ce doit être une femme scolarisée.

En sortant du restaurant, les enquêteurs empruntent en bavardant le trottoir qui mène au poste. Soudain, Annabelle agrippe le bras de Fournier en pointant de son autre main les marches de béton qui servent d'entrée à leur lieu de travail.

— Jacques! Tu as vu ça?

En suivant l'indication d'Annabelle, les deux hommes posent leur regard sur le palier du haut, là où se trouve un paquet brun qui ressemble étrangement à celui qu'ils ont reçu il n'y a pas si longtemps. Sans perdre un instant, Fournier se précipite vers l'escalier, mais s'arrête au seuil de la première marche en songeant à la possibilité qu'il puisse s'agir d'un objet dangereux. Il scrute le paquet et se convainc que le colis est parfaitement identique au premier qu'il a reçu. Il colle l'oreille à la boîte afin de vérifier qu'aucun mécanisme en fonction ne se trouve à l'intérieur. Satisfait, mais prudent, il agrippe la petite boîte sans toutefois trop la remuer.

— Allons voir de quoi il s'agit, propose-t-il en entrant dans l'édifice suivi de ses collègues.

Les enquêteurs se dirigent d'un pas pressé vers le bureau de Fournier sous l'œil médusé des autres policiers qui, jusque-là, vaquaient à leurs occupations.

— Simonac! lâche Fournier en ouvrant la boîte.

Gailloux s'avance, puis étire le cou au-dessus du colis. Au fond, sur un morceau d'essuie-tout imprégné de sang, repose ce qui semble bien être… un orteil humain.

— Merde! C'est quoi ça, encore? s'exclame-t-il.

Fournier penche ensuite le carton en direction d'Annabelle, qui plisse le nez en apercevant le doigt de pied.

— Ben ça alors… souffle-t-elle, bouche bée.

— Je m'en occupe, propose Gailloux. J'envoie ça au laboratoire à l'instant. Avec les analyses d'ADN, on verra bien si nous avons une corrélation avec le doigt.

— Bonne idée! lance Annabelle. C'est trop curieux cette affaire…

D'un geste de la main, Fournier invite sa collègue à accompagner Gailloux hors de son bureau. Il a besoin d'effectuer ses derniers préparatifs en vue de la réunion téléphonique et de réfléchir en solitaire.

Il ne s'est écoulé qu'une petite demi-heure lorsque Gisèle, son assistante, frappe à la porte du bureau.

— Tous vos enquêteurs et la sexologue sont en ligne, lui indique cette dernière. Et voici le résumé du parcours professionnel du financier John Peters que vous m'avez demandé, ajoute-t-elle en laissant tomber le document sur le bureau.

Fournier prend une dernière gorgée d'eau, décroche la ligne téléphonique et appuie sur le bouton du haut-parleur.

— Mesdames et messieurs, bonjour. J'aimerais d'abord vous souligner – détectives Saint-Jean, Granger, Corriveau, Gailloux et agent Legendre – que Michelle Caron, sexologue, est également en ligne avec nous présentement. En cette journée pleine de rebondissements, je vous résume d'abord la situation actuelle : nous avons deux meurtres sur les bras, peu de pistes sérieuses, une femme qui se prend pour Dieu, des menaces de récidives médiatisées ainsi que des pièces détachées appartenant à une ou plusieurs personnes qui nous arrivent par colis. Je vous souligne que nous venons tout juste de recevoir un orteil, cette fois! Comme vous pouvez le constater, notre enquête tourne un peu en rond. Cependant, quelques nouveaux éléments sont apparus depuis ce matin et méritent notre attention immédiate. D'abord, prenons quelques instants pour réfléchir aux observations de la pathologiste mentionnées dans son rapport d'autopsie. Cette dernière constate, une fois de plus, qu'en guise de préambule à l'homicide de Savoie, la meurtrière s'est amusée à le torturer. Entre autres, elle a littéralement crevé les yeux de ce pédophile en utilisant des aiguilles hypodermiques. La pathologiste précise que celles-ci causent des coupures et des déchirures aux tissus et sont beaucoup plus dommageables que celles utilisées pour l'acupuncture, par exemple. Elles occasionnent également une douleur beaucoup plus intense. Mais bon... le résultat est pour nous le même; nous avons un autre macchabée passablement amoché sur les bras. Les brûlures, quant à elles, proviennent certainement d'une torche de soudeur. La Justicière n'aurait pas réussi à obtenir ce genre de résultat à l'aide d'un simple briquet. J'attire votre attention sur la cause de la mort, au bas de la quatrième page pour ceux qui ont le rapport sous les yeux. Docteure Brière semble claire sur ce point... Décès par asphyxie, malgré le fait que Savoie a également reçu une balle de révolver au beau milieu du front.

— Les rapports ont tendance à nous parvenir moins rapidement à Lachute, intervient à la blague le sergent Corriveau. Pouvez-vous préciser, à propos de l'asphyxie?

— Le pénis de la victime, qu'elle a tranché à environ un centimètre du pubis – et que certains d'entre nous cherchaient le jour de la découverte – a été retrouvé tout au fond de sa gorge, indique Fournier. La Justicière a dû empêcher sa respiration en lui bloquant les narines, puis l'a regardé s'étouffer avec son propre sexe.

Une voix manifestement masculine, que personne n'est en mesure d'identifier, se manifeste.

— Arrggghhh!

Fournier remarque l'apparition soudaine d'un message texte sur son cellulaire. Il provient de la lieutenante Lyne Granger : « J'ai une question. »

Pour la première fois de la journée, l'inspecteur arbore un bref sourire.

— Je ne croyais pas les gens de Saint-Jérôme si polis, lieutenante. Du moins… pas au point de demander la parole par messagerie texte. Allez-y, nous vous écoutons.

— Qu'en est-il de la déposition effectuée hier par le résident de la région de Trois-Rivières, dont me faisait part le capitaine Gailloux ce matin? N'avons-nous pas là quelque chose à nous mettre sous la dent qui puisse nous mener vers la coupable?

— J'y arrivais, justement. Vous venez, lieutenante, de mettre le doigt sur l'un des deux dossiers sur lesquels reposent nos espoirs pour l'instant. Si les renseignements que nous a transmis monsieur Sinclair s'avèrent fondés, il s'agirait là de notre première piste sérieuse... L'homme effectuait de fréquents voyages entre Trois-Rivières et Montréal afin de rencontrer une dominatrice qu'il soupçonne d'être la meurtrière. Aux dires du sergent Hamel, il semblait plutôt convaincant lors de son témoignage, relatant entre autres des épisodes de sadisme extrême de la part de cette femme et des récits qu'il lui aurait été difficile d'inventer. De plus, il nous a soumis un dessin exécuté à la main, d'après ses souvenirs, du visage de cette dernière, mais il s'agit d'un croquis d'une femme masquée. Il semblerait qu'elle ne se soit jamais montré le visage… Il va sans dire que ça ne nous est pas d'une grande aide en ce moment; on se demande en fait si nous devons le prendre au sérieux. Mais bon... nous allons nous pencher sur cette affaire dès cet après-midi, Gailloux et moi.

Fournier consulte l'horloge accrochée au mur. À l'aide de son stylo, il raye l'un des éléments de la courte liste qu'il a sous les yeux.

— Ceci m'amène à la principale raison pour laquelle je vous ai convoqués cet après-midi : la Justicière vient tout juste de nous informer qu'elle détient John Peters. Nous ignorons pour l'instant sous quel prétexte ce dernier n'a pas subi une exécution immédiate, à la manière des deux premières victimes, mais chose certaine, nous devons tout mettre en œuvre pour le retrouver avant que notre meurtrière ne décide d'en terminer avec lui. On ne sait rien du délai dont on dispose, car elle ne laisse rien filtrer de ses intentions à cet égard.

L'agent Legendre s'éclaircit la gorge :

— Elle affirme donc détenir une victime et se plaire à la torturer depuis des semaines? Voilà un changement de procédure qui tend à contredire les propos du profileur, monsieur Roy, souligne-t-il d'une voix enrhumée. Sur la scène du crime de l'autre jour, ce dernier ne cessait de réitérer l'importance d'observer le comportement précis de la Justicière, nous indiquant même que les rituels des meurtriers en série permettent souvent de les rendre prévisibles, augmentant ainsi les chances de les capturer.

— Dans le cas de la Justicière, ne vous fiez pas trop à la théorie, précise la sexologue Caron. La mission de justice qu'elle s'est attribuée repose à la fois sur des ambitions de vengeance, de fantasmes et de sadisme, un trio d'objectifs rarement réunis chez les meurtriers en série, du moins selon les psychologues qui étudient leurs habitudes. Il se peut qu'elle adapte le châtiment à la victime, tout simplement. Peters est un arnaqueur financier, et non pas un meurtrier comme ses deux victimes précédentes. Qui sait si elle ne tient pas compte de ça dans sa procédure…

— Voilà pourquoi je suis d'avis, inspecteur, que nos efforts seront mieux récompensés si nous concentrons notre travail sur les indices qui nous mènent vers la Justicière, et non vers ses cibles potentielles, intervient Annabelle. J'ai l'impression que le sort de Peters ne tient plus qu'à un fil et que notre seul espoir de lui sauver la vie passe directement par la capture de la meurtrière.

— Je suis d'accord avec Annabelle, renchérit le sergent Corriveau, mais trouver le captif, c'est peut-être également capturer la Justicière, et l'inverse est tout aussi plausible, alors il ne faut rien négliger. Pourquoi ne pas établir un plan d'action, ou fractionner l'équipe en deux afin de partager les pistes à explorer?

Fournier s'appuie contre le dossier de son fauteuil, tout en réfléchissant aux arguments de chacun.

— Explorons en priorité les pistes que vient de nous fournir le témoignage de Sinclair, propose-t-il. Je vous fais parvenir la transcription à l'instant par courriel. J'attends vos commentaires et suggestions aussitôt que possible. Ce sera tout pour le moment.

— Euh… j'ai une question pour vous, inspecteur.

— Allez-y, madame Caron.

— L'autre jour, lors de ma journée de formation sur le sujet du sadomasochisme, je vous ai remis un document à la toute fin. En avez-vous pris connaissance?

— En diagonale, confesse Fournier.

Michelle Caron soupire dans le récepteur de l'appareil.

— Hélas, inspecteur… je doute que votre lecture superficielle ait réussi à vous instruire. Mon expérience me porte à croire que votre meurtrière est d'abord et avant tout une dominatrice, une adepte invétérée du SM. Laissez-moi vous parler du Fetish Extravaganza, un événement annuel d'envergure mondiale qui se tient ici même, à Montréal. À compter de la semaine prochaine, des adeptes de fétichisme et de sadomasochisme proviendront de partout dans le monde pour cette fête de l'érotisme. Au programme : une série d'ateliers, de séminaires, de défilés de mode, de concours et de soirées à thème. Ne croyez-vous pas que l'occasion est plutôt propice pour infiltrer le milieu? Voilà l'occasion rêvée d'y envoyer une agente double. Pourquoi pas madame Saint-Jean, par exemple?

— Annabelle? Non… non, pas question! Trop de gens sont au courant de son implication dans cette enquête. Ce serait trop risqué... prétexte Fournier, qui ne peut imaginer de faire entrer dans la cage aux lions sa partenaire de travail.

L'inspecteur se ronge l'ongle du pouce tout en réfléchissant.

— Vous pensez qu'un tel « festival » est susceptible d'intéresser la Justicière et qu'elle s'y rendra?

— Absolument, monsieur Fournier.

— Mouais… Alors, il ne faut pas rater cette occasion d'explorer cet univers. Chose certaine, si nous choisissons cette voie, le temps nous presse! Mais comment procéder? Quelqu'un aurait-il une suggestion?

— J'ai ma petite idée là-dessus, annonce Gailloux. À titre de responsable des opérations spéciales dans cette enquête, je compte établir un plan d'action précis, que je pourrai vous soumettre dans les prochains jours. Si tu es d'accord, Jacques, je m'en occupe.

CHAPITRE 18
Brüggen, Allemagne

Brigitte ne cessait de me vanter le caractère grandiose du Fetish Extravaganza, le fameux festival international SM de Montréal. Nous avions convenu de participer ensemble aux prochaines célébrations, celles de l'automne 2004, un événement que j'attendais avec impatience.

Le jour de l'ouverture des festivités, je me trouvais dans un chalet huppé des Laurentides en compagnie de Brigitte, au lendemain d'une prestigieuse soirée de torture organisée pour le bon plaisir de gens fortunés qui m'embauchaient de temps à autre afin de satisfaire les fantasmes voyeurs des membres de leur club sélect. En général, j'étais la seule dominatrice qu'on invitait, mais cette fois-là, comme j'avais déjà promis à Brigitte de passer le week-end du Fetish Extravaganza en sa compagnie, nous étions toutes les deux présentes. D'ailleurs, l'organisateur de la soirée s'était montré enthousiaste à l'idée d'une dominatrice additionnelle pour maltraiter le volontaire que nous avions recruté au centre-ville de la métropole.

— Voilà, c'est le grand jour! s'était exclamée Brigitte en entrant au petit matin dans la chambre d'invités où je dormais. Ce soir, nous serons aux premières loges du défilé d'ouverture! Allez, habille-toi, vilaine paresseuse, ou alors, je te flagelle pour te sortir de ta torpeur! avait-elle déclaré en ricanant. Il est temps de retourner à Montréal. Nous avons beaucoup à faire pour nous préparer.

— Voyons, Brigitte... Tu sais bien que cinq heures de sommeil ne me suffisent pas. Ne pourrais-tu pas me laisser dormir encore un peu?

En moins de deux, elle avait écarté le rideau et fait entrer les rayons du soleil, qui me firent cligner des paupières. À mesure que mes yeux s'adaptaient à la lumière, une imposante montagne au feuillage versicolore se révélait à moi. Sous l'insistance de ma compagne qui n'entendait pas perdre son temps en cette journée spéciale, j'ai dû sortir du lit et ne pas tarder à prendre la route vers Montréal. En d'autres circonstances, j'aurais rechigné, mais Brigitte me contaminait de sa gaieté et je dois dire que j'étais aussi très empressée de me rendre à cette soirée peu commune.

À bord de la Mini Cooper dont je venais de faire l'acquisition, Brigitte m'a raconté mille et une anecdotes des éditions précédentes du festival. Une fois rendues chez elle, nous avons passé le reste de la journée à bavarder à ce sujet et à nous faire belles en vue de la soirée à venir. Manucure, pédicure, coiffure, maquillage, etc. Brigitte était excitée comme peut l'être une enfant à la veille de Noël et son enthousiasme ne manquait pas de me rendre fébrile.

Notre entrée fut très remarquée au Métropolis. Nous avions fait appel aux services d'une limousine et dès que nous avons posé le pied dehors, alors que le chauffeur nous ouvrait la portière, nous avons aperçu la foule de participants et de curieux qui se massaient sur le trottoir de l'édifice afin d'observer chacun des excentriques personnages faire leur arrivée. La robe sirène turquoise que portait Brigitte ne manquait pas d'attirer les regards admiratifs. Pour ma part, je me déplaçais à petits pas de geisha, mes mouvements étant limités par une courte jupe noire en latex luisant très ajustée et des talons aiguilles, qui allongeaient considérablement ma silhouette. Les exclamations de certains badauds nous laissaient bien entendre que notre beauté était un régal pour les yeux. Cela dit, nous étions nous-mêmes très impressionnées par d'élégantes femmes aux costumes et coiffures singuliers se rassemblant devant les portes de l'édifice. La soirée n'était pas commencée encore que, déjà, j'en avais le souffle coupé. Alors que nous remercions le chauffeur, deux femmes coiffées de chapeaux à plumes se sont ruées vers nous. Il s'agissait d'amies de Brigitte, impatientes de nous inviter à les suivre à l'intérieur et à prendre place à la table qu'elles avaient réservée. En passant les portes, j'avais remarqué quelques affiches mettant en vedette un quatuor féminin venu d'Allemagne. On y annonçait l'atelier du lendemain, une formation que le petit groupe de femmes allait conclure par une démonstration de bondage, une pratique sadomasochiste qui consiste à attacher et à restreindre son partenaire grâce à des contraintes de toutes sortes, allant des cordes aux sacs d'enfermement et autres carcans. C'était très prometteur.

À l'entrée de la salle, on nous accueillait avec un verre de mousseux. Les tables étaient recouvertes de nappes noires et les sièges de drapés rouges. Un jeu de lumière ondoyant créait une ambiance survoltée. Nous avons pris place à table tout en jasant, alors que Brigitte et ses amies me racontaient comment elles s'étaient rencontrées lors d'une édition précédente. Peu à peu, la salle s'est remplie. Le défilé de mode était sur le point de débuter lorsqu'un homme habillé d'un chic pantalon de cuir, sans chemise, s'est approché de moi.

— Puis-je avoir l'honneur de passer une partie de cette soirée en votre compagnie? m'avait-il murmuré à l'oreille dans la langue de Shakespeare, tout en glissant quelques billets à l'intérieur de ma botte.

Il n'y avait plus aucune chaise libre à ma table. J'ai regardé l'homme un instant dans les yeux, puis j'ai observé son allure très attrayante. J'ai accepté à condition qu'il consente à s'asseoir par terre, à mes côtés. Sous le regard amusé de mes acolytes, l'homme s'est incliné au sol et a rampé avec docilité jusqu'au petit espace libre entre Brigitte et moi.

— Tu ne cesses jamais de m'étonner, toi! C'est incroyable, l'aisance avec laquelle tu attires les soumis! s'était exclamée Brigitte.

En première partie du défilé, des mannequins présentaient des vêtements en cuir dont l'élégant design était issu de la créativité des plus grands couturiers de costumes fétichistes au monde. Ébahie par la beauté de ces aguichantes tenues, je me délectais de la prestation au point d'en perdre toute notion du temps et d'oublier presque mon nouveau petit chien de poche, toujours assis à mes pieds.

Au moment où l'animateur annonçait l'entracte, un grand gaillard au teint foncé et aux longs cheveux noirs s'est approché de moi pour se pencher sur mon épaule.

— Excusez-moi, mademoiselle, m'avait-il soufflé doucement. Des gens de l'autre côté du podium demandent à vous rencontrer.

À l'opposé, des femmes agitaient leurs mains bien haut en guise de salutation. À ma grande surprise, c'était là des visages qui ne m'étaient pas inconnus : il s'agissait des filles sur les affiches... les Allemandes! J'ai acquiescé, et d'un geste du doigt, je leur ai signifié que nous y serions dans une minute.

— Allez... vas-y, je vais rester ici avec mes compagnes. Il serait impoli que je les délaisse, alors qu'elles ont pris la peine de nous réserver une table, m'avait indiqué Brigitte à l'oreille. J'irai peut-être vous rejoindre un peu plus tard.

Avec galanterie, le colosse m'a tendu le bras, disposé à m'accompagner. Sitôt, mon adorateur – toujours assis au plancher – a appuyé une main contre le sol dans un effort de redressement, mais en lui adressant un regard menaçant, mon nouveau cavalier lui a vite fait comprendre qu'il n'était pas invité à nous suivre. Un sourire complice accroché aux lèvres, Brigitte m'a adressé un petit clin d'œil en me laissant entendre par là qu'en mon absence elle assurerait la garde de mon esclave.

L'une des filles qui m'attendaient de l'autre côté, une brunette de mon âge aux cheveux bouclés, ne cessait de me dévorer du regard alors que je marchais en leur direction. Une fois arrivée à leur table, elle s'est empressée de me remercier d'avoir bien voulu accepter leur invitation et m'a présenté ses complices. S'exprimant toutes couramment en anglais, avec un petit accent germanique très charmant, les filles étaient enjouées et très chaleureuses. Elles m'avaient remarquée comme nouvelle venue dans ce milieu et étaient très curieuses de savoir si j'étais une dominatrice profession-nelle, depuis quand je pratiquais et comment j'avais appris la tenue de cet événement. Elles m'ont interrogée aussi à propos de mes aspirations, de mes projets, de mon attachement au sadomasochisme, et la discussion s'est poursuivie ainsi jusqu'à la toute fin de la soirée sans que j'aie l'occasion de retourner m'asseoir à ma table. Après la seconde partie du défilé, j'ai regardé l'homme qui se trouvait toujours assis par terre, près de ma chaise vacante, de l'autre côté de la scène, et d'un regard catégorique accompagné d'un geste de la main, je lui ai intimé l'ordre de quitter les lieux. Témoin de ma volonté ainsi exprimée, Brigitte l'a laissé partir.

Une fois les lumières rallumées, les préposés à l'entretien se sont affairés au nettoyage de la salle tandis que nous discutions près du bar, cette fois en compagnie de Brigitte et de ses amies, venues nous rejoindre. Quand ma copine a décidé de partir et de raccompagner ses dernières à leurs domiciles respectifs puis de rentrer à la maison, je suis restée à discuter encore avec les Allemandes. Bientôt, les gardiens de sécurité nous ont invitées à quitter les lieux et c'est alors que nous nous sommes déplacées vers un Tim Hortons du centre-ville, là où nous avons accueilli les premiers rayons de soleil en sirotant un café. Notre allure peu commune attirait les regards curieux et cela nous amusait beaucoup.

Au fil des échanges avec les Allemandes, j'ai eu droit à de renversantes déclarations de leur part. En Europe, m'ont-elles appris, une puissante organisation secrète, établie depuis plusieurs décennies, désirait sortir de l'ombre, dans le but de démontrer au monde entier que certaines injustices ne seraient plus tolérées. Elles m'annoncèrent qu'elles seraient heureuses de m'accueillir à leur domaine privé, en Allemagne, afin de me faire visiter leurs installations. Cornelia, la dirigeante du donjon de Brüggen, serait selon elles fort heureuse de me recevoir. Je ne pouvais croire qu'une telle occasion d'explorer un pan de l'univers international du sadomasochisme me soit offerte de la sorte. Je me réjouissais de ce privilège et j'avais terriblement hâte de raconter tout cela à Brigitte.

Je réalisais que la tournée mondiale de ces quatre femmes n'était ni plus ni moins qu'un prétexte au recrutement de leur organisation. Elles souhaitaient permettre aux tentacules de cette dernière de s'étendre aux quatre coins de la planète. Aussi m'invitait-on gracieusement en Allemagne, une offre impossible à refuser, même s'il m'était difficile de comprendre les raisons pour lesquelles elles s'intéressaient à moi plus qu'à une autre. À cette question que je leur avais posée, elles m'avaient répondu que mes convictions joignaient les leurs et qu'elles étaient à la recherche de nouvelles têtes. Nos discussions, depuis le moment où elles m'avaient invitée à leur table, avaient achevé de les convaincre de mon potentiel en regard de leurs critères de sélection.

✺

Ma visite dans la République fédérale d'Allemagne aurait lieu en juin de l'année suivante, au moment de la tenue de leurs olympiades annuelles, une série de compétitions jetant dans l'arène leurs esclaves, obligés de se mesurer les uns aux autres au grand plaisir des dominatrices. Lors des compétitions, il était permis aux spectatrices de miser sur les hommes et une importante cagnotte était en jeu.

J'avais encore plusieurs mois à patienter avant d'effectuer le voyage et le temps me semblait long, tant j'étais pressée de me retrouver là-bas. Je n'avais pas idée à quel point cet univers souterrain grouillait d'activités à l'échelle mondiale! Je jubilais, rien de moins, en me découvrant une appartenance à une communauté, alors que je m'étais sentie si étrangère aux autres filles pendant mon enfance. J'étais le vilain petit canard nouveau genre; je me découvrais une nature exceptionnelle et j'entendais plus que jamais l'appel de la vocation. J'étais née pour être souveraine, c'était maintenant une certitude absolue.

Trop curieuse pour passer l'hiver dans l'attente, j'ai entamé mon exploration en fouinant sur le Web afin d'y découvrir les dominatrices professionnelles allemandes et d'entrer en contact avec elles. J'aurais comme cela un pas d'avance lors de ma visite, je serais bien informée et j'aurais déjà développé un certain lien de confiance avec quelques-unes. Qui sait, peut-être aurais-je le temps d'explorer quelques donjons supplémentaires? Les sites *Max Fisch* et *Dickie Virgin,* deux adresses Internet qui se spécialisaient dans ce genre d'information, ont comblé mes attentes. Je réalisais que l'Allemagne se voulait la capitale du sadomasochisme, ce qui augmenta d'un cran ma hâte en vue de cette excursion outremer.

❧

Quelques jours avant mon départ, j'ai eu droit à une surprise de taille : un appel vidéo de Cornelia, la dirigeante du donjon de Brüggen, en guise de premier contact visuel. Devant moi se trouvait une femme racée, élégante, mi-trentaine, aux longs cheveux roux bouclés. Son large sourire lumineux, qui lui conférait un air des plus aimables, ne laissait rien paraître de son véritable tempérament : elle était l'une des plus rigoureuses dominatrices d'Europe.

En guise de préparation à ma visite au pays, Cornelia désirait me poser plusieurs questions d'ordre personnel, dont une qui n'avait pas manqué de me surprendre :

— En matière de fantasmes liés à la domination, Gabriella, est-ce que tu crois à ce jour avoir assouvi tes plus brûlants désirs?

J'ai hésité un instant, songeant à l'importance de cette question. Je n'avais en tête qu'une seule réplique qui me semblait honnête.

— Eh bien… je ne sais pas vraiment, mais une chose est certaine, c'est qu'au cours de la dernière année, j'ai pu expérimenter plusieurs fantasmes grâce à mes clients réguliers, mais… cette clientèle m'ennuie et je dois dire que je me sens déjà mûre pour d'autres défis.

Les yeux scintillants de Cornelia laissaient deviner son entière satisfaction.

— Je suis heureuse de l'apprendre, Gabriella. Ça indique que tu es prête à repousser tes limites.

— À vrai dire, lui avais-je avoué dans un élan d'enthousiasme, mon imagination dépasse les frontières que m'imposent les lois…

Cornelia se contenta de m'offrir un petit sourire en coin.

— Intéressant. J'ignore le genre de scénarios auxquels tu rêves, Gabriella, et nul besoin de me le révéler pour le moment, mais notre domaine saura certainement te fournir des occasions inespérées d'assouvir tes désirs.

C'est avec un grain de sel cependant que j'ai accueilli ses paroles, incapable que j'étais encore d'évaluer les secrets que recelait le donjon de Brüggen. Ce que j'allais découvrir en Allemagne ne se comparait en rien à tout ce que j'avais vécu à ce jour au cours de ma jeune carrière de dominatrice.

⤙

Le jour de mon départ, je me suis rendue à l'aéroport avec quatre gros bagages remplis de nouveaux vêtements de circonstance, mes documents de voyage et un guide touristique. Je me disais que j'aurais peut-être quelques jours de libres, qui me permettraient de visiter des endroits historiques. J'étais depuis longtemps fascinée par Auschwitz, le plus grand camp de concentration et d'extermination du Troisième Reich. Bien que je ne sois en rien pour l'extermination des Juifs, qui, quant à moi, ne furent que d'innocentes et malheureuses victimes, je n'en demeurais pas moins fascinée par les méthodes de torture employées par les nazis et je souhaitais assouvir cette curiosité. Comment visiter l'Allemagne sans saisir cette occasion unique?

J'avais donc pensé à tout, sauf aux conséquences d'une collection d'objets fétiches ornés de métal dans mon bagage de cabine. Au moment de mon passage à la sécurité de l'aéroport, j'ai cru que les yeux du préposé à l'appareil à rayons X allaient lui sortir de la tête. Évidemment, j'ai eu droit à une fouille en règle.

— Excusez-moi, mais de quoi s'agit-il? m'a demandé l'agente.

Entre deux doigts, elle tenait bien haut l'un de mes slips de cuir, un cache-sexe recouvert de rivets en forme de pics. J'avais envie de lui répondre le plus sérieusement du monde qu'il s'agissait d'un accessoire très utile en présence de mes esclaves, une garniture qui les empêche de trop s'approcher, au risque de subir des blessures au visage. Je me suis retenue de le faire et je lui ai plutôt raconté, avec un large sourire aux lèvres, qu'il s'agissait d'un costume de scène pour un spectacle érotique. Après avoir été dévisagée par les agents inspectant le contenu de mes bagages, sous le regard éberlué de certains voyageurs qui se tenaient autour, on m'a enfin laissée me rendre à la salle d'embarquement.

∾

Une fois en territoire allemand, je suis montée à bord d'un train grande vitesse afin d'entreprendre la partie de mon trajet qui s'est avérée la plus agréable de mon périple. Du confort de mon fauteuil en première classe, quel plaisir ce fut d'observer les vastes champs parsemés d'éoliennes qui défilaient sous mes yeux. C'était sans compter le repas fastueux auquel j'ai eu droit et le verre de Riesling que j'ai dégusté en tentant d'imaginer comment les choses allaient se passer lors de mon arrivée à destination. « Düsseldorf! » annonça tout à coup une voix claironnante sortie des haut-parleurs.

En débarquant du train, il ne me restait plus qu'une cinquantaine de kilomètres à parcourir avant d'atteindre enfin le village mythique de Brüggen. Je croyais bien devoir prendre un taxi, mais Cornelia avait pris soin d'envoyer l'une de ses limousines pour me cueillir. Lorsque je suis sortie du train, un homme se tenait debout avec un carton sur lequel était écrit mon nom. Le chauffeur avait attendu toute la journée, ne connaissant pas l'heure exacte de mon arrivée. J'étais ravie de prendre place dans une aussi luxueuse voiture. Je me croyais dans le confort d'un salon privé et j'en ai profité pour m'y prélasser en me laissant conduire. Lorsque la voiture s'est approchée d'une énorme grille en fer forgé gardant l'entrée de la propriété privée, j'avais le front collé contre la fenêtre et j'observais d'un œil ébloui le château qui se profilait au loin.

Sur présentation d'une clé à puce, la barrière s'est ouverte doucement. Le chauffeur s'est alors engagé vers la droite sur un chemin de gravier, une route menant à la somptueuse résidence qui trônait en amont d'une petite colline. De chaque côté, des travailleurs s'affairaient à entretenir les jardins d'eau et de fleurs. La voie s'élargissait ensuite et se transformait en une grande boucle devant l'entrée principale. Au centre trônait une fontaine monumentale de laquelle émergeait une statue de bronze représentant une femme légèrement vêtue de fleurs, à l'épaisse chevelure parsemée d'étoiles et tenant la Terre dans sa main gauche. Ses jambes s'ancraient au sol comme des racines d'arbres.

— Une réplique de Gaia, mère de toutes les déesses, m'expliqua le chauffeur en anglais, en voyant tomber ma mâchoire. Elle fait plus de huit mètres de haut.

Je commençais à me demander comment Cornelia avait réussi à acquérir une telle richesse. Lorsque le chauffeur m'a ouvert la portière de la voiture, un homme habillé d'un costume folklorique se trouvait à proximité, sans doute en raison de la fête de l'Oktoberfest que certains Allemands se plaisent à célébrer tout l'été durant. À la main, il tenait un plateau en argent qui reflétait les ardents rayons du soleil. Une flûte à champagne remplie à demi accompagnait une serviette humide pliée en papillon. Aucun doute, Cornelia maîtrisait l'art de la réception!

— Pour vous rafraîchir, madame, m'offrit-il en étirant les deux bras en ma direction. Je suis votre serviteur pour la durée de votre séjour, avait-il ajouté en inclinant la tête. Je réponds au nom de Rouffi.

Comme ce nom me rappelait celui du chien de ma petite voisine, j'avais envie de lui demander d'aboyer, juste pour voir, mais j'ai gardé pour moi ce trait d'humour. Toujours est-il que mon domestique attitré a eu tôt fait de me conduire à ma chambre, une pièce au deuxième étage dont la haute fenêtre, aux rideaux de style victorien, donnait sur la magnifique cour arrière. J'avais l'impression de vivre un rêve. Toute cette richesse m'impressionnait.

— Si vous permettez, je vais monter le reste de vos bagages. Après un si long voyage, libre à vous d'effectuer une courte sieste.

— J'aurais plutôt envie d'une visite guidée. Quand aurai-je l'honneur de rencontrer enfin Cornelia?

— Madame est absente aujourd'hui. Des obligations l'attendaient à l'extérieur de la ville. Elle sera de retour demain seulement.

Quelle expérience que de parcourir les couloirs de cette bâtisse… et dire que je n'ai eu droit qu'à la visite des deux planchers principaux! Il me tardait de découvrir aussi les cachots, le sous-sol et le labyrinthe souterrain, dont on m'avait parlé et qui nourrissaient mon imaginaire.

Au centre de la demeure, un vaste corridor digne du château de Versailles s'ouvrait de chaque côté sur de multiples quartiers luxueux, dont se servaient les dominatrices résidentes ainsi que celles qui, comme moi, étaient invitées. Ici et là, on avait installé des cages destinées aux hommes assujettis, tant les permanents que les visiteurs, qu'on pouvait distinguer les uns des autres à l'aide de bracelets de différentes couleurs. À l'extérieur, on se servait également d'une écurie et d'une porcherie comme scène d'avilissement des esclaves.

Ce soir-là, je me suis endormie la tête pleine de fantasmes et d'interrogations. J'étais impatiente de découvrir ce que me réservaient les prochains jours. J'entrevoyais déjà les répercussions de cette visite sur ma pratique professionnelle, au sein de ce véritable harem d'esclaves mâles.

Dès le lendemain soir, on m'a convoquée à un repas en tête-à-tête avec Cornelia. Pour l'occasion, j'ai enfilé un nouveau pantalon ultra moulant qui ne manquait pas d'avantager ma silhouette. Mon habillement se complétait par une chemise de soie blanche, légèrement translucide. Je chaussais des talons aiguilles d'un noir lustré. On frappa alors que j'achevais de me préparer. Quel sursaut j'ai eu en ouvrant! Méconnaissable, mon serviteur était déguisé en soubrette, à la manière d'une domestique française. Sa tenue se composait d'une courte robe noire avec décolleté plongeant. Un jupon blanc avec froufrous gonflait la jupe et ses cuisses étaient agrémentées de porte-jarretelles. Il portait également un collier de chien en cuir. D'une main gantée de satin, afin de compléter le costume, il tenait un plumeau.

— Allons-y, je suis prête. Passe devant, lui ai-je ordonné.

Cornelia se trouvait déjà sur place, assise à l'extrémité d'une longue table massive. Elle s'est levée avec grâce pour me donner l'accolade.

— Bienvenue chez nous, Gabriella. Je suis désolée pour l'attente, j'étais prise par des occupations urgentes en vue d'un événement d'envergure qui va suivre nos fameuses olympiades. J'espère que tu as apprécié ton premier jour et que mes sujets t'ont accueillie avec les honneurs que tu mérites.

Malgré mon mètre soixante-dix, je me sentais petite devant cette grande femme élancée qui me regardait de haut. D'un geste de la main, Cornelia m'a indiqué la chaise à sa droite. Tout comme moi, elle semblait impatiente d'entamer la discussion et n'a pas tardé à entrer dans le vif du sujet.

— Des dominatrices des quatre coins de la planète nous visitent régulièrement, souvent quelques jours, parfois des semaines. Elles s'amarrent à notre équipe, reçoivent des clients venus de partout dans le monde. Tous en ressortent gagnants. D'une part, la composition internationale de notre personnel attire les hommes. En contrepartie, les femmes découvrent ici une façon de vivre dont elles n'auraient jamais osé rêver.

— Et c'est pour me faire découvrir la notoriété de votre domaine que vous m'avez invitée?

— Dans ton cas, il s'agit d'une procédure exceptionnelle, Gabriella.

Cornelia venait de hausser mon intérêt d'un cran. Pourquoi ma situation était-elle différente?

— L'automne dernier, les quatre jeunes femmes envoyées au Canada pour sonder le terrain me sont revenues débordantes d'enthousiasme à ton égard, m'a-t-elle précisé. À la suite de vos discussions au sujet de tes pratiques de domination, elles n'ont cessé de me vanter ton potentiel. Peut-être aurons-nous un jour l'occasion de t'accueillir au sein de la FSS.

Un domestique en talons hauts s'est approché de Cornelia. À la main, il tenait une serviette de table pliée en accordéon, qu'il a étalée sur les genoux de la maîtresse de maison, une petite attention à laquelle j'ai eu droit dans les secondes suivantes. Derrière lui, deux autres serviteurs approchaient avec un chaud potage, dont la vapeur parfumait la pièce d'une odeur de tomates et de fines herbes.

— La FSS, dites-vous? avais-je demandé à Cornelia dès que les serveurs s'étaient éloignés.

— Oui, c'est une abréviation anglophone qui signifie *Female Supremacy Society*.

J'ai avalé de travers la cuillérée de soupe que je venais de porter à ma bouche.

— Oh! Et il s'agit…

—… d'une communauté relativement anonyme pour l'instant, avait-elle poursuivi. La FSS ne s'est pas encore enracinée au Canada, un endroit récemment ciblé par notre organisation. Pour espérer s'y implanter un jour, ce sont des femmes de ton tempérament dont nous avons besoin. Voilà pourquoi mes filles jouent les recruteuses.

D'une main grande ouverte, j'ai signalé à Cornelia de s'arrêter.

— Loin de moi l'intention de vous contrarier, mais je ne caresse pas spécialement l'ambition de diriger un groupe de dominatrices dans mon pays.

Ma convive a déposé son ustensile, épongé ses lèvres charnues, puis secoué la tête de chaque côté à répétition.

— Écoute Gabriella : la mission ultime de la FSS ne s'apparente en rien aux séances de domination convention-nelles auxquelles nous sommes toutes habituées, et que nous pratiquons ici au donjon. Notre vocation va au-delà de l'assujettissement des hommes et même de la suprématie des femmes. Nous sommes ni plus ni moins que des « Justicières », un concept que je devrai t'expliquer sous peu.

— En effet, Cornelia, car je ne suis pas certaine de bien vous suivre…

— Bien sûr, mais d'abord dis-moi : est-ce que tu crois au destin?

— J'avoue avoir songé à cette possibilité depuis ma rencontre avec vos filles.

— Je vais te raconter une histoire, Gabriella, et te parler de la dirigeante mondiale actuelle de la FSS. Il s'agit d'une Norvégienne prénommée Saphira, une historienne adepte de domination féminine et de sadisme. Parfois, elle nous confie ses convictions, ses croyances, à l'égard du rôle que le destin lui a réservé. Toute sa vie, elle a étudié les manuscrits traitant de la légende des Amazones, dont les origines remontent à environ deux mille ans avant Jésus-Christ. Est-ce que tu connais un peu leurs coutumes?

J'étais plutôt faible en histoire des civilisations, aussi me suis-je rabattue sur un vague souvenir tiré d'un film que j'avais visionné quelques années auparavant.

— Je crois qu'elles tuaient leurs enfants mâles pour favoriser le développement d'une société matriarcale.

— En fait, elles n'élevaient que les fillettes. Afin d'assurer leur reproduction, elles choisissaient les plus beaux mâles des peuplades voisines. À la naissance des garçons, seulement

267

quelques-uns étaient épargnés, puis confiés aux pères biologiques. Plus vieux, la plupart se voyaient mutilés par les Amazones et utilisés ensuite en tant que serviteurs. Généralement, celles-ci les rendaient boiteux ou aveugles, car, selon leurs croyances, les hommes estropiés possédaient de plus grandes capacités sexuelles. Entre autres, l'infirmité empêchait la violence et l'aspiration au pouvoir.

— Je tente de suivre le fil de votre réflexion, Cornelia, mais je ne vois toujours pas de corrélation entre Saphira et la légende des Amazones.

Délicatement, Cornelia s'est emparée du verre de vin rouge que venait de lui offrir un énième apôtre. Alors qu'elle portait le liquide à sa bouche, j'ai senti un léger embarras dans son regard.

— J'avoue que certaines de ses convictions ont de quoi surprendre, m'a-t-elle confié. Néanmoins, Saphira se veut la femme toute désignée pour diriger la FSS.

— Mais encore?

— Voici le raisonnement un peu particulier de Saphira : à l'image des Amazones, elle préconise la création d'une société matriarcale. Par le fait même, elle est persuadée que son engouement pour la domination est un signe, un message voulant qu'elle soit bel et bien la personne choisie par le destin pour poursuivre le rétablissement de la suprématie féminine.

J'ai levé les yeux au ciel, car cela me semblait à moi aussi quelque peu farfelu.

— Saphira prétend que sa vie a été parsemée de « signes » de tout genre, poursuivit Cornelia. Par exemple, elle est née le 12 août 1970, le jour précis du deux millième anniversaire de la mort de Cléopâtre.

Je me gardais de manifester avec trop d'évidence l'incrédulité qui m'assaillait.

— Rappelle-toi ton cours d'histoire, enchaîna Cornelia le plus sérieusement du monde. Cléopâtre s'est avérée l'une des femmes les plus dominantes de l'espèce humaine. À une certaine époque, cette reine de l'Égypte antique a fait frémir tout l'Empire romain.

Aux dires de Cornelia, Saphira se croyait la réincarnation de la célèbre pharaonne et se proclamait la messagère des temps modernes.

Une question me brûlait les lèvres :

— Mais en quoi précisément sont liés le mysticisme de Saphira, la quête de justice de la FSS et le sadomasochisme?

Un gant blanc s'est alors emparé de mon bol vide. Deux autres mains se sont empressées de nettoyer les miettes que j'avais éparpillées ici et là en déchirant le pain.

— Actuellement, Gabriella, je tente par tous les moyens d'obtenir une lettre d'invitation qui pourrait te permettre d'assister à un événement grandiose, celui dont je parlais tout à l'heure, justement, et qui me tient occupée depuis quelques jours. Une cérémonie qui saura répondre à la majorité de tes interrogations.

269

Cornelia n'aurait pu faire mieux pour piquer ma curiosité. Son sourire coquin me laissait croire qu'elle en était consciente et qu'elle s'en réjouissait. J'avais l'impression d'être entrée dans un monde parallèle où toutes les portes, comme par magie, s'ouvraient devant moi. Je ne me sentais pas capable de refuser quelque invitation que ce soit, ma curiosité était sans limites et j'avais soif de découvrir toutes les facettes de ce milieu que je connaissais depuis peu. À peine un an auparavant, je ne connaissais presque rien à cette réalité; j'étais fébrile rien qu'à découvrir un commerce et des magazines spécialisés en fétichisme. Je me trouvais maintenant en pleine ascension, sur la scène internationale, comme si cela m'avait toujours été destiné. Aussi, je me montrais très réceptive aux propositions. Je verrais bien où tout cela me conduirait. Je ne pouvais cependant m'empêcher de songer à ma bonne amie Brigitte qui, juste avant mon départ pour l'Europe, m'avait avoué être atteinte de fibrose pulmonaire idiopathique, une maladie rare, très souffrante et mortelle. Ses poumons se dégradaient progressivement, limitant de plus en plus sa respiration. Je comptais la tenir informée de mon périple afin qu'elle puisse, malgré tout, connaître mes états d'âme face à l'aventure que je vivais. D'un altruisme sans borne, elle ne me souhaitait que du bonheur, mais sa maladie me faisait sentir coupable de vivre tant de belles choses, alors qu'elle en était privée à cause de sa santé fragile.

— Tous les trois mois, la FSS organise une soirée autour d'un rituel de domination, m'apprit Cornelia. Les demandes de participation sont nombreuses. Malheureusement, les places sont limitées et coûteuses. C'est ici qu'a lieu la soirée la plus courue par les vrais sadiques de ce monde.

J'ai avalé tout rond la bouchée de salade aux patates que je venais d'arracher à ma fourchette.

— Ici, à votre château? me suis-je exclamée.

Cornelia a secoué la tête, le temps d'engloutir sa nourriture.

— Oh que non! Absolument pas! s'est-elle empressée de répondre. En fait, je dis ici en parlant de l'Allemagne, car l'emplacement précis n'est connu que par très peu de gens. Il s'agit d'un donjon privé dont nous gardons l'endroit secret, à l'abri de toute intrusion. C'est un établissement construit afin de satisfaire de manières précises les besoins de la FSS. Les déplacements de tous les participants, des invités et des dominatrices, s'effectuent toujours dans la plus grande clandestinité, et on prend soin de leur voiler les yeux lors du trajet. Tu verras bien, si jamais nous t'invitons.

Je ne pouvais comprendre la raison pour laquelle Cornelia me parlait de toute cette affaire. Pourquoi voulait-elle attiser ma curiosité sans la certitude que je sois conviée? Ma présence à la prochaine cérémonie était-elle déjà planifiée? J'en avais la nette impression.

— Mais ce soir, je veux te parler de nos propres installations, avait spécifié Cornelia. Ici, sur notre domaine, nous agissons tel un état souverain. Nous avons, par exemple, notre propre monnaie, appelée la « Domina ». Dès qu'un visiteur franchit nos portes, il doit se procurer notre devise – un puissant symbole de notre dominance – qui s'échange à dix fois la valeur du dollar américain. Peu importe le pays duquel nous proviennent nos visiteurs, l'utilisation unique de la « Domina » sur cette propriété rend les transactions plus simples, que ce soit pour se prévaloir de nos installations ou encore obtenir les services de nos dominatrices. Contrairement aux femmes invitées, que nous accueillons à nos frais, les esclaves des pays étrangers doivent payer en « Domina » leur séjour, que ce soit pour un simple box dans l'écurie ou encore pour une place à l'intérieur de nos quartiers, là où il en coûte beaucoup plus cher. C'est grâce à ces revenus, entre autres, que nous réussissons à commercialiser ce château. Quant aux services des dominatrices, les tarifs varient en fonction du prestige de l'une et de l'autre, mais ces revenus-là ne nous appartiennent pas, il reste les leurs, qu'elles soient résidentes ou invitées. Par ailleurs, nous avons vingt-sept esclaves permanents. Ce sont les serviteurs de la propriété, des gens qui travaillent un minimum de huit heures par jour sans aucune rémunération. Ils sont cependant nourris et logés, il va sans dire. Entre autres, nous avons des jardiniers, des cuisiniers, des chauffeurs, des masseurs. Des hommes de ménage, un majordome, un plombier et un électricien complètent notre équipe. Il ne manque qu'un peintre en bâtiment! Mais ça ne saurait tarder, avait-elle ajouté avec un sourire en coin.

Déjà, je rêvais d'un tel harem chez moi et à la façon dont je pourrais mettre le grappin sur ce genre d'adeptes.

— J'aimerais bien connaître votre méthode de recrutement, lui avais-je lancé à la blague.

— Tu n'as pas idée, Gabriella, de la facilité avec laquelle nous avons réussi à nous entourer d'hommes soumis. Ma foi, ce sont eux qui s'offrent à nous, qui nous implorent d'accepter leur candidature. Ils sont prêts à troquer leurs services pour se retrouver en présence de jolies femmes dominatrices. Seul Norbert, le propriétaire du domaine, est exempt du travail forcé.

À nouveau, je me suis presque étouffée avec la gorgée de vin que je venais d'avaler.

— Le propriétaire? Alors, vous ne faites que louer ce château?

— Pas du tout. En fait, cette propriété est sous mon contrôle depuis le jour où je me suis moi-même approprié les biens de Norbert.

— Mais bon sens, Cornelia, comment avez-vous réussi un tel tour de force?

Elle s'est alors penchée vers moi pour me dévoiler son secret.

— Tous les mardis, avant le décès de son épouse, Norbert me rendait visite en catimini à mon donjon de Venlo, à environ quinze kilomètres d'ici, juste au nord de la frontière. Une fois veuf, il a commis l'erreur de m'avouer son plus grand fantasme.

Cornelia avait ce talent pour raconter des récits piquants, empreints de mystère, dans le seul but d'amener son auditoire à rester suspendu à ses lèvres.

— Il désirait consacrer sa vie à une dominatrice de caractère, m'expliqua-t-elle. Une femme qui prendrait le contrôle complet de ses affaires.

Un large sourire étincelant a alors illuminé le visage de mon hôtesse.

— Imagine le scénario, Gabriella. Je n'avais plus qu'à lui annoncer les nouvelles règles du jeu, lui indiquer que je prenais possession de son domaine sur-le-champ et que, dorénavant, sa demeure me servirait de donjon personnel.

Un tourbillon d'idées folles m'envahissait. Je fantasmais à l'idée que ce puisse être MOI, la bénéficiaire de cette propriété.

— Remarque que je lui ai généreusement offert une petite pièce au sous-sol, s'est-elle esclaffée. Un endroit qui constitue, en quelque sorte, le dernier vestige de ses trésors d'autrefois. Il n'a que cette pièce pour se loger, conserver le peu de souvenirs que j'ai autorisés. Je possède tout le reste!

La bouche grande ouverte, j'étais en extase devant Cornelia. Sa prestance, son autorité, son pouvoir, autant d'attributs qui ne pouvaient qu'attirer mon respect, mes louanges. J'en avais oublié de manger mon rôti de porc devenu froid.

Les minutes suivantes m'ont permis d'apprendre d'autres détails au sujet de la relation qu'entretenaient Cornelia et Norbert. Entre autres, elle s'était servie de l'argent du propriétaire déchu pour payer l'aménagement complet du donjon, ainsi que la décoration des quarante-huit pièces du château. Maîtresse de ses finances personnelles, elle ne lui octroyait qu'un petit montant d'argent par semaine, une somme à peine suffisante pour acheter son tabac à pipe. Finalement, elle lui avait confisqué ses huit voitures, dont plusieurs de luxe, aux fins du transport des invités.

Dès l'instant où j'ai déposé mon couteau au bord de l'assiette, une jeune femme habillée d'un élégant costume bleu marine s'est présentée à l'entrée de la salle à manger. Les deux serviteurs qui se trouvaient tout près ont posé les genoux au sol. D'un geste de la main, Cornelia a fait signe à la brunette de s'avancer.

— Je te présente Gabriella, notre visiteuse du Canada.

La fille m'a saluée d'un léger mouvement de la tête.

— Nous avons un souci, madame Cornelia. Est-il possible de vous entretenir en privé?

Cornelia s'est levée de son fauteuil, s'excusant pour l'interruption avec la promesse d'un retour prompt.

Après m'avoir avisée, quelques minutes plus tard, que Cornelia ne pourrait me revenir, un esclave m'a servi un genre de gruau aux fruits rouges qu'ils appellent *Rote Grütze*. J'ai dû me contenter de la compagnie d'un esclave prenant place par terre à proximité. Voyant qu'il scrutait mes moindres gestes, j'ai pris soin de déguster chacune des petites baies que je déposais dans ma bouche entrouverte, tout en lui jetant des regards lubriques. Il fallait bien s'amuser un peu.

On m'a ensuite invitée à regagner mes appartements. Je suis donc retournée à ma chambre, où m'attendait Rouffi, mon serviteur attitré. Il avait tout préparé : mon bain, des serviettes chaudes, la literie, le petit chocolat sur l'oreiller et même le dentifrice sur ma brosse à dents!

À son grand désarroi, je ne lui ai octroyé aucune faveur sexuelle de domination, trop fatiguée pour avoir envie de quoi que ce soit.

— Je vais me coucher tôt. Tu peux disposer, lui avais-je annoncé d'une voix sèche.

∽

Lorsque j'ai ouvert les yeux au matin, un grand tapage animait la cour extérieure. Étonnée, je me suis précipitée vers la grande fenêtre, encore à moitié endormie. C'est alors que mes yeux plissés se sont ouverts tout grand. Au beau milieu de la place, on jouait du clairon près d'un homme attaché et nu, le visage contre un pilier de bois. La forme de ses fesses mollasses et ses nombreux cheveux gris laissaient deviner qu'il avait un certain âge.

Sur le coup, j'ai porté une attention particulière à l'euphorie générale qui régnait à l'extérieur. De retour au pied de mon lit baldaquin, je me suis laissé tomber nonchalamment sur le dos, avec l'intention de repasser dans ma tête le fil de la conversation de la veille avec Cornelia. Trois martèlements rapides contre ma porte ont eu tôt fait cependant de m'obliger à me relever.

— Je peux entrer, Maîtresse? me suppliait une voix timide et plaintive.

Vêtue uniquement de ma petite culotte et de mon soutien-gorge en dentelle, je suis allée ouvrir la porte. Un des serviteurs que j'avais rencontrés à la salle à manger le soir auparavant se trouvait à quatre pattes.

— Excusez-moi de vous déranger, a-t-il dit, mais j'ai cru entendre vos pas à l'intérieur. J'ai présumé que vous étiez éveillée.

Une main sur la hanche, je lui ai adressé un regard dédaigneux dirigé vers ses doigts écartelés au sol, sur lesquels j'avais une soudaine envie de marcher.

276

— J'ai une immense faveur à vous demander, Maîtresse, dit-il d'une voix frémissante qui trahissait sa nervosité. Depuis les premiers instants de notre rencontre hier soir, je n'ai cessé de penser à vous. Après une nuit entière dans la tourmente, j'ai réussi à prendre mon courage à deux mains ce matin.

— Non, mais cesse de tourner autour du pot! Que veux-tu, au juste?

— Euh… j'aimerais beaucoup recevoir une douche dorée de votre part.

J'ai contourné l'esclave afin de lui botter le derrière. Du doigt, je lui ai indiqué le chemin à suivre.

— Va t'étendre dans la baignoire. Commence à te masturber en attendant mon arrivée. Je compte pouvoir apprécier une érection soutenue lorsque tu recevras mon urine du matin en pleine figure.

En voyant le pantin saisir la boucle de sa ceinture, je suis intervenue de nouveau.

— Il est inutile de te dévêtir au complet, seulement ton pantalon. Je préfère mes esclaves bien trempés! Et n'oublie pas de fixer le bouchon du bain; je n'ai pas uriné depuis mon lever encore, alors ta douche sera généreuse.

Le pauvre a rapidement compris que j'étais une habituée des *golden showers*. Alors qu'il venait de s'allonger dans la cuve, sa tête près du drain, j'ai saisi la tringle du rideau de douche afin de me hisser sur le rebord du bain. Après quoi, j'ai déposé un pied du côté opposé pour ainsi chevaucher la baignoire et positionner mon entrejambe juste au-dessus de son visage. Sans plus attendre, j'ai laissé échapper les premières gouttes de mon urine, qui ont eu tôt fait de lui asperger le front. De manière progressive, j'ai augmenté le débit, m'assurant toujours d'atteindre la cible. Quand enfin mon jet a commencé à se loger dans sa bouche, je me suis soulagée pendant de longues secondes avec toute la puissance dont j'étais capable. Le pauvre s'est étouffé à quelques occasions en tentant de suivre la cadence et d'avaler tout ce que je lui offrais, mais de le voir ainsi peiner ne faisait qu'augmenter mon plaisir. Une fois le tout terminé, j'ai exigé qu'il se tortille au fond de la baignoire, question de bien imbiber de mon urine les vêtements qu'il portait toujours.

À ma sortie de la salle de bains, Rouffi se tenait au garde-à-vous devant ma porte de chambre, que j'avais omis de refermer. Surpris par la docilité du soumis qui me suivait à quatre pattes, tout mouillé avec le nez collé à mes fesses, il n'a pas bronché, sauf pour un léger pincement des lèvres qui en disait long. Il semblait un peu jaloux de l'attention que je venais d'accorder à cet autre esclave qui s'était immiscé dans mes quartiers à son insu.

— Ne t'inquiète pas, ton tour viendra, lui avais-je balancé.

Tout à coup, j'ai sursauté au bruit fracassant d'une série de trompettes qui retentissaient à l'extérieur. Le chorus semblait annoncer le début d'un événement d'importance. J'ai saisi le bras de Rouffi.

— Veux-tu bien me dire de quoi il s'agit? Quel est tout ce tapage depuis une heure?

— Aujourd'hui est le dix-huitième anniversaire de Victoria, la toute première fille née ici même, au château, à atteindre l'âge adulte, m'avait-il précisé. Au cours des dernières années, les dominatrices du domaine lui ont enseigné les rudiments du métier. Progressivement, ces leçons lui ont appris comment se servir de nous et les meilleures méthodes de sévices envers les soumis. Son grand jour est aujourd'hui arrivé.

— Je suis un peu confuse. Victoria est née ici, dis-tu?

— Euh... oui madame... Victoria est la fille de Norbert. Elle a vécu ici toute sa vie!

— Dis-moi : j'ai remarqué un homme bien ligoté au centre de la place, bien à la vue de tous. À quoi rime cette procédure?

— En guise de présent pour son anniversaire, madame Victoria a l'occasion d'infliger dix-huit coups de cravache à la victime de son choix...

J'ai serré les dents, de peur de connaître son identité. J'espérais me tromper de tout cœur, mais le physique de l'homme attaché me fournissait un indice révélateur.

— Non... pas Norbert? demandai-je, éberluée.

Bouche bée, les yeux ronds comme des ballons, j'ai enfilé un short en jeans et le premier chandail à me tomber sous la main. Je me suis dirigée vers le majestueux escalier en bois de chêne qui menait au rez-de-chaussée. J'avais du mal à concevoir que Victoria puisse s'apprêter à faire souffrir son propre père, à l'humilier en public.

J'étais à peine rendue à quelques mètres derrière Victoria lorsqu'elle a soulevé son fouet pour la première fois, sous les encouragements de ses consœurs et les cris des nombreux visiteurs en délire. C'est à ce moment précis que j'ai saisi la nature de sa démarche : elle désirait prouver ses capacités de dominatrice à l'homme dont elle était la fierté, lui indiquer que dorénavant, il devait se soumettre à ses caprices, au même titre que les autres femmes.

Avec flegme, Victoria s'est exécutée. À intervalles bien mesurés, elle lançait le fouet vers l'avant avec une force redoutable, puis s'approchait momentanément de l'homme afin de contempler l'expression sur son visage. Ni les filets de sang qui dégoulinaient, ni les larmes silencieuses du paternel n'ont ébranlé la jeune femme.

Le spectacle a pris fin avant que ne s'évanouisse le vieil homme. D'un air triomphant, Victoria s'est approchée de lui. En voyant bouger ses lèvres, j'ai compris qu'elle murmurait quelques mots à l'oreille de son père. Puis, juste avant de s'éloigner, elle a haussé le ton afin de s'assurer d'être bien entendue par les spectateurs :

— Je te possède, a-t-elle affirmé.

CHAPITRE 19
Jenilee

À l'aube de la dix-huitième édition de la Semaine internationale du fétichisme, le capitaine Gailloux songe à participer lui-même à quelques activités, car aucun autre détective au sein de l'équipe d'enquête ne possède une expérience équivalente à la sienne en matière de mœurs. L'optique de devoir se mêler aux adeptes de façon anonyme le tracasse; il évalue depuis un bon moment déjà la meilleure procédure.

Allongé au milieu des coussins, sur le divan de son sous-sol, il regarde d'un œil distrait le match de hockey du Canadien en réfléchissant aux paroles de la sexologue Caron. *Si la Justicière elle-même ne participe pas à l'événement, quelqu'un dans ce milieu doit à tout le moins la connaître,* pense-t-il sans trop savoir où cette mission d'infiltration le conduira. Au moment de la pause publicitaire, il baisse le volume de la télé et fouille les fentes de son divan à la recherche de son cellulaire tombé de sa poche. L'appareil en main, il compose un numéro, puis la voix enrhumée de la lieutenante Lyne Granger se fait entendre.

— Oh! Ne me dis pas que tu as la grippe, Lyne. Je croyais que la bouffe bio, les vitamines et le tofu allaient t'immuniser contre ce genre de désagrément...

— Ha ha… Très drôle. J'espère que tu ne me téléphones pas seulement pour me narguer.

— J'ai plutôt une faveur à te demander.

Il hésite, se mordille une lèvre. Reconnu pour ne pas avoir la langue dans sa poche, il appréhende pourtant cette fois la réaction qu'aura son interlocutrice. La sachant de nature plutôt réservée et conservatrice, il craint qu'elle ne s'énerve.

— Euh… j'aurais besoin de toi, vendredi prochain, pour m'accompagner à une soirée fétichiste.

Lyne éclate de rire.

— Décidément, tu ne m'appelles que pour te foutre de ma gueule...

— Mais non, je t'assure...

— Voyons… tu veux débarquer au festival, où tu penses passer incognito? En ma compagnie de surcroît? À mon âge, franchement, tu n'y penses pas...

— Écoute, Lyne, je suis très sérieux. À ce que je sache, il n'y a pas d'âge pour pratiquer le sadomasochisme, et puis tu n'as quand même pas quatre-vingts ans! Tu es une femme de belle apparence, dans la jeune quarantaine. C'est parfait! Fournier refuse toute implication d'Annabelle et tu es la seule autre femme au sein de l'équipe d'enquête. Nous deux, on pourrait passer pour un petit couple bien assorti.

Dans l'esprit de Gailloux surgit une image qui le fait ricaner en silence. Il ajoute :

— Bien sûr… une belle petite robe moulante en vinyle serait de circonstance, question de te fondre dans l'assistance sans trop éveiller les soupçons…

À l'autre bout de la ligne, Lyne reste muette. Elle se tire une chaise, ses jambes devenues molles ne la portant plus.

— Je… je ne suis pas du tout certaine de me sentir à l'aise dans cet environnement, Alex. Je ne crois pas être très bonne comédienne non plus.

— Ne dis pas non sans avoir pris le temps d'y réfléchir, Lyne.

— Bon, OK… laisse-moi penser à tout ça, finit-elle par proposer d'une voix anxieuse.

— Écoute, je dîne avec Jacques demain, après quoi je serai libre. Un café à ton bistro préféré vers quinze heures, ça t'irait?

— Si mon état enrhumé s'améliore, oui, sans doute.

— Parfait. Soigne-toi bien.

❧

Gailloux dépose son cappuccino sur la table puis regarde sa montre avec impatience. Sa collègue aurait dû arriver il y a plus de vingt minutes et elle n'a pas l'habitude des retards. Elle lui a pourtant dit qu'elle serait au rendez-vous. Pour la énième fois, il étire le cou afin de jeter un œil à l'extérieur.

— Ah! La voici, marmonne-t-il en voyant la lieutenante traverser le stationnement au pas de course, sous les fines gouttes de pluie, un parapluie fleuri au-dessus de sa tête.

Lyne rejoint Gailloux à sa table.

— Excuse-moi pour le retard.

Étonné, Gailloux dépose le journal qu'il feignait de lire.

— J'arrive de magasiner, ajoute-t-elle.

— De magasiner? Mais qu'est-ce que c'est que ces histoires de bonne femme? fait-il en grommelant. Je te croyais malade…

— Le tofu, les vitamines… qu'est-ce que je te disais? Les rhumes sont de très courte durée quand on s'alimente bien, alors je vais déjà beaucoup mieux.

Gailloux retient dans sa main le document qu'il s'apprête à remettre à Lyne, alors que cette dernière poursuit sa justification :

— Je suis passée par une boutique érotique SM ce matin. Me voilà avec trois costumes neufs assez provocants et un masque vénitien; je n'ai surtout pas envie de prendre le risque d'être reconnue! J'embarque dans ton projet, Gailloux, mais attention… pas d'idioties.

— TROIS? Tu as acheté TROIS ensembles? s'étonne le capitaine. Tu dois certainement avoir des idées derrière la tête, ajoute-t-il en décochant un clin d'œil à sa collègue, dont les joues s'empourprent.

Il dépose enfin le dépliant sur la table.

— Voilà, j'ai mis la main sur la programmation complète du Fetish Extravaganza.

Granger plaque sa paume contre l'image frontispice : une photo de femme chat assise sur une cage en métal, un homme à demi nu à l'intérieur. Son œil louche ensuite à gauche et à droite afin de s'assurer que personne n'observe.

— ALEX! Franchement… un peu de discrétion.

Gailloux hausse les épaules, amusé. Une main masquant toujours l'image troublante, la lieutenante porte de l'autre son thé à la bouche et avale une première gorgée du chaud liquide.

— Tu devras me guider, Alex, je ne connais rien à ce milieu. Quelle stratégie devons-nous adopter? demande-t-elle à voix basse.

— Nous allons nous mêler aux gens, discuter en toute innocence, poser des questions discrètes.

— C'est ça… rétorque-t-elle avec un sourire ironique. Je me vois demander, l'air de rien, en dégustant des amuse-gueule ou en savourant un petit cocktail : « À tout hasard, vous ne connaîtriez pas une sadique sanguinaire qui puisse nous aider à mettre un peu de piquant dans notre vie sexuelle? » Je ne vois pas trop comment ça pourra être subtil notre affaire…

— On trouvera bien. Il faudra improviser un peu, selon le contexte et nos interlocuteurs. Il y a tout de même moyen de s'informer au sujet des soirées privées, par exemple, ou encore de s'enquérir de l'emplacement des donjons; ce sera déjà ça de pris. On ne doit négliger aucune information. Il faut tout enregistrer, fait-il en piochant du doigt sur sa tempe. Commençons par sélectionner nos activités dans le cadre de cet événement.

Gailloux pointe le dépliant que dissimule toujours la paume de la lieutenante. Elle écarte les doigts et l'ouvre à la première page afin de consulter la programmation.

— J'ai encerclé les activités que je propose, souligne Gailloux.

Les yeux de Lyne s'obscurcissent.

— Alex, tu as presque TOUT encerclé! Seule la séance de photos n'est pas du lot! Heureusement remarque, parce que...

Gailloux peine à camoufler son rire.

— En effet, j'étais certain que tu n'accepterais pas d'être photographiée les seins nus en ma compagnie.

— Peux-tu cesser tes niaiseries? Je ne suis plus certaine de pouvoir te faire confiance une fois sur place, d'autant plus avec ton humour à la noix... Bon, allez, je n'ai plus que cinq minutes à te consacrer, je dois passer prendre le fils de ma voisine à son cours de guitare.

Lyne parcourt de nouveau le programme.

— Si je comprends bien, tu proposes le cocktail d'ouverture, le défilé de mode, tous les ateliers, une soirée au Daddy's, la tournée des commanditaires, le gala du samedi ainsi que le rassemblement de clôture dans les rues du centre-ville. C'est tout? Es-tu certain de ne rien oublier?

Du bout de son index, Gailloux tapote le coin inférieur du feuillet.

— Juste ici… tu oublies l'atelier sur les techniques de bondage.

— Bon… ça peut toujours être pratique au poste de police avec les détenus… balance-t-elle à son acolyte, qui est étonné de lui découvrir un peu plus d'humour qu'il ne lui connaissait jusqu'à présent.

❧

À leur sortie du Vieux Chariot, un chic restaurant du centre-ville très prisé par la communauté artistique de Montréal, le capitaine Alexandre Gailloux et la lieutenante Lyne Granger, vêtus pour la circonstance de manière assez excentrique, marchent bras dessus, bras dessous. Le faux couple se dirige en direction d'une adresse privée notée dans le calepin du capitaine. La veille, lors de leur participation à un atelier sur les jeux de rôles, ils avaient fait la connaissance de Heidi et Robert, un couple d'adeptes de SM qui les avait invités à prendre un verre chez eux, le lendemain, avant la soirée fétichiste au Daddy's.

L'accoutrement de Lyne – une jupe en cuir, des bas en filets et une brassière en dentelle noire recouverte d'un boléro – ne manque pas d'attirer l'œil taquin de Gailloux.

— On dirait bien que, malgré tes bonnes intentions, tu as manqué de budget pour les accessoires, s'esclaffe-t-il. Ce sont tes vraies menottes que tu portes à la ceinture?

La lieutenante lui lance un regard exaspéré, puis redirige son attention vers la lecture des numéros d'immeubles.

— Arrête de dire des conneries, Gailloux. Bon, 5150, rue des Érables. Nous y sommes.

Le capitaine frappe à la porte, qui s'ouvre ensuite sur les silhouettes de deux individus habillés de latex.

— Germaine! Nicholas! Bienvenue chez nous, s'exclame l'hôtesse.

Lyne bout en secret, toujours aussi rancunière en regard du prénom fictif que son collègue lui a inventé la veille, dans le feu de l'action, lors de leur rencontre avec le couple. Ils s'étaient pourtant mis d'accord sur le fait qu'elle devait se dénommer Glena, mais Gailloux, qui n'arrivait pas à retenir ce prénom, lui avait attribué celui de Germaine au moment de faire les présentations.

— Et votre femme, comment s'appelle-t-elle? lui avait demandé Heidi.

— Euh… Germaine… avait hésité Gailloux, pris au dépourvu juste avant que Lyne, un peu distraite par l'agitation de l'assistance, ne se retourne vers eux et tende la main vers Heidi pour lui serrer la pince.

— Enchantée, Germaine, c'est un plaisir de vous rencontrer, avait assuré Heidi.

Lyne était restée figée, interloquée, incapable de réaliser ce qui venait de se passer. Elle s'était ressaisie à l'instant, soucieuse de ne laisser paraître aucune faille dans son rôle, et avait rétorqué, avec un large sourire dissimulant sa rage secrète à l'endroit de Gailloux, qu'elle était également enchantée de faire leur rencontre. *Je vais te faire payer cher la note, mon sacripant,* avait-elle ruminé en soupçonnant Gailloux d'avoir fait exprès pour se rire d'elle encore une fois. Le fusillant du regard, elle lui avait écrabouillé les orteils en toute discrétion, en pivotant sur elle-même de tout son poids, dès que les têtes s'étaient retournées vers l'animateur qui annonçait la suite des événements. Gailloux s'en était mordu l'intérieur des joues, souffrant en silence, en feignant de flatter les poils de sa barbe de week-end. Il avait ensuite fait semblant de tousser dans le creux de sa main pour cacher sa grimace de douleur. Il avait aussitôt placé son autre main sur la taille de sa Germaine pour lui pincer des doigts un petit pli de peau et l'obliger à relâcher sa pression. *La garce,* avait-il maugréé en son for intérieur, *elle n'ignore pas que je me suis cogné le petit orteil au coin du lit il y a quelques jours.* Il s'en était plaint au travail dès le lendemain en arrivant au bureau. Lyne, en relâchant la pression, avait regretté de ne pas avoir eu la répartie assez prompte pour avoir riposté au bon moment, dans un faux éclat de rire, que son mari blaguait, évidemment, et qu'elle ne s'appelait pas Germaine. Il était trop tard pour récupérer la situation. La voilà qui était irrémédiablement affublée de ce prénom ridicule.

Un verre de vin blanc à la main, Heidi les invite à passer au salon. Son conjoint leur offre du vin ou de la bière, à leur convenance. Elle leur parle quelques instants plus tard de son origine allemande et leur apprend qu'elle vit au Québec depuis une dizaine d'années. Sa rencontre avec Robert, un photographe d'ici, remonte à l'époque où elle était en visite au Canada pour la tournée publicitaire d'un fabricant de parfum. Elle était tombée amoureuse de lui, ce qui l'avait incitée à traverser l'Atlantique pour s'installer au pays en permanence.

La « Germaine », malgré elle, écoute en acquiesçant. Gailloux, distrait par une pensée qui le traverse, a du mal à suivre la conversation. Peut-être sans le savoir trinquent-ils avec la meurtrière. Une idée soudaine monopolise son esprit : peut-être que Peters se trouve prisonnier dans la cave? Il tend l'oreille en toute discrétion, au cas où des bruits proviendraient du sous-sol. Ramenant son imagination à l'ordre, il place sa main sur le genou de sa fausse conjointe en esquissant un sourire anxieux.

— Voilà, nous avons assez parlé de nous, achève Heidi. Racontez-nous un peu votre cheminement.

C'est le moment que Gailloux attend avec impatience, l'occasion de raconter l'histoire jalonnée de mensonges préparée plus tôt lors d'un petit caucus avec Granger.

— Nous sommes en couple depuis près de vingt ans, annonce-t-il en ramenant tous ses esprits dans le moment présent.

Le plus sérieusement du monde, il consulte la lieutenante du regard. D'un léger hochement de tête, Lyne acquiesce.

— Nous sommes encore un peu néophytes en matière de fétichisme et de sadomasochisme, annonce-t-elle en prenant le relais, inquiète de laisser la parole à son fin finaud de collègue. Elle n'ose plus lui accorder son entière confiance. Nous avons bien expérimenté quelques pratiques dans l'intimité, poursuit-elle, mais nous sentons le besoin d'explorer et de découvrir les possibilités qui s'offrent à nous afin de mettre un peu de piquant dans notre vie sexuelle. Après vingt ans, vous savez… nous cherchons à briser la routine et à entretenir la flamme.

Gailloux, pour l'encourager dans cette voie, lui prend la main.

— Germaine insiste depuis des lunes pour que j'accepte de l'accompagner à une soirée fétichiste, ajoute-t-il alors que cette dernière appréhende ce qu'il va inventer. J'avais des réticences au début, je me disais que c'est le genre de chose qui doit rester privé, mais elle a réussi à me convaincre. Elle ne cesse de me répéter qu'il s'agit d'un milieu plutôt fermé où les gens sont discrets, étant habitués à mener ce genre de vie en parallèle à leur vie quotidienne. Alors, j'ai finalement accepté de participer à quelques activités du festival cette année.

— Tout à fait, mon chéri, renchérit Lyne, quelque peu soulagée par le bon sens de son improvisation. J'espère découvrir des techniques de domination et pouvoir m'en inspirer ensuite. J'aimerais peut-être aussi bénéficier de l'enseignement d'une dominatrice professionnelle. Une femme qui saurait m'apprendre les rudiments du métier, m'assister dans mon désir d'infliger quelques bonnes corrections à mon beau Nicholas. Il le mérite *tellement,* ajoute-t-elle en insistant sur le mot et en dirigeant un clin d'œil narquois vers le capitaine qui, dans l'impossibilité de répliquer comme il le souhaiterait, se contente d'esquisser un petit sourire idiot.

Gailloux avale une autre gorgée de sa Heineken. Il se recule ensuite au fond du fauteuil, prêt à laisser poursuivre Lyne, qui semble se débrouiller pas mal en matière d'improvisation.

— Je souhaite lui présenter une femme d'expérience en sadomasochisme, poursuit la lieutenante. Peut-être sauriez-vous nous faire vos recommandations et nous fournir quelques références professionnelles?

— Le milieu n'est plus ce qu'il était jadis, souligne Heidi. À son point culminant, il y a de ça une dizaine d'années, par exemple, nous pouvions bénéficier d'une grande quantité de boutiques spécialisées ainsi que d'un vaste choix de magazines bien documentés sur le sujet. Le milieu montréalais organisait un party sadomasochiste tous les mois et un groupe de maîtresses impérieuses œuvrait de manière professionnelle. De nos jours, mis à part ce Fetish Extravaganza, quelques donjons parsemés ici et là et une poignée de rassemblements privés, les adeptes n'ont plus beaucoup d'occasions de vivre et de célébrer leurs fantasmes. Avec le temps, le fétichisme a fait place à l'échangisme, la pratique de l'heure.

Les regards des enquêteurs se croisent.

— Je comprends, oui, réagit Lyne, tout ça n'est souvent qu'un effet de tendance, comme si les gens n'avaient pas de personnalité propre et devaient s'en remettre aux diktats de la mode, même en matière de sexualité. C'est un peu pathétique. Enfin… en ce qui nous concerne, il s'agit plutôt d'une quête personnelle, à la suite de quelques années de réflexions et quelques mois d'expérimentation dans l'intimité. Nous sommes prêts à aller de l'avant, peu importe les tendances actuelles.

— Mais… vous avez parlé de maîtresses impérieuses. Je suis intrigué, enchaîne Gailloux, quelque peu excité de voir poindre à l'horizon une piste possible. Il me semble que ça correspond à ce que nous cherchons. Pouvez-vous nous en parler davantage? Y en a-t-il qui pratiquent encore aujourd'hui et dont nous pourrions bénéficier des services?

— Ouf! Comme ça... non. Aucun nom ne me vient à l'esprit. Quelques-unes bossent toujours, mais il y a belle lurette que je n'entends plus parler d'elles.

Robert, silencieux depuis le début, se lève tout à coup en annonçant qu'il a peut-être quelque chose pour les aider. Il se dirige vers un grand bahut en bois situé juste derrière le fauteuil de Gailloux. De plusieurs tiroirs, il extirpe quantité de journaux et de magazines. S'exclamant qu'elle avait oublié ces papiers-là, Heidi s'empresse de le rejoindre afin de lui donner un coup de main dans ses recherches.

— Je me souviens de quelques filles qu'on retrouvait dans les revues, à l'intérieur des publications internationales. Nous avons peut-être encore leurs coordonnées dans ces documents...

Heidi se penche tout près de Gailloux et cherche parmi un fouillis de journaux. Ce dernier pose un regard indiscret, devant l'œil réprobateur de sa collègue, sur le fessier bien enrobé qui se trouve à quelques centimètres de son visage.

— J'ai trouvé! s'exclame Heidi après deux minutes.

Elle tend l'hebdomadaire à Gailloux, qui cherche d'abord la date de publication, neuf ans plus tôt. Il consulte la rubrique que lui pointe Heidi dans la section des petites annonces.

« Nous sommes deux jeunes dominatrices dans la vingtaine, très jolies, disponibles pour soumis avertis. Recevons seules ou en duo dans un donjon haut de gamme. Limites respectées... en général! Contactez Maîtresse Brigitte ou Maîtresse Gabriella au... »

Gailloux s'arrête de lire en tentant de dissimuler sa surprise, étonné de voir apparaître sous ses yeux le nom des deux femmes dont il était question dans la déposition de Sinclair. D'un air nonchalant, il plie en deux le magazine.

— Nous regarderons ça à tête reposée ce soir ou demain. Je peux le conserver?

— Bien sûr, assure Heidi.

Robert consulte sa montre et s'aperçoit qu'il commence à se faire tard.

— Alors, nous y allons à cette fameuse soirée?

Soucieuse de retoucher son maquillage avant de se rendre à l'événement, la lieutenante demande à faire un petit tour aux toilettes. Heidi lui indique le chemin à suivre tandis que Gailloux se hisse de son fauteuil et que Robert s'absente quelques instants, le temps d'aller quérir son appareil photo. Heidi reste au salon avec le capitaine. Après un moment de silence, ce dernier s'avance vers le meuble de télé, situé sous le grand écran plat fixé au mur, et jette un œil nonchalant aux pochettes de DVD. Il se penche et fait glisser son doigt sur la tranche des boîtiers en inclinant la tête pour lire les titres : *Le silence des agneaux... Massacre à la tronçonneuse... Vendredi 13...* la série complète de *Dexter...*

— Ahhh! C'est une belle collection, s'exclame-t-il en adressant à son hôtesse un faux sourire.

— En effet, acquiesce Heidi avec fierté, comme vous pouvez le constater, je suis une véritable cinéphile.

— Je vois…

— J'en ai des centaines encore dans l'armoire juste à votre gauche. Je suis fascinée par les effets spéciaux, entre autres, et les techniques de tournage dans les films d'épouvante. C'est parfois du grand art, vous savez. Certaines scènes sont de purs bijoux et sont devenues des classiques.

— Oui… comme *Le silence des agneaux,* par exemple. Un incontournable n'est-ce pas? avance Gailloux, quelque peu intrigué par la passion de son interlocutrice pour le morbide.

— Tout à fait!

— Vous achetez les DVD parce que vous vous plaisez à les regarder plusieurs fois, ces films cultes ou…? demande-t-il d'un air désintéressé, dans l'espoir de l'amener à en révéler plus.

— Exactement, déclare Heidi en fixant Gailloux d'un regard langoureux. Certaines scènes de cruauté sont délectables, presque jouissives. Aussi, on ne se lasse pas de les regarder encore et encore. J'y puise même parfois certains fantasmes de torture qui ne manquent pas d'agrémenter ma vie sexuelle, précise-t-elle en se reculant sur son siège, prenant ses aises comme une souveraine tout en s'amusant du léger malaise qui apparaît dans les yeux du capitaine.

Gailloux déglutit discrètement, incertain des intentions de son interlocutrice. Est-elle en train de le défier avec ses déclarations, ou bien veut-elle flirter avec lui en l'absence de leur conjoint respectif?

— Que diriez-vous d'une photographie de nous quatre avant notre départ? propose Robert en revenant au salon.

— Euh… je ne crois pas, bredouille Gailloux, soulagé de cette intervention qui dissipe un peu son malaise. Je vous avoue que Germaine déteste se faire photographier. À vrai dire, elle n'est pas très photogénique, précise-t-il en baissant le ton de façon significative. Mais n'en parlons plus, au risque de la contrarier.

Pendant ce temps, devant le miroir de la salle de bains, Lyne assure les dernières retouches à son maquillage outrancier et applique une généreuse épaisseur de fard à paupières. Elle a besoin de ce masque de poudre comme d'un camouflage derrière lequel se camper pour mieux jouer son rôle en public. Satisfaite, elle rejoint enfin le groupe, anxieuse d'obtenir leurs impressions sur son allure. Gailloux, qui a le dos tourné, ne remarque pas son arrivée. Lyne lui pioche gentiment sur l'épaule. À la vue de son visage, le capitaine sursaute :

— Sapristi!

— Quoi…?

Gailloux éclate de rire.

— Tu n'aimes pas? demande-t-elle, froissée.

— Excuse-moi, Germaine. Mais oui, j'adore. Tu es prodigieuse, le look raton laveur te va à merveille.

Granger ne se gêne pas pour lui balancer une bonne claque derrière la tête à laquelle Gailloux est forcé de se soumettre sans trop rouspéter. Elle lui adresse un petit sourire sardonique, jouissant en silence de cette conjoncture qui autorise sa suprématie devant témoins. Elle commence à y prendre goût en se disant que, tant qu'à jouer la comédie, il faut en profiter pour s'amuser un peu. De le faire aux dépens de Gailloux est d'autant plus satisfaisant. C'est un bon moyen de le prendre à son propre jeu, de lui faire payer chèrement le prix de l'avoir entraînée dans cette galère, et qui plus est, de l'avoir baptisée Germaine. Elle a bien l'intention de lui montrer qu'elle n'est pas si mauvaise actrice finalement et qu'elle ne joue pas son rôle à demi.

Sur le trottoir, les deux couples bavardent en se dirigeant vers le Daddy's, un bar de renom qui se métamorphose en club fétichiste une fois l'an. Devant l'entrée, ils se joignent à une longue file de gens qui avancent lentement. Lyne profite de ce moment pour admirer l'excentricité des participants tout en camouflant son visage derrière son masque vénitien. Gailloux se penche sur son épaule :

— Plutôt fascinante, cette variété de masques, capes en vinyle, harnais de cuir, pantalons sans fesses et chapeaux emplumés. On se croirait au Mardi gras...

Dès leur entrée, le regard du capitaine est attiré par une gigantesque affiche publicitaire fixée au mur du fond et surplombant la scène. Elle illustre une femme moulée dans un costume en caoutchouc, un masque à gaz sur le visage. De grosses lettres attachées imprimées en diagonales sur l'affiche indiquent son nom d'artiste : *Déesse Jenilee.* Sa prestation est prévue pour 22 h 30. Il jette ensuite un œil en direction de Lyne, forcé d'admettre qu'avec ce costume excentrique et ce fameux masque à plumes, elle se fond parfaitement parmi les clients du club. Elle qui, dans sa vie quotidienne, revêt des airs de femme rangée prend en ce moment des allures de redoutable séductrice. Cette métamorphose l'étonne et n'est pas sans alimenter dans son imaginaire quelques petites pensées déplacées…

Aux quatre coins de la piste de danse, des cages s'élèvent jusqu'au plafond. À l'intérieur de chacune se dandine une femme aux pantalons moulants et au bustier transparent, sur le rythme d'une musique techno. Des serveuses aux casquettes mauves, les cheveux en queue de cheval, fourmillent parmi quelques centaines de clients. Dispersés un peu partout, des kiosques aux multiples thématiques accueillent les curieux. Échantillons de boissons énergisantes, stands de tatouages, de piercings… Il y en a pour tous les goûts. Au comptoir dédié aux fervents du latex, des volontaires expliquent comment bien prendre soin de ce type de vêtement et offrent un échantillon de produit redonnant du lustre aux costumes. Sous le rythme endiablé de la musique, la foule s'agglutine sur la piste de danse comme des mouches sur de la confiture. Lyne observe les spécimens avec grand intérêt et en conclut que toute cette agitation et ce tapage ne sont plus de son âge.

Heidi repère enfin une table inoccupée à l'entrée d'un corridor menant aux toilettes.

— Là-bas, il y a une table vacante, suggère-t-elle. À proximité des services et à distance des haut-parleurs. Quoi demander de mieux?

Le capitaine Gailloux ferme la marche. Au passage, ils croisent un petit groupe de dominatrices assises en rond sur des tabourets. Par terre sont agenouillés des soumis qui massent leurs pieds ou polissent leurs bottes. À tour de rôle, il scrute leurs visages en tâchant de repérer des traits ressemblant aux portraits de Sinclair. À maintes reprises au cours de la soirée, il explore la salle, tente de localiser les femmes qui répondent aux portraits qu'ils ont reçus.

Peu à peu, des techniciens s'activent sur les planches, en préparation du spectacle de Jenilee, l'invitée vedette. La présence d'un fauteuil roulant au beau milieu de la scène suscite la curiosité de Gailloux, qui étire le cou pour mieux voir.

— Vous avez vu ça? demande-t-il à ses compagnons de table avant de se lever et de s'approcher pour mieux voir.

Heidi et Robert se retournent juste à temps pour remarquer l'entrée sur scène d'un homme efféminé, dont les mains sont pleines d'objets de toutes sortes. Sur le siège du fauteuil, il dépose un masque à oxygène, un long tube en néoprène, un costume en caoutchouc, quelques sacs de plastique ainsi que plusieurs petits objets en silicone. Le technicien s'absente momentanément, puis revient avec une housse mortuaire.

Au même moment, le capitaine Gailloux revient de sa petite tournée et s'assoit sur la seule chaise toujours disponible à la table. Mais personne ne le remarque, les regards de ses trois comparses étant tous braqués sur la scène.

— Il s'agit d'une présentation sous le thème de l'asphyxie, précise Robert. Ce sont là les accessoires dont Jenilee aura besoin.

— L'asphyxie? Ça semble plutôt dangereux! s'inquiète Gailloux.

— En effet. La dominatrice prend le contrôle de la respiration du soumis. Une des techniques consiste à restreindre la quantité d'oxygène dans son air ambiant. Elle peut aussi hausser le niveau de dioxyde de carbone qu'il respire. Ce résultat peut s'obtenir de plusieurs façons, elle peut par exemple expirer dans un tube relié à la bouche de sa victime. Cette pratique est hautement dangereuse, c'est d'ailleurs l'un des jeux les plus risqués dans le domaine du SM. Rares sont ceux qui possèdent l'expertise nécessaire à une expérience sécuritaire...

La musique diminue, le brouhaha s'estompe, l'animateur prend la parole :

— Bonsoir, mesdames et messieurs! C'est avec grand plaisir que nous vous accueillons ce soir à l'occasion de la dix-huitième édition du Fetish Extravaganza! Nous vous souhaitons des rencontres intéressantes et des découvertes qui sauront alimenter vos fantasmes les plus fous! Et maintenant, sans plus attendre... roulement de tambour! Le moment que vous attendez tous... Voici JENI... LEEEEEEEE!

De l'arrière-scène surgit une silhouette féminine vêtue d'une longue cape noire, le visage masqué par une cagoule en latex. À ses pieds, un esclave presque nu – vêtu d'un seul cache-sexe – tente de suivre la cadence de ses pas en marchant à quatre pattes. La vedette retire sa cape d'un geste ample et élégant. Le rythme de la musique techno reprend de plus belle.

— On dirait une poupée gonflable vivante! commente Gailloux en voyant le costume de caoutchouc de l'artiste.

Une vague d'applaudissements envahit la salle. Le détective est attentif aux moindres actions de Jenilee. Il observe aussi sa taille, sa stature, son tour de poitrine, la courbe de ses fesses, et tente de deviner les traits qu'elle dissimule sous cette cagoule de bourreau.

La dominatrice impose à sa victime de revêtir le costume en caoutchouc apporté plus tôt sur la scène et lui recouvre ensuite le visage d'un masque à gaz, sous les regards excités de la foule. D'une curiosité insatiable, Gailloux demande à Granger de l'excuser et s'avance au seuil de la scène, alors que la maîtresse s'apprête à amorcer sa technique d'asphyxie érotique. L'animateur explique à l'assistance la procédure employée et les règles de sécurité auxquelles on doit recourir lors de ce genre de pratique risquée. La lieutenante est quant à elle figée sur place, obnubilée par le spectacle.

L'enquêteur reste quelque peu en retrait, au pied du rideau, et jette un regard aux spectateurs, dont les yeux sont rivés vers la performance. Le public se compose d'hommes et de femmes de tous les âges. Il s'étonne de réaliser que jamais il n'aurait pu les soupçonner d'être adeptes de SM s'il les avait rencontrés ailleurs qu'à cet endroit. Cette réflexion le distrait quelque peu et il repasse en mémoire les gens de son entourage; lesquels d'entre eux pourraient mener cette double vie? Il éprouve de la difficulté à imaginer la chose. Cette prise de conscience le plonge dans un grand doute qui commence à l'insécuriser : se peut-il qu'il connaisse aussi mal la véritable nature de gens qu'il côtoie tous les jours? Et s'il fallait qu'il rencontre par hasard dans cet endroit quelqu'un qu'il connaît bien, comment conviendrait-il de réagir alors qu'il est ici en mission et non pas par intérêt personnel?

Une exclamation de la foule l'arrache à ses pensées vagabondes. La dominatrice vient de s'emparer d'une bonbonne de nitrogène et s'apprête à injecter le gaz à l'intérieur du masque.

L'agent double se rapproche de l'avant de la scène et attire bien malgré lui l'attention de deux gardes de sécurité, qui lui demandent de reculer légèrement. Il obtempère d'un hochement de tête, mais il sent bien que les agents l'ont maintenant à l'œil. Il tente alors de se comporter de manière à ne pas trop éveiller de soupçons. Il redirige son attention sur la prestation au moment où l'esclave commence à se tortiller au sol, l'intérieur de son masque étant maintenant contaminé par une haute concentration de nitrogène, ce qui le prive d'oxygène.

L'espace de quelques secondes, la dominatrice relève la tête vers le public et plonge avec insistance son regard dans celui de Gailloux. Le capitaine ressent une petite bouffée de chaleur et détourne vite les yeux; à son grand étonnement, il se sent envahi par un léger inconfort : est-ce le charisme particulier de la diva qui l'intimide? Pourquoi donc est-il décontenancé à ce point par le regard pénétrant de cette femme? Autant il se découvre craintif devant la prestance de cette étrangère, autant ce regard lui semble receler quelque chose de familier qui le met en confiance. Il relève les yeux en cherchant à croiser de nouveau les prunelles de la dominatrice, mais peine perdue, elle lui tourne maintenant le dos afin de retirer en vitesse le masque de l'esclave avant qu'il ne s'étouffe mortellement. Gailloux est complètement ahuri en réalisant que l'asphyxie est ni plus ni moins la méthode par laquelle sont mortes les deux premières victimes de la Justicière. Ces fameuses dominatrices sont-elles toutes issues de la même école? Celle qui se trouve devant lui est-elle la meurtrière recherchée? Une puissante décharge d'adrénaline envahit les veines de Gailloux tandis que Jenilee pivote encore une fois sur elle-même, en un ample mouvement de danse, et termine sa performance en saluant avec panache les spectateurs impressionnés.

Elle file ensuite dans les coulisses en quelques bonds gracieux de ballerine. Sans pouvoir se l'expliquer à lui-même, comme si tout reposait sur une sorte d'intuition, Gailloux a le curieux sentiment qu'elle vient de lui filer d'entre les doigts. Sans plus attendre, il emprunte le petit corridor situé à proximité de la scène et qui mène aux coulisses. Dans la pénombre, un garde lui bloque l'accès, mais sous le halo d'une lumière, l'enquêteur lui montre discrètement son badge.

— Je dois interroger Jenilee, déclare-t-il. Menez-moi à sa loge.

Après avoir examiné son badge de policier, l'agent de sécurité le conduit à la loge située au fond du couloir et lui demande d'attendre un instant. La porte est restée entrouverte et alors que l'agent s'éloigne, Gailloux la pousse de la main jusqu'à l'ouvrir totalement. La pièce est vide. Il évalue rapidement les alentours et aperçoit à l'entrée de l'allée un homme en complet-veston qui s'avance en sa direction, accompagné de l'agent de sécurité.

— Je peux vous aider, monsieur? Vous cherchez...

— Où est passée l'artiste? demande Gailloux en haussant le ton, sans faire de politesse.

— Elle a déjà quitté les lieux, ce qu'elle fait toujours très rapidement d'ailleurs, lui répond le gérant du cabaret.

— Déjà? Bordel!

— Désolé, monsieur. Si vous le voulez bien, je vais vous raccompagner...

— Je suis policier, déclare Gailloux en dégainant son badge. Je dois l'interroger. Qui est-elle, comment puis-je la joindre?

— Nul ne connaît son véritable nom, monsieur, ni comment la joindre directement. Il nous faut toujours traiter avec son agente.

— Alors, donnez-moi les coordonnées de cette agente! gueule le capitaine, impatient, tandis qu'on entend encore les exclamations de la foule et la musique, dont le volume augmente.

— Nous ne les avons pas, monsieur. C'est toujours elle-même qui nous contacte et l'inverse n'est pas possible. Les clauses de notre contrat l'interdisent d'ailleurs, lui apprend le gérant en élevant la voix pour être bien entendu malgré la cacophonie.

— CRISSE! postillonne Gailloux en balançant dans la porte un coup de pied qui ravive la douleur à son petit orteil.

CHAPITRE 20
Le froussard

Seul dans une petite salle du poste de police de Mascouche, Gérard Tanguay attend depuis plus d'une heure le retour de l'inspecteur Fournier. Quelques gouttes de sueur lui perlent au front, bien que ce soit lui qui ait réclamé un entretien avec le responsable du dossier de la Justicière.

En arrivant au poste, sans même prendre le temps de se débarrasser des dossiers qu'il a sous le bras ou encore de retirer son manteau imprégné de pluie automnale, Fournier se dirige tout droit vers une pièce située à l'extrémité du couloir. Il entre et referme vivement la porte derrière lui.

— Vous vouliez me voir, monsieur Tanguay? demande-t-il de manière un peu brusque en laissant tomber sa pile de documents sur la petite table de bois.

Assis sur une sobre chaise de métal, au milieu du local dépouillé, l'homme fixe l'inspecteur d'un regard assombri par la ride profonde qui creuse son front, entre ses sourcils. Il tend en direction de Fournier une main moite, que ce dernier choisit d'ignorer.

— En effet, inspecteur… bafouille-t-il, embarrassé. C'est au sujet de la Justicière.

Fournier s'assoit sur sa chaise, plaque ses avant-bras sur la table et fixe Tanguay dans le blanc des yeux. Il n'éprouve aucune espèce de pitié envers celui qui vient à peine d'obtenir l'absolution des tribunaux, malgré le meurtre avoué de ses deux jeunes enfants, l'hiver dernier. L'homme avait poignardé les deux petites victimes, suite à quoi il avait tenté de se suicider au monoxyde de carbone en s'enfermant dans le garage attenant à la maison familiale. Le jury ayant établi qu'il avait agi sans être en pleine possession de ses facultés, on avait abandonné la charge d'homicide volontaire.

Tanguay baisse les yeux, s'accommodant mal de ce blâme silencieux. L'inspecteur s'appuie au dossier de sa chaise en observant avec mépris l'homme qui le fuit toujours du regard. Il devine assez bien les raisons pour lesquelles le responsable de l'infanticide se trouve devant lui. Ce dernier doit bien avoir saisi, à la lumière des déclarations médiatisées de la Justicière, qu'il a le profil parfait pour se trouver dans la mire de la sanguinaire vengeresse. D'ailleurs, il trouve assez comique que le bourreau se retrouve aujourd'hui, grâce au karma peut-être, en position d'être victime d'un meurtre.

— Je suppose que vous espérez la protection des policiers? lance-t-il au moment où son interlocuteur croise son regard.

Les épaules du grand châtain s'affaissent.

— Écoutez, monsieur Tanguay : tout le monde ici comme ailleurs connaît bien votre histoire, poursuit-il sans attendre de réponse de sa part. Votre sordide affaire a alimenté les propos de toute la population ces derniers mois. Votre photo s'est retrouvée dans les médias numériques, imprimés et télévisés des centaines et des centaines de fois lors de votre procès. Par conséquent, nous vous tenons déjà à l'œil. Que souhaitez-vous de plus?

Depuis le prononcé du verdict décrétant sa libération, Tanguay a reçu de nombreux messages de haine et a été témoin du tollé que la nouvelle a soulevé dans les médias et sur les réseaux sociaux; il est sur le point de développer un torticolis tant il ne cesse de regarder par-dessus son épaule de crainte d'être agressé, mais le voilà étonné d'apprendre qu'il fait l'objet à son insu – s'il a bien compris – d'une filature policière.

— Dès le moment où nous avons appris l'imminence d'une récidive de la Justicière, notre équipe a placé votre nom au sommet d'une courte liste de victimes potentielles, poursuit Fournier. Vous protéger, c'est aussi augmenter nos chances de mettre la main au collet de la Justicière.

— Je vois… souffle l'assassin en ravalant sa salive.

Son visage devient livide, presque aussi pâle que sa chemise.

— Si je comprends bien… je ne suis pour vous rien d'autre qu'un appât de choix pour capturer cette déséquilibrée.

— Nous avons le contrôle de la situation, monsieur Tanguay. Si ça peut vous rassurer quelque peu, notre travail consiste tout de même à protéger les citoyens, quels qu'ils soient, et ce, même s'ils ne jouissent pas d'une très bonne réputation.

— Cette Justicière agit à sa guise, monsieur Fournier, et elle se fout de votre gueule! C'est ELLE qui détient le contrôle! Je me demande bien de quoi elle se mêle, cette connasse... J'ai subi mon procès, la justice a suivi son cours et j'ai été libéré.

— C'est ça… vous lui expliquerez votre version, quand vous aurez le plaisir de la rencontrer, susurre Fournier avec un petit sourire caustique.

L'inspecteur fixe de nouveau son interlocuteur dans les yeux.

— Donc, maintenant, si vous voulez bien, j'ai beaucoup de boulot avec cette affaire, alors vous allez nous laisser effectuer notre travail comme il se doit, décrète-t-il d'une voix grave. Du reste, jugé ou pas, je crains que ça importe peu à la Justicière, selon ce que j'en sais jusqu'à présent.

Deux timides coups se font entendre derrière la porte, qui s'ouvre à demi. Le visage d'Annabelle apparaît dans l'entrebâillement.

— Excuse-moi, Jacques, mais je dois te parler dès que tu seras libre.

D'un geste de la main, Fournier l'invite à entrer et lui présente le visiteur.

— Annabelle, monsieur Tanguay ici devant s'inquiète un peu de son sort et a demandé à me rencontrer dans l'espoir de pouvoir bénéficier d'une protection policière. Je lui ai expliqué de quoi il en retourne à l'heure actuelle…

Annabelle scrute l'homme d'un regard oscillant entre méfiance et dédain. Elle n'a pas tellement envie de rester en présence de cet individu qui lui donne la nausée, rien qu'à imaginer l'horreur qu'il a fait subir à sa propre progéniture.

— Je vais t'attendre à l'extérieur, Jacques, annonce-t-elle en tournant les talons.

— Très bien, à tantôt, Annabelle. Sachez à tout le moins, reprend Fournier à l'adresse de Tanguay, que des agents surveillent depuis peu vos déplacements de façon continue. Je vous suggère d'ignorer leur présence et de les laisser opérer en toute discrétion, comme il convient de le faire.

Fournier demande à l'homme de patienter quelques instants et quitte la pièce pour se rendre à son bureau, où il dépose l'amas de documents avec lesquels il est entré au travail ce matin. De l'une des filières de son classeur, il retire une brochure sur laquelle est inscrit « 911 » en gros chiffres rouges. Dès son retour à la salle d'interrogatoire, il s'empresse de glisser le feuillet dans les mains de Tanguay.

— Voici un peu de lecture, monsieur Tanguay. Des conseils qui pourraient s'avérer fort utiles en cas de braquage à domicile.

L'inspecteur enchaîne avec une tape dans le dos pour lui indiquer que l'entretien est terminé. L'homme avale de travers; un frisson lui descend le long de l'épine dorsale.

— Ah oui! Quelques derniers petits trucs avant votre départ, ajoute Fournier : il faut rester visible, se déplacer normalement. Si vous devez sortir, faites-le dans des endroits achalandés, ce sera plus sécuritaire.

De sa poche arrière, il retire un morceau de carton aux coins arrondis par l'usure.

— Voici ma carte… vous pouvez me contacter en tout temps, lui indique-t-il tout en le raccompagnant vers la sortie.

CHAPITRE 21
Brüggen II

J'en étais à la moitié de mon séjour à Brüggen. Je me permettais une pléiade de petits caprices auprès des domestiques de la maison, ce qui ne manquait pas d'alimenter chez moi de nouveaux fantasmes : la soif de m'entourer de serviteurs dans ma vie quotidienne et l'irrépressible désir d'emprisonner chez moi un homme. J'ignorais encore que mes vœux seraient exaucés, que j'aurais un jour quelques hommes à mon service et que je détiendrais dans le sous-sol de ma maison, à des fins de torture, l'un des plus grands arnaqueurs financiers de l'histoire du Québec.

Au domaine de mon hôtesse, je ne manquais aucune occasion d'assister aux séances de domination et de suivre le cours des compétitions entre esclaves qu'organisaient les dominatrices résidentes et invitées. Je ne ratais jamais les occasions d'humilier les sujets de Cornelia, ce qui l'amusait beaucoup. Je ligotais parfois un homme, toute une nuit au pied de mon lit, les yeux bandés, et je le bâillonnais en plaçant au préalable un bas nylon en petite boule bien enfoncée dans sa bouche.

Mes après-midi au château se déroulaient la plupart du temps, selon la température, sur la terrasse longeant la vaste piscine extérieure. Entre deux saucettes, je m'assoyais au soleil tout en savourant un mojito, un roman policier en guise de lecture. Une armée de soumis se disputaient mon attention, tantôt pour m'offrir un pédicure, tantôt dans l'espoir de me prodiguer un massage à l'huile de coco. J'étais aux anges. Je me prélassais dans ma chaise longue, les yeux recouverts d'une serviette humide, et je jouissais de l'instant présent en me disant que j'aimerais parvenir moi aussi un jour à une telle aisance financière. Un après-midi, alors qu'allongée sur ma chaise je m'apprêtais à me retourner sur le ventre, une main âpre m'a effleuré l'épaule.

— Pardonnez-moi, madame Gabriella, on m'a demandé de vous apporter ceci, m'indiqua le majordome.

Sur un plateau en argent reposait une enveloppe, ornée d'une écriture calligraphiée. J'ai pris la lettre et sans l'ouvrir, je me suis dirigée vers ma chambre. Une fois seule, je me suis lancée sur le lit afin de consulter le message.

« Chère Gabriella,

Nous serions heureuses de vous compter parmi nous ce dimanche à l'occasion d'une soirée unique de réjouissances. Cornelia n'a que de bons mots à votre égard, me laissant espérer que la FSS pourra vous accueillir sous peu au sein de son organisation et que vous serez de celles qui contribueront à assurer la postérité de notre rassemblement de dominatrices. Voilà pourquoi nous avons convenu de vous dévoiler la nature et l'étendue de nos actions. Jamais une si jeune recrue n'aura assisté à une soirée Exécution. C'est un privilège rarement accordé, soyez-en bien consciente.

312

En conformité avec nos règles de sécurité, il ne me sera pas possible de vous rencontrer au préalable. Vous recevrez par conséquent vos instructions de la part de Cornelia.

Cordialement,

Saphira
Coordonnatrice, soirée Exécution DCLVII »

Que de mystères! Qu'est-ce que « Exécution DCLVII », soit six cent cinquante-sept en chiffres romains, pouvait bien signifier?

À ce moment, on frappa à ma porte.

— Tu es là, Gabriella? me demanda une voix féminine.

— Cornelia! Je suis contente que tu sois là! m'étais-je exclamée.

Très peu disponible depuis le début de mon séjour, voilà qu'elle se présentait à moi au moment précis où j'avais besoin de réponses. Malgré la présence d'un serviteur à ses côtés, elle était porteuse de deux coupes remplies d'un vin mousseux, dont l'une m'était destinée.

— Tiens, prends ceci et suis-moi, m'avait-elle indiqué sans autre formalité. Nous allons passer le reste de la journée ensemble.

J'ai glissé mes pieds nus dans une paire de sandales tressées en me disant que j'aurais cette fois tout le temps nécessaire pour poser mes questions. J'ai rejoint Cornelia dans le corridor, et bientôt nous avons atteint une porte en bois massif dont je n'avais pas encore remarqué l'existence, tout au fond du couloir. Du revers de la main, mon hôtesse a fait signe au serviteur de disparaître.

— Nous nous apprêtons à descendre dans la prison du château, me dit-elle. Ces cachots souterrains furent aménagés au XIXᵉ siècle, du temps où un mystérieux personnage était propriétaire. D'après la légende, l'homme, qui vivait seul, avait lui-même construit ce vaste donjon dans le but d'y enfermer des gens qu'il attirait chez lui sous prétexte d'avoir un emploi de domestique à leur offrir. À la pointe de son fusil, il obligeait ensuite hommes et femmes à avoir des rapports sexuels pour son bon plaisir de voyeur. Nous utilisons actuellement ces cellules pour incarcérer les individus sélectionnés pour nos exécutions.

Muette, j'ai porté mon verre de champagne à mes lèvres dans l'espoir de camoufler ma fébrilité. Je ne pouvais croire que de véritables prisonniers se trouvaient sur place, dans les sous-sols humides du palais, dans d'authentiques cachots!

— En raison de ta présence à l'événement auquel tu viens d'être officiellement conviée par lettre, je me dois d'abord de te renseigner à propos de la nature de ces soirées ultimes. Il s'agit d'une performance de sadisme extrême, une opportunité pour quatre dominatrices d'aller au bout de leurs fantasmes. Le spectacle se termine par la mise à mort d'un groupe de prisonniers, c'est-à-dire des captifs détenus depuis quelque temps. Ils ont été accusés ou fortement soupçonnés du meurtre d'innocentes victimes, mais n'ont pas payé assez cher leur méfait, soit en raison d'une peine réduite, soit par absolution juridique, soit parce qu'ils ont fui la police à temps. Je peux t'assurer, Gabriella, que la scène finale, d'une grande morbidité, restera à jamais gravée dans ta mémoire. Crois-tu être en mesure de tolérer un tel spectacle?

314

Parmi les fantasmes qui me trottaient en tête depuis toujours, le plus glauque de tous pourrait enfin se réaliser : supprimer un homme. Aguichée, j'ai acquiescé de la tête et du regard, avec grande assurance, en la fixant dans les yeux. Je jouissais intérieurement. Cornelia venait d'établir, sans le savoir, les paramètres de ma vocation : pour cibler un souffre-douleur, il suffisait de s'attaquer aux criminels, au nom de la justice! Le regard illuminé, je retenais mon souffle en attendant la suite.

— L'un des quatre hommes qui seront sacrifiés au cours de la prochaine soirée Exécution croupit actuellement ici même, me dit-elle en pointant le sol. C'est la petite contribution de notre établissement. Il s'agit d'un Roumain ayant commis un meurtre passionnel. À la suite d'une rupture amoureuse, il a sauvagement agressé son ex-copine en la violant puis en la torturant à l'aide d'un godemichet orné d'aiguilles, qu'il s'est amusé à lui insérer tant dans le vagin que dans l'anus. La manœuvre a gravement lacéré les muqueuses de la jeune femme. Pour terminer, il l'a éventrée puis l'a regardée mourir au bout de son sang. Depuis ce meurtre atroce, il se cachait dans une vieille cabane abandonnée en plein bois. Grâce à la collaboration d'un délateur, nous avons réussi à mettre le grappin sur cet odieux personnage. Si tu veux bien, nous allons lui rendre visite dès maintenant.

La main de Cornelia se posa sur la poignée en fer forgé de la porte. J'avais la chair de poule. L'heure était exquise. Ces préliminaires m'excitaient follement. L'occasion de fixer dans le blanc des yeux un homme condamné à mourir, de le lui faire savoir et de contempler son angoisse en train de croître dans le noir de sa pupille, voilà qui me semblait des plus exaltant.

L'escalier en colimaçon débouchait deux étages plus bas sur un plancher en pierres. Un sombre couloir illuminé de torches menait aux cachots; l'air était froid et humide, presque glacial. Un homme tremblotant, nu comme un ver, était recroquevillé en petite boule dans le coin d'une étroite cellule. Des entraves aux chevilles et des chaînes fixées à des écrous au plancher l'empêchaient de se mouvoir à sa guise.

— Le voici... Celui qui me servira de martyr, m'apprit Cornelia.

— C'est vous-même qui allez être son bourreau?

— C'est exact! J'ai souvent été témoin de ces soirées, mais je n'y ai jamais encore participé à titre d'exécutrice. Il s'agit en fait de mon initiation, Gabriella. Hier soir, j'ai appris une grande nouvelle : à la suite du départ de l'une des membres du conseil, Saphira vient tout juste de me sélectionner directrice de la division allemande de la FSS! Sur la scène mondiale, seules douze femmes occupent cette position dans leur pays respectif. J'en suis particulièrement fière.

Mon attention oscillait entre les propos de Cornelia et le caractère médiéval des cachots. Je fouillais l'endroit d'un regard à la fois médusé et frénétique. Je cherchais à abreuver mon imaginaire de cette ambiance particulière. Je savourais cette pénombre et me régalais de l'inquiétude du prisonnier. Je me suis approchée de lui en plaçant mon visage entre deux barreaux et lui ai ordonné de relever la tête pour me regarder.

— Tu as bien entendu ce qu'elle a dit, connard? Tu vas payer cher ce que tu as fait subir à ta petite copine. Tu verras ce à quoi ressemble la souffrance. Maîtresse Cornelia va se faire un plaisir de te martyriser jusqu'à ce que mort s'ensuive...

316

L'homme m'adressa un regard perdu. Il semblait ne pas avoir tous ses esprits et avoir perdu toute volonté de réagir. J'ai relevé le menton et activé la production de ma salive. Lorsque j'ai constaté une importante quantité de fluide sur ma langue, j'ai expulsé un crachat au visage du prisonnier.

— Voilà tout ce que tu mérites, salopard!

Cornelia avait applaudi mon geste en promettant au détenu, avec un grand air de mépris, de lui faire sa fête lors de l'événement.

Étalés sur une table en métal au beau milieu d'une pièce attenante se trouvaient des instruments spécialisés, dont j'arrivais mal à déceler l'utilité. J'en avais déduit qu'il devait s'agir d'accessoires de torture.

— C'est bien ce que tu crois, me confirma Cornelia en lisant dans mes pensées. Voici les outils que j'utilise, question de m'amuser un peu. Ce sont cependant des instruments dont je ne peux me servir à la soirée Exécution, là où je devrai m'en tenir à la thématique : la flagellation. En échange d'une somme d'argent considérable – un gros million de dollars chacun pour être plus précise –, nous permettons à huit donateurs d'assister aux assassinats qui définissent la grande finale. Cette soirée incomparable constitue notre principal moyen de financement, une procédure qui, au fil du temps, nous a permis d'amasser un joli magot. Grâce à ces soirées saisonnières, nous serons bientôt en mesure de financer la prochaine étape de notre projet, mais je laisse le soin à Saphira de t'informer elle-même des détails de cette affaire. Pour en revenir à ces richissimes spectateurs, ils sont surtout des hommes d'affaires que nous sélectionnons rigoureusement avant de les initier. Il faut savoir qu'il ne suffit pas de payer le

317

montant requis pour assister aux événements; le droit d'entrée nécessite une enquête approfondie, une procédure qui nous permet de monter un dossier qui pourrait s'avérer incriminant au besoin. Bref, nous prenons soin de leur placer un couteau sur la gorge, si je puis dire, de sorte qu'ils regardent le spectacle à leurs risques et périls, tout en étant pleinement conscients de devoir respecter nos règles de stricte confidentialité.

Les bras croisés, les mains appuyées sur ses épaules dénudées, Cornelia tentait d'atténuer ses frissons, sans grand succès. D'un signe de la tête, elle m'a indiqué le chemin des escaliers.

— Brrr... il fait froid ici, allons plutôt poursuivre notre entretien au salon, nous serons plus à notre aise.

Nous avons quitté les lieux en saluant hypocritement le détenu, de manière à le narguer un peu au moment de le laisser à la froide humidité de sa cellule. Au salon, un plateau rempli de crudités, de trempettes et d'amuse-gueule nous attendait en guise de préambule au repas du soir.

Assises dans de luxueux fauteuils de cuir, nous avons discuté longuement de la FSS, de mes préparatifs en vue de la folle soirée sadomasochiste qui approchait et de mon transport vers ce donjon, dont l'emplacement devait demeurer secret.

— Dimanche, suivant le repas du midi, tu seras escortée par un groupe de gens attitrés à ton déplacement, m'annonça Cornelia. Tu seras dirigée par nos agents vers le stationnement souterrain. Ils placeront un bandeau sur tes yeux, possiblement une cagoule. Comme tu le sais, ce sont là nos règles de sécurité.

Des bruits de vaisselle entrechoquée dans la salle à manger adjacente nous parvenaient maintenant aux oreilles, annonçant l'imminence du repas. Je me suis enfin décidée à poser la question qui me tracassait l'esprit.

— Je m'interroge au sujet des chiffres romains qui accompagnent l'appellation de votre événement. La note que m'a envoyée Saphira portait la signature « Exécution DCLVII ». À quoi rime cette numérotation? À raison de quatre événements par année, il me semble impossible qu'il puisse s'agir déjà du six cent cinquante-septième!

— Tu seras étonnée d'apprendre que nos registres confirment que de tels rituels existent depuis plus de cent soixante ans, très chère. Notre documentation remonte à la fin du XIXe siècle, mais nous sommes d'avis que de telles pratiques avaient lieu bien avant, compte tenu de certaines études universitaires en anthropologie et en histoire des civilisations. À titre d'exemple, les écrits font référence à des époques lointaines où des femmes dominantes s'adonnaient à ce jeu, et la numérotation correspond aux calculs les plus probants à ce jour.

Prise d'une soudaine réflexion à propos de mon amie Brigitte, je me suis rappelée l'une de ses remarques prémonitoires : « Tu verras bien, Gabriella. Tes fantasmes ne sont pas aussi uniques que tu le crois. Ils sont partagés par une abondance de gens et un jour tu en prendras pleinement conscience. Un grand avenir t'attend dans ce domaine! Tu as l'étoffe d'une vraie dominatrice. »

Cornelia m'ouvrait la voie. J'avais le goût d'entrer dans l'Histoire, de faire partie moi aussi de cette admirable lignée de dominatrices. J'allais laisser ma trace, comme une authentique souveraine, et apposer ma signature sur chacune de mes œuvres. Ce que je découvrais me légitimait et donnait un sens à mes plus folles aspirations. J'étais fascinée de découvrir un tel passé de suprématie sadique féminine dans les siècles qui nous avaient précédés. J'en étais à m'interroger à propos de l'homme à qui on attribuait l'origine du sadomasochisme. J'avais de plus en plus le goût de remonter le temps, d'explorer les secrets historiques de l'histoire mondiale à ce sujet et d'en découvrir les fondements. Donatien de Sade, dit le Marquis, dont j'avais dévoré les œuvres, n'était donc qu'un simple maillon de la chaîne historique sadomasochiste…

— Gabriella?

La main de Cornelia me remuait l'épaule, mettant fin à mes pensées.

— Tu viens? Un festin nous attend.

J'ai alors réalisé que nous avions de la compagnie. Un homme d'apparence distinguée, vêtu d'un complet noir et portant une chaîne au cou, se tenait à quatre pattes devant Cornelia. À cette chaîne était reliée une laisse en cuir, que Cornelia retenait au sol à l'aide de son pied. En utilisant la pointe de mon soulier, j'ai relevé le menton de ce mâle assujetti.

— Norbert?

— Ce soir, Gabriella, je t'offre le propriétaire du domaine en guise d'esclave, annonça mon hôtesse. J'ai cru qu'il serait amusant de te permettre de l'humilier à ta guise. Une occasion pour toi d'abuser du soumis qui, somme toute, règle la note de ton séjour ici.

320

Le sourire fendu jusqu'aux oreilles, Cornelia m'a tendu l'extrémité de la laisse attachée au cou du sexagénaire. Norbert était à moi pour la soirée. Sans perdre un instant, j'ai tiré un coup sec afin de l'étouffer avec son étrangleur, une manière de lui indiquer que je n'allais tolérer aucun écart de conduite. Puis, je me suis dirigée vers la salle à manger en l'obligeant à me suivre au pas. Contraint à marcher sur ses genoux endoloris, mon nouvel esclave n'arrivait pas à suivre la cadence. Incapable de reprendre son équilibre, il tombait constamment sur son ventre, glissant derrière moi sur le plancher de bois franc. J'éprouvais un plaisir indescriptible à le regarder gigoter et suffoquer à l'extrémité du lien dont j'avais le contrôle absolu! Par malheur pour lui, je me sentais particulièrement résolue en cette fin de journée où les bonnes nouvelles s'étaient accumulées. Nul doute, Norbert allait vivre une soirée pour le moins dégradante, à commencer par la consommation de mes restes de nourriture que je lui refilais sous la table.

Une fois de plus, Cornelia s'est évadée avant la fin du dessert.

— Je vais partir demain matin, m'avait-elle précisé en quittant le confort de sa chaise. On se revoit là-bas dans quelques jours.

J'avais maintenant le champ libre pour mettre à exécution le plan que je mijotais depuis mon arrivée à Brüggen. Ce fantasme, que je n'avais pas encore réussi à réaliser, devenait possible dans cette résidence. Grâce à la disponibilité d'une pléiade d'hommes soumis, je n'étais qu'à quelques instants d'un très divertissant spectacle homosexuel. En guise d'acteurs : Norbert et le jardinier Diego, un Argentin dont la verge impressionnante suscitait la jalousie des autres esclaves.

De ma main libre, j'ai fait signe à Norbert de se relever. Puis, sans justification aucune, par simple caprice d'autorité, je lui ai balancé une gifle au visage.

— Va me chercher Diego, pauvre minable, et retrouvez-moi tous les deux dans ma chambre d'ici une demi-heure.

La joue échauffée par ma claque, Norbert s'est retiré illico. Entre-temps, je suis retournée à mes quartiers pour enfiler un costume de dominatrice. Une robe en filet avec bretelles minces et mes bottes cuissardes en vinyle rouge, voilà ce dont j'avais besoin.

J'ai ouvert avant que Norbert ne frappe. À mon grand plaisir, Diego se trouvait à ses côtés, une expression d'incertitude au visage. Entre le pouce et l'index, j'ai tiré Norbert par l'oreille pour le conduire en direction de la salle de bains, lui ordonnant de se déshabiller au complet.

Toujours debout près de l'entrée, Diego n'osait pas bouger d'un poil, encore moins risquer une parole sans ma permission. J'ai appuyé ma paume contre son dos pour qu'il avance, afin de refermer la porte. J'ai ensuite recouvert ma main d'un gant en latex.

— *Diego, unzip your pants.*

Son inertie me laissait croire à deux hypothèses : soit il avait l'audace de me contrarier, soit il n'avait aucune connaissance de la langue de Shakespeare. Dans un élan d'indulgence, je lui ai donné le bénéfice du doute. J'ai reformulé ma demande par un mime, en simulant l'action. Cette fois, il a compris.

Aussitôt, j'ai plongé la main dans l'ouverture de son jeans. À l'aide de quelques habiles manœuvres du poignet, j'en ai extrait son membre, une verge que plusieurs qualifieraient d'anaconda.

En costume d'Adam, Norbert revint à nous, les fesses serrées. Son regard valsait entre la verge de Diego exposée au grand air et mon gant de latex, en passant par son propre corps dénudé. L'air inquiet, il semblait se dire que cette conjoncture ne laissait présager rien de très agréable. J'ai étendu le bras et pointé la chaise au dossier arqué qui reposait dans un coin de la chambre.

— Apporte-la-moi, Diego. Juste ici, au centre.

J'ai fait signe à Norbert d'approcher, de se placer à genoux sur la chaise, le visage face au dossier, les bras appuyés contre l'arche de bois. Devant son hésitation, j'ai brandi ma cravache de manière à le menacer.

— Attache-le, ai-je ordonné à l'Argentin en mimant l'acte de nouveau.

Dans une autre vie, Diego devait être un matelot, car ses nœuds étaient d'une qualité à faire rougir le capitaine Haddock.

Voilà que Norbert et la chaise ne faisaient plus qu'un, tellement le cordage le tenait solidement en place. Il avait le menton appuyé sur le dessus du dossier, alors que, du côté opposé, son postérieur se trouvait en position vulnérable.

Nul besoin de se creuser la tête ni de connaître la langue de Shakespeare pour déchiffrer mes désirs. Diego savait très bien ce à quoi je m'attendais. En véritables complices, nous avons humilié Norbert. D'abord, j'ai contribué à l'excitation de Diego à l'aide de ma main gantée enduite d'huile. Il ne me restait plus qu'à présenter l'engin durci devant l'orifice buccal de notre esclave. Sans surprise, il a d'abord refusé, détournant son visage avec dégoût. Quelques puissantes taloches sur le scrotum ont vite réussi à le convaincre d'obtempérer.

La période de sévices s'est poursuivie sans relâche au cours de la soirée. Au plus fort de l'action, lors d'un acte de sodomie, Norbert arrivait difficilement à endurer les poussées ravageuses de Diego qui, sous mes encouragements, labourait de toute sa vigueur les profondeurs de sa victime. Une larme au bord de l'œil, Norbert a fini par tourner la tête vers moi, à la recherche d'un peu de compassion.

J'ai défié son regard pendant quelques secondes, puis j'ai levé la main. C'était suffisant, comprit alors Diego, mais il n'était pas question pour moi de le laisser sur son appétit. J'ai saisi son bras pour le ramener à nouveau du côté de la bouche de notre captif. D'un mouvement suggestif du poignet, je lui ai signifié ma demande. La large main de Diego s'est mise à caresser son propre sexe et j'ai pu contempler l'explosion de sa semence sur le visage de son ex-patron. Du front au menton de Norbert coulait le sperme de l'Argentin, que je recueillais à l'aide de mes doigts et que j'enfonçais dans la bouche du vieil homme.

Quelques instants plus tard, le renvoi de Diego ne signifia pas pour autant la fin de mes hostilités envers Norbert, qui a dû attendre la fin de ma toilette avant sa libération. Le temps de retirer mon maquillage, d'appliquer ma crème de nuit, il attendait impatiemment l'occasion de pouvoir se nettoyer le visage de la substance gluante qui s'asséchait sur sa peau. Puis, lorsque je me suis sentie lasse de sa présence, je l'ai détaché et lui ai indiqué la porte.

Dénuée d'énergie, j'ai éteint les lumières et déposé ma tête sur l'oreiller en songeant aux jours à venir, qui seraient en fait les derniers de mon passage mémorable en Allemagne. Le temps filait trop vite, j'aurais voulu qu'il soit suspendu à jamais. Toutefois, j'ignorais encore l'importance de ma participation à la fameuse soirée mystère et l'ampleur de l'aventure que je m'apprêtais à vivre.

CHAPITRE 22
Suspicions

Près d'une semaine après la prestation SM au Daddy's, les hypothèses quant à l'identité de l'invitée vedette alimentent encore les conversations des policiers. Certains sont d'avis qu'il pourrait très bien s'agir de la Justicière, mais les opinions demeurent mitigées.

— Dans cet univers illicite, où plusieurs mènent une double vie, il est normal que les identités soient bien protégées, souligne Annabelle lors d'une conversation devant la machine à café. Il vaut mieux ne pas sauter trop vite aux conclusions.

Gailloux continue cependant d'être tracassé par le fait que Jenilee se soit éclipsée hâtivement à la fin de son spectacle; cette fuite lui semble révélatrice d'une faille et il estime ne pas pouvoir l'ignorer. Son intuition le porte à croire que l'artiste aurait senti la soupe chaude en l'apercevant devant la scène, ce qui l'aurait incitée à se dérober. Cela dit, il se peut qu'elle connaissait son visage, ce à quoi Fournier réplique que cette sacrée Justicière lui apparaît comme étant fort bien informée; il ne serait pas étonnant qu'elle sache les identifier tous au sein de cette équipe d'enquête.

Pour le moment, les interrogatoires menés auprès des employés du bar se sont avérés infructueux. Aucun d'eux ne semble connaître l'identité réelle de Jenilee et personne ne l'a jamais vue arriver au bar sans un masque sur le visage. Les enquêteurs n'ont pu recueillir que quelques descriptions sommaires quant à la grandeur, le poids et l'âge possibles de la femme. Le propriétaire assure encore et toujours ne posséder aucun moyen de contacter lui-même l'artiste. Tout ce mystère commence à faire rager Gailloux.

— Nous devons envisager d'autres hypothèses que celle voulant que Jenilee soit notre meurtrière, propose pour sa part l'agent Legendre. On ne peut toujours pas, à ce moment-ci de l'enquête, mettre de côté les autres possibilités. Qui sait si ce faisant on ne passerait pas à côté de la véritable Justicière. S'il fallait que ce soit une fausse piste… Enfin, je veux dire que ça ne repose sur rien de solide, ce ne sont que des présuppositions. Jenilee s'est peut-être aperçue qu'on l'épiait, mais il est possible qu'elle ait eu autre chose à se reprocher.

En fin de journée, dans le stationnement du poste de police, Annabelle et Legendre discutent en retournant à leur voiture respective. À proximité, appuyée contre le mur de briques de l'édifice voisin, une jeune femme à l'allure un peu délinquante suit Legendre du regard.

— Elle est ici pour toi, celle-là? demande Annabelle.

L'agent lève la tête et observe la fille à la chevelure châtain clair qui mâche sa gomme avec autant de distinction qu'un bovin.

— Euh… je ne la connais pas, mais je suppose que oui, se glorifie Legendre. C'est souvent comme ça, tu sais… des groupies qui m'attendent à la sortie.

Annabelle lève les yeux au ciel. La jeune femme noncha-lante s'allume une cigarette et détourne le regard en les voyant s'approcher. *Ce n'est peut-être qu'une usagère du transport en commun puisque l'arrêt d'autobus n'est pas très loin*, se dit Annabelle.

Legendre fouille la poche intérieure de son manteau, en retire des cartons portant le logo du Théâtre du Vieux-Terrebonne.

— Tu les veux? Ce sont des billets pour le spectacle de Mercier demain soir. J'ai un empêchement.

Annabelle promène son regard de son collègue à la prétendue groupie.

— C'est gentil, Vincent, mais j'ai moi-même plusieurs occupations au cours des prochains jours. Entre autres, j'ai décidé d'organiser la fête du cinquante-cinquième anniversaire de Jacques. C'est une surprise, cependant, alors n'en parle à personne. Je dois commencer les préparatifs, alors peut-être une autre fois. Offre-les à ton admiratrice, tiens…

Annabelle tourne les talons et se dirige vers sa voiture sous l'œil attentif de Legendre. Après son départ, il patiente quelques instants, scrute les environs, puis s'approche de la fumeuse en train d'écraser son mégot dans la pelouse.

— J'ai l'impression de vous connaître, avance-t-il en arrivant à ses côtés.

— Je ne crois pas, réplique la blonde d'une voix mielleuse. Mais nous pouvons remédier à cette situation, ajoute-t-elle en relevant la tête avec une allure désinvolte. Tu m'invites?

Legendre hésite, inspire profondément, puis laisse échapper un petit rire nerveux.

— Vous vous moquez de moi…

— Je suis très sérieuse.

— Vraiment? demande-t-il, toujours aussi incrédule devant le cran de la demoiselle.

— Pour dire vrai, j'ai toujours eu envie de baiser avec un flic.

Legendre ravale sa salive. Décidément, la jeune femme ne passe pas par quatre chemins, et ce culot le titille un peu. Déjà, il se sent à l'étroit dans son pantalon. Une femme pourvue d'une telle audace, ça permet d'anticiper quelques moments mémorables au lit. *C'est le genre d'occasion qui ne se présente pas souvent dans la vie d'un homme,* se dit-il. D'un signe de la main, il convie l'intrépide à le suivre et à prendre place dans sa voiture dont il lui ouvre la portière. Témoin de la scène par la fenêtre de son bureau, Fournier fronce les sourcils.

❦

En soirée, installé dans le confortable fauteuil de son salon, avec à la main son cigare hebdomadaire, l'inspecteur arbore un visage pensif en laissant s'échapper des volutes de fumée, qu'il essaie en vain de façonner en petits cercles par diverses dispositions des lèvres et contorsions de la langue. Las de ses échecs répétés, il dépose le cigare, attrape le combiné de téléphone et compose le numéro de Gailloux.

— Alex… c'est Jacques. Tu as des nouvelles?

— J'ai réussi à obtenir une seconde rencontre avec l'un des deux gardes de sécurité, indique Gailloux. Il s'agit en fait de l'homme qui est venu à ma rencontre, dans les coulisses, en compagnie du gérant de l'établissement. Je lui ai fait prendre conscience de l'ampleur de notre enquête et de l'importance primordiale de sa collaboration. Il a enfin avoué que deux costauds sont venus rejoindre Jenilee dès sa sortie de scène et que ce sont eux, en fait, qui lui auraient fait comprendre l'urgence de quitter les lieux. Il était réticent à en parler, car l'un des deux hommes lui avait adressé un doigt menaçant en lui conseillant de ne répéter à personne qu'il les avait vus. Je n'en sais pas beaucoup plus, mais j'ai obtenu tout de même une description physique des deux gars.

Fournier se recule dans son fauteuil.

— C'est bon, Alex, je te laisse poursuivre ton investigation. Tiens-moi au courant.

— Au fait, Jacques... tu es libre demain? J'aimerais discuter avec toi... en personne.

Fournier s'étonne de cette demande du capitaine.

— Ça ne peut pas attendre à lundi? Après une semaine exténuante, je comptais me reposer quelques jours.

— Je te propose la parfaite détente, enchaîne Gailloux. Pourquoi pas une petite ronde de golf automnal, tous les deux? Comme dans le bon vieux temps. Tu pourras relaxer amplement.

— Calvaire, Alex, il va bientôt neiger! Et déjà que je joue dans les cent vingt! Tu veux me stresser davantage?

— Allez, allez… ne fais pas le vieux grincheux, ça te fera du bien!

Fournier hésite. L'idée n'est pas si mauvaise, après tout.

— C'est toi qui payes?

Gailloux ricane de bon cœur.

— Absolument, je te sors, l'ami!

— Bon… OK, j'accepte, à demain alors. J'irai te rejoindre chez toi après le déjeuner.

Fournier raccroche. Ravigoté par l'invitation de son vieil ami, il compose sans plus attendre le numéro du sergent Corriveau. Une voix chuchotante lui répond.

— Coudonc, Pierre… es-tu dans une église? J'ai de la difficulté à t'entendre.

— Euh... non, non.

— C'est quoi cette musique spectrale que j'entends en arrière-plan?

— Euh, c'est que je suis... au cinéma! À cette heure, je n'attendais plus votre appel.

— Tu m'as tout de même laissé quatre messages aujourd'hui. Croyais-tu que j'allais passer outre le retour d'appel?

Un bref moment de silence s'ensuit. Fournier croit déceler un murmure féminin.

— Sergent?

— Oui, oui, inspecteur. Je voulais vous entretenir au sujet de Mélanie Bilodeau, la procureure. Mon enquête donne lieu à de nouveaux développements. Elle vient tout juste d'obtenir un nouveau mandat de la Couronne. Une cause qui s'apparente étrangement aux dossiers qu'affectionne la Justicière. Il y a lieu d'y accorder une attention particulière. L'accusé est à la tête d'une secte, c'est un genre de gourou qui se croit tout permis et qui aurait indirectement causé la mort de quelques-uns de ses adeptes. Il les aurait manipulés, dépossédés de tous leurs avoirs, sous prétexte de mettre leurs biens matériels au service de la communauté. Il aurait également agressé sexuellement certaines femmes et enfants de la secte, en plus d'en inciter d'autres au suicide. Plusieurs chefs d'accusation pèsent contre lui, mais la culpabilité étant difficile à prouver, à cause de toutes sortes de considérations que je n'ai pas le temps de vous détailler ici, la poursuite a échoué à sa première tentative. Un juge vient d'octroyer un droit d'appel.

— Ouais… un procès qui mérite notre attention. Tiens-moi au courant dès que tu en sauras plus à ce sujet.

Corriveau appuie sur une touche de son cellulaire afin de raccrocher la ligne, puis pivote sur lui-même.

— Excusez-moi, mademoiselle. C'était mon patron.

— Je comprends. Alors, avez-vous fait un choix d'hôtesse pour votre massage?

— Oui… ce sera Natasha.

⚘

Au volant de sa Mustang noire, en compagnie de sa nouvelle conquête, Legendre emprunte le boulevard Gouin, à la demande de sa passagère.

— Tourne ici, commande la jeune femme.

— Euh… sérieux?

Malgré son étonnement, l'agent effectue la manœuvre et se retrouve sur la rue où réside la pathologiste Josée Brière avec laquelle, ces derniers temps, il a tissé des liens intimes. Il jette un œil interrogateur vers la blonde. Celle-ci laisse flotter un sourire nébuleux sur ses lèvres.

La mémoire de Legendre lui revient tout à coup. Cette fille est une amie de Josée, il se rappelle l'avoir aperçue chez elle le mois dernier par la porte entrouverte, alors qu'elle était passée en coup de vent pour récupérer un chandail oublié. *Elle a donc menti en prétendant ne pas me connaître,* songe l'agent. Ils s'étaient déjà vus quelque part et ce n'était pas sans raison si ce visage lui rappelait quelqu'un. Désireux d'en apprendre davantage sur cette curieuse « coïncidence », qui semble savamment orchestrée, Legendre obtempère et se rend tout droit chez Josée.

— Tout ça est donc organisé… Je vois qu'on se joue de moi comme d'une marionnette. C'est bon… Voyons maintenant de quoi il en retourne.

— Quelle agréable docilité! se gausse la jeune femme au moment où l'agent immobilise la voiture dans le stationnement privé.

Il la regarde en haussant les sourcils, marmonnant de ne pas le prendre pour un con.

— Que dirais-tu d'une expérience à trois? lui demande-t-elle enfin.

Sans aucune galanterie cette fois, laissant la passagère sur son siège, il sort de la voiture et se dirige vers le balcon de la maison où, une fois devant la porte, il appuie sur la sonnette, décidé à obtenir des éclaircissements.

La porte s'ouvre sur une femme vêtue avec élégance d'un costume gris et chaussée de souliers noirs à talons aiguilles. Ses yeux sont ornés de lunettes carrées qui lui donnent un air un peu austère.

— Bonsoir, monsieur Legendre, c'est un plaisir de vous accueillir chez moi ce soir, assure Josée en lui adressant un regard lubrique au-dessus de ses lunettes, qu'elle abaisse d'une main gracieuse et parfaitement manucurée.

Patronne ou institutrice? songe Legendre, qui commence à se douter de l'allure que prendra cette soirée. Peu importe, cette entreprenante aura réussi son pari. Depuis qu'ils ont commencé à se fréquenter discrètement, elle ne cesse de lui parler de ses fantasmes de triolisme et de jeux de rôles. Voilà qu'elle a réussi à l'entraîner dans son petit manège.

— Je vois que vous êtes tombé sous le charme de mon amie Sophie, monsieur l'agent. Entrez donc tous les deux… Une excellente soirée nous attend.

◈

À l'horizon se dénudent quelques arbres dont les couleurs ont commencé à pâlir; à leur pied s'amoncellent déjà quantité de feuilles mortes. Le gazon est un peu moins vert, mais la vaste étendue vallonnée n'en est pas moins magnifique. Sur le tertre de départ du premier trou, une mitaine à la main droite et un gant de golf dans l'autre, Gailloux lance un tee dans les airs. La pointe de celui-ci retombe du côté de Fournier.

— À toi l'honneur, mon Jacques!

Une casquette de l'Impact sur la tête, Fournier s'installe devant sa balle, sans trop de conviction, alors qu'il s'apprête à jouer sa seule partie de la saison. Comme il l'avait anticipé, il frappe nettement vers la droite. Gailloux lui adresse un sourire taquin, mais, à son tour, il obtient un résultat encore pire, loin dans le boisé à gauche.

— Clisse...

— Tu prends ton Mulligan, Alex?

— Pourquoi pas?

Une trotteuse d'une distance de cent verges à peine n'améliore en rien l'humeur de Gailloux. Mécontent, il rejoint son collègue dans la voiturette, là où, malgré le temps frisquet, reposent deux canettes de bière.

— Voilà de quoi apaiser nos déceptions, souligne le capitaine.

Il enfonce la pédale d'embrayage. À ses côtés, Fournier s'impatiente.

— J'imagine, Alex, que je ne suis pas ici pour assister à tes prouesses de golfeur. Que se passe-t-il au juste? Pourquoi tenais-tu tant à me voir en personne?

Gailloux hésite, lui adresse un bref regard puis, tout en regardant de nouveau devant lui, le prévient avec grand sérieux :

— Ça doit rester entre nous, Jacques, car je ne fais confiance à personne au poste, incluant les membres de l'équipe d'enquête. Après tant d'années de service en ta compagnie, il n'y a que toi à qui je peux confier mes craintes.

Fournier plisse le front d'étonnement.

— C'est si grave?

— Une taupe, Jacques... De plus en plus, je crains la présence d'un informateur au sein du service de police.

Les épaules de Fournier s'affaissent. Il étire la main vers sa Stella Artois, dont il engloutit promptement quelques généreuses gorgées.

— Simonac, Alex! C'est toute une présomption. D'où te vient cette idée?

— Tu trouves ça normal, toi, que cette Justicière s'amuse à nous narguer de la sorte avec ses lettres et ses envois de colis? C'est comme si elle n'avait peur de rien. Dans mon livre à moi, une infiltration expliquerait bien des choses.

— Hum... quand même, je ne vois pas trop de qui il pourrait s'agir. Comment la Justicière aurait-elle les moyens de se payer un complice qui lui rapporte tous nos faits et gestes? C'est un peu surréaliste ton affaire, mais bon... Évidemment, comme dans toute bonne enquête, il ne faut jamais rejeter une hypothèse du revers de la main. Tout est possible dans ce bas monde. Seulement, si tu vois juste, mon pote, ce n'est pas de nature à simplifier notre tâche...

Gailloux pose les pieds sur le gazon de l'allée, fouille la poche de sa chemise et en retire un tee en plastique, qu'il plante dans le sol. Il dépose une nouvelle balle.

— Veux-tu bien me dire ce que tu fais? s'enquiert Fournier.

— Je joue mon prochain coup.

— Sur un tee, en pleine allée? Tu triches, l'ami!

— Ouais! Je suis trop vieux pour me faire chier. En plus, ça protège le gazon contre mon piochage.

Et vlan! Gailloux réussit enfin un coup potable devant un Fournier très amusé.

La ronde se poursuit, mais les nombreuses feuilles mortes, qui tapissent le terrain, compliquent le jeu.

— Bon sens, j'ai du mal à repérer ma balle, se plaint l'inspecteur en contemplant le pavillon au loin. Le froid, les feuilles… que dirais-tu de couper court à notre ronde? On joue un dernier trou?

Gailloux acquiesce en ricanant pendant que Fournier fixe le petit lac, non loin d'eux. Il ratisse le fond de son sac à la recherche d'une vieille balle bon marché. Son partenaire le regarde avec amusement.

— Quoi? avance l'inspecteur en haussant les épaules. C'est à peu près certain que ma balle va se retrouver à l'eau!

Dès qu'ils calent leurs derniers coups roulés, les deux hommes retournent au bâtiment et déposent leurs sacs à l'endroit prévu à cet effet. Gelé jusqu'aux os, Fournier se rend au comptoir afin de commander deux cafés bien chauds pendant que Gailloux sélectionne pour eux une table près du foyer, que le gérant de la place a allumé pour chasser l'humidité d'octobre.

— J'ai besoin de ton opinion, lance le capitaine dès le retour de son collègue, qui dépose sur la table les deux breuvages chauds et quelques gobelets de crème.

— Je t'écoute…

— Je jongle avec une nouvelle hypothèse, une supposition qui me pousse à entretenir de sérieux doutes envers Michelle Caron.

— La sexologue? Tu veux dire… je ne comprends pas : tu la soupçonnes d'incompétence?

— Non… je la soupçonne, point.

Fournier avale une gorgée en vitesse.

— Je ne te suis pas très bien, Alex. Elle serait la fameuse taupe dont tu redoutes la présence?

— Non… elle serait la Justicière elle-même!

— Ben voyons donc! laisse tomber Fournier en grimaçant d'incrédulité.

— Je me méfie d'elle depuis le début avec toutes ses connaissances en sadomasochisme et son flair inouï en la matière. Je trouve plutôt bizarre qu'elle nous ait guidés tout droit vers le Fetish Extravaganza, là où il était fort probable de croiser la Justicière.

— Voyons donc, Alex… Est-ce que tu crois vraiment qu'elle nous enverrait là pour la piéger si elle était effectivement la Justicière et qu'elle comptait participer à l'événement? Ça ne tient pas debout ton affaire… ce serait se mettre elle-même les bâtons dans les roues ou, pire encore, se livrer indirectement aux autorités policières sur un plateau d'argent!

— Je ne sais pas… Et si *justement* elle tentait de brouiller les pistes en se plaçant hors de tout soupçon dans le but de provoquer spécialement une réaction comme la tienne?

— Bahhh… râle Fournier, offusqué qu'on le soupçonne d'être dupe, puis se demandant s'il se peut effectivement qu'il le soit.

— J'espère semer un doute dans ton esprit.

— Ben bravo… c'est assez réussi, répond l'inspecteur, contrarié.

— C'est une bonne chose. Il y a lieu d'être un peu parano dans cette affaire. La Justicière est rusée, et elle m'a l'air d'être passée maître dans l'art de manipuler les gens. Elle nous nargue avec ses lettres, ses colis. Elle alimente peut-être aussi de faux soupçons et se plaît sans doute à nous faire suivre de fausses pistes. Cette femme aime le danger, les risques, l'adrénaline. C'est une extrémiste, alors il ne faudrait pas s'étonner du fait qu'elle se place parfois en situation de danger, sur la corde raide. D'après moi, ça fait partie de son plaisir.

— Ouais… Tu as sans doute raison, admet Fournier d'un air songeur.

— Que penser par ailleurs de cette histoire troublante qu'elle nous a racontée, à propos de cette psychologue au pénitencier, une soi-disant collègue qui prenait plaisir à retourner les détenus dans leurs cellules en s'assurant qu'ils fantasment sur elle? Je suis certain que, comme moi, tu t'es demandé si ce n'était pas d'elle-même qu'elle parlait. C'est un cas de figure trop classique : « Ce n'est pas de moi dont il s'agit, mais j'ai une amie qui... » Pfff! On a vu ça cent fois dans les courriers du cœur…

Fournier soupire.

— Avoue, Alex, que ce serait toute une coïncidence si Caron s'avérait notre meurtrière. Après tout, c'est nous-mêmes qui avons sollicité ses services professionnels afin de nous informer sur le milieu SM! Tu es en train de me dire que nous aurions, dans la plus grande naïveté, fait entrer le loup dans la bergerie?

341

— Euh... Oui et non, Jacques.

Fournier le dévisage, incapable de saisir.

— Tu veux dire...

— Lors de mes recherches, parmi les spécialistes pouvant nous offrir une petite formation en matière de sadomaso-chisme, Michelle Caron s'est démarquée nettement, précise Gailloux. Ses qualifications allaient bien au-delà de celles des autres candidats. Je n'ai pas hésité à la contacter tellement il me paraissait évident qu'elle était la conférencière la plus compétente. Mais est-il possible qu'elle soit parvenue à nous déjouer, en quelque sorte, et qu'elle ait réussi à obtenir cette invitation de formatrice en falsifiant son curriculum vitae?

— Mais qu'est-ce que tu racontes?

— Tu as déjà entendu parler de Frank William Abagnale, Junior? C'est un des plus grands faussaires de l'histoire des États-Unis. Son histoire a inspiré le fameux film *Catch me if you can,* de Steven Spielberg, où DiCaprio tenait le rôle vedette. C'est un grand escroc qui a volé des centaines de milliers de dollars avec de faux chèques. Tour à tour, ce fou dangereux s'est aussi fait passer pour un avocat, un médecin, un pilote d'avion et j'en passe... *Chaque fois,* il a réussi à se faire engager et à exercer ces fonctions pour lesquelles il n'avait pas la moindre compétence! *Chaque fois,* tu m'entends? Il a su tromper la vigilance de ses collègues et même de sa fiancée. C'est ahurissant, mais c'est une histoire vraie! Il avait l'air si crédible. C'était un parfait bluffeur, un très grand acteur. On n'y voyait que du feu. Et si notre Justicière était de cette trempe, hein?

342

Fournier enlève sa casquette, la laisse tomber sur la table.

— Bon, une autre affaire! En plus de devoir me méfier de tous nos collègues, il va falloir que je m'occupe personnellement d'une investigation approfondie sur Caron, déclare-t-il la main devant la bouche, horrifié par la perspective que la sexologue puisse être la Justicière.

❦

Devant sa télévision, avec à la main une pointe de pizza pepperoni fromage en guise de souper dominical, Fournier est pris d'un désir ardent de téléphoner à Annabelle. Cette histoire avec la sexologue le turlupine et il meurt d'envie de tout lui raconter, d'obtenir son opinion. Il saisit le cellulaire fixé à sa hanche, dans un petit étui de cuir, mais hésite avant de composer son numéro. Doit-il vraiment se méfier de chacun de ses collègues, comme le prétend Gailloux? Si une taupe se cache parmi l'équipe d'enquête, peut-il se permettre d'avoir une confiance absolue en Annabelle? Ce Gailloux est vraiment en train de le rendre parano, pense-t-il en replaçant finalement le cellulaire dans son étui.

Il préfère attendre au lendemain, la nuit lui portera sûrement conseil. Mais une seconde préoccupation lui traverse l'esprit. Dans son carnet d'adresses, il sélectionne le nom de la journaliste Nancy Tremblay. Cette fois, il appuie sur les touches de son cellulaire sans délai.

— Bonsoir, madame Tremblay, ici l'inspecteur Fournier.

— Hum… décidément, monsieur Fournier, vos appels du dimanche soir deviennent une habitude.

— Excusez-moi, ce ne sera pas long. J'ai une toute petite question pour vous. On m'a récemment indiqué que la procureure Mélanie Bilodeau se penchait sur un nouveau dossier, une affaire de secte où la poursuite tente de prouver la responsabilité criminelle du gourou. Êtes-vous au courant?

À l'autre bout, Nancy Tremblay jette un regard expressif en direction de la femme qui se trouve à ses côtés.

— Vous me l'apprenez, inspecteur.

— Permettez-moi de vous dire que je suis étonné de vous l'apprendre, je vous croyais mieux renseignée. Vu le traitement de faveur auquel vous semblez avoir eu droit de la part de maître Bilodeau lors du procès de Robert Pelletier, je me disais que...

— Vous croyez? le coupe-t-elle. Vous m'enlevez du crédit et je trouve ça plutôt insultant. Avez-vous songé à la possibilité que je puisse plutôt être une journaliste des plus rigoureuses, passionnée par son métier, toujours présente sur le terrain et ayant mis en place un excellent réseau de contacts?

— C'est bien, madame Tremblay, je n'avais pas l'intention de vous froisser. Ce n'était qu'une petite vérification, ce sera tout pour l'instant. Bonne fin de soirée.

Bouche bée, les deux coudes appuyés sur le comptoir de cuisine, Nancy Tremblay arbore un regard désabusé.

— C'était l'enquêteur? demande Mélanie.

— Oui... maudit Fournier! Il tentait de m'extirper de l'information à propos de ton nouveau cas, celui dont tu viens de me faire part.

— Bof! N'en fais pas de cas. Il ne m'inquiète pas trop, celui-là. Allez... prenons un petit verre de rhum sur glace et passons au salon, je suis impatiente de te raconter les péripéties de mon dernier voyage.

CHAPITRE 23
Intrusion

Transportant dans une main un cabaret de service compostable contenant trois cafés, et dans l'autre la traditionnelle boîte de beignes garnis de crémage, le commandant René Dupont se présente au bureau de l'inspecteur Fournier. Annabelle lui tient la porte afin de lui faciliter le passage.

— Bonjour, vous deux. J'apporte de quoi vous ravitailler! lance-t-il sur un petit air chantonnant.

Annabelle le libère d'un gobelet en carton, Fournier saute sur la boîte de pâtisseries; il veut être le premier à se servir. Le commandant s'amuse de cette avidité.

— Je te rappelle que la gourmandise est un péché mortel.

— Mortel? Bof… grommelle Fournier, distrait par l'embarras du choix. Il faut bien mourir de quelque chose...

Annabelle éclate de rire et Dupont lève son verre de café pour trinquer avec elle.

Dès l'aube, Annabelle et Fournier avaient tous deux reçu un appel du commandant Dupont, leur demandant de se rendre au poste dès que possible. Il leur avait laissé entendre que la chance semblait vouloir tourner en leur faveur, puis avait coupé la ligne en les saluant, les laissant à eux-mêmes devant ce grand mystère.

Dupont consulte sa montre : 6 h 15.

— Dans quarante-cinq minutes, nous allons effectuer une descente à l'adresse suivante, précise-t-il en tendant un bout de papier en direction de Fournier.

— Baptême, va-t-on finir par savoir de quoi il s'agit? s'enflamme l'inspecteur en s'emparant du papier.

— Vers deux heures cette nuit, l'informaticien responsable de la sécurité aux archives a été témoin d'un acte de piratage. Quelqu'un s'est infiltré dans notre banque centrale de données.

— Non... Ce n'est pas vrai? s'étonne Annabelle.

— Tout à fait, confirme Dupont. Apparemment, l'intrus aurait consulté nos rapports d'enquête portant sur le dossier de la Justicière. Plus spécifiquement, les documents traitant des meurtres de Robert Pelletier et de Bruno Savoie.

— Oh, mon Dieu... souffle Annabelle en se laissant choir sur un siège.

Fournier demeure quant à lui muet pendant quelques secondes, la bouche ouverte comme un poisson.

— Eh bien... réagit-il enfin, c'est possible que ce soit notre Justicière qui se planque à cette adresse, mais c'est peut-être aussi un petit morveux de *hacker* à lunettes qui s'amuse à nos dépens dans le sous-sol de ses parents. C'est tout de même bizarre : pourquoi un crack informatique, qui aurait réussi à franchir notre barrière de sécurité, aurait-il omis de couvrir ses traces en s'appropriant, par exemple, l'adresse IP d'une tierce personne afin de protéger son identité?

— Ouais, méchant pirate… renchérit Annabelle sur un ton caustique.

Dupont hausse les sourcils puis dépose une enveloppe blanche dans les mains de Fournier.

— D'après l'expert qui a ciblé l'intrusion, l'adresse ci-jointe est le lieu physique où se trouve actuellement l'ordinateur, en espérant bien sûr qu'il ne s'agisse pas d'un appareil portable rapidement déplacé. Vous trouverez à cet endroit un cottage, propriété conjointe de monsieur Gilles Perreault et de madame Arlette Gagné. La maison aurait été habitée ces dernières années par des locataires, mais selon les plus récents registres, ce serait leur fille, Émilie Perreault, vingt-neuf ans, qui occuperait le domicile en ce moment.

— Oui, mais… avons-nous un mandat de perquisition? questionne Annabelle.

— Ce matin, on a dû réveiller le juge Cormier très tôt, précise Dupont. Il a rapidement consulté la preuve de l'intrusion et nous a fourni le mandat requis. J'ai sommé l'agent Legendre de vous rejoindre directement sur place.

Sur le coup de sept heures, comme convenu, les deux coéquipiers, flanqués de Legendre, arrivent sur les lieux de la perquisition. Tandis que ce dernier fait le tour du pâté de maisons afin de surveiller l'arrière du bâtiment, les deux partenaires frappent à la porte de la résidence avec vue sur le fleuve. Dans les secondes qui suivent, ils perçoivent un léger mouvement du rideau derrière la fenêtre du salon, sans que personne ne vienne toutefois répondre à la porte.

De nouveau, Fournier frappe à la porte avec plus de vigueur.

— POLICE!

La porte s'entrouvre timidement, de quelques centimètres à peine. Derrière, les deux agents distinguent l'œil vitreux d'une femme. Selon toute apparence, la nuit de sommeil de cette dernière a été courte.

— Que voulez-vous? demande-t-elle, visiblement troublée par leur présence.

— Je suis l'inspecteur Jacques Fournier, et voici la détective Saint-Jean. Nous sommes du Service des enquêtes sur les crimes contre la personne, de la Sûreté du Québec. Pouvons-nous entrer?

— De quoi s'agit-il? demande-t-elle encore nerveusement, alternant le regard entre les deux policiers.

— Nous avons un mandat, madame. Laissez-nous entrer, ordonne Annabelle en adressant à la jeune femme un regard suffisamment insistant pour la faire obtempérer.

Lorsqu'enfin elle leur ouvre la porte, ils se retrouvent devant une femme au teint blafard et à la tête échevelée, vêtue d'une robe de chambre en ratine.

— Que se passe-t-il?

— Nous avons d'abord besoin de votre nom, précise Fournier.

— C'est pour cette raison que vous frappez à ma porte?

Fournier roule de gros yeux impatients.

— Émilie Perreault... souffle-t-elle en capitulant.

Annabelle pointe la table de cuisine.

— Vous permettez qu'on s'y installe? demande-t-elle avec politesse, espérant détendre l'atmosphère.

Perreault tourne les talons nonchalamment.

— Allez-y. Je vais prendre quelques instants pour m'habiller... Si c'est permis bien sûr, ajoute-t-elle avec sarcasme.

Annabelle se montre irritée par l'insolence de la jeune femme et, d'un regard appuyé, le communique à Fournier, qui lui fait signe de garder son calme.

— Je vous en prie, indique Fournier qui se radoucit autant que possible, mais nous devons d'abord sécuriser l'emplacement de votre ordinateur.

La jeune femme rebrousse chemin.

— Que me voulez-vous, au juste? Quelle est cette histoire d'ordinateur?

— Est-ce bien vous qui habitez les lieux, madame Perreault? demande Fournier.

Elle fixe l'inspecteur d'un air insolent.

— Oui, évidemment.

— Je ne vois pas l'évidence, rétorque Fournier, irrité par cette arrogance. Est-ce que vous vivez seule?

Perreault fait signe que oui.

— Avez-vous fait usage de votre ordinateur dernièrement?

La jeune femme demeure muette.

— Quelqu'un s'est immiscé cette nuit dans les fichiers confidentiels de la Sûreté du Québec, précise Annabelle avec un air d'institutrice grondant une mauvaise élève. Et cette intrusion émane de votre ordinateur, madame Perreault. Qu'avez-vous à nous dire à ce sujet?

Perreault hésite, puis se prend la tête entre les deux mains.

— Je peux tout expliquer, s'énerve-t-elle. OUI, je me doutais bien des implications, mais c'est vraiment banal mon affaire.

— Banal? réagit Annabelle. Il s'agit d'un méfait!

— C'est donc vous qui avez infiltré illégalement la banque de données? Que faisiez-vous au juste? enchaîne Fournier.

— De simples recherches...

— De simples recherches? On utilise Google pour ça, madame, rétorque Fournier. Au cas où vous ne le sauriez pas, c'est la méthode utilisée par tout un chacun.

— Laissez-moi vous expliquer. Je rédige ces derniers temps ma thèse de doctorat. Elle porte sur l'actualité criminelle au Québec. Les agissements et les motifs de la Justicière sont pertinents pour mes études. Voilà l'unique objectif de mon intrusion dans votre système. C'était trop tentant; votre système de sécurité informatique est plutôt simpliste, pour tout vous dire… Je n'ai eu que quelques clics à effectuer pour accéder au contenu de vos dossiers. Un jeu d'enfant!

Fournier appuie sur le bouton de sa radio en ne lâchant pas Émilie Perreault du regard.

— Venez nous rejoindre, Legendre. Nous avons du matériel informatique à transporter.

Il avance d'un pas vers la fautive.

— Ramassez vos choses, madame Perreault, vous êtes en état d'arrestation. Nous allons éclaircir tout ça au poste de police.

CHAPITRE 24
Exécution DCLVII

Les yeux grands ouverts tôt le matin, le regard fixé au plafond après une nuit entrecoupée de nombreux réveils, je réfléchissais à la tenue imminente de la soirée Exécution, le rituel secret et hors du commun auquel on m'avait invitée. Je n'arrivais pas à chasser mes projections de dénouement sanglant. Mille questions me hantaient quant aux véritables enjeux de cette cérémonie. Le sort réservé aux quatre hommes capturés par la FSS ne représentait qu'une partie de l'équation. Je savais d'instinct que bien des choses m'échappaient encore et que je n'en serais informée qu'au compte-gouttes, en temps et lieu.

Une pluie diluvienne fouettait ma fenêtre. Le grondement du tonnerre et les éclairs successifs qui déchiraient le ciel rendaient l'atmosphère lugubre. La journée débutait bien sombrement; des préliminaires congruents de la soirée à venir.

En quittant le lit, j'ai perdu l'équilibre lorsque mon pied s'est posé sur une forme ronde et saillante. Bon sens, où avais-je l'esprit? J'avais oublié que Rouffi était couché au sol. Je venais de lui marcher sur la tête! Je lui ai rendu sa liberté sans tarder en lui intimant l'ordre de quitter les lieux et de me laisser tranquille.

En tirant le rideau, j'ai aperçu au loin des limousines noires, qui s'approchaient cérémonieusement. J'en ai déduit qu'il s'agissait de nos chauffeurs désignés, mais j'étais étonnée de leur arrivée hâtive.

J'ai passé la première partie de la matinée à lire le journal, la seconde à choisir la façon dont j'allais me vêtir. En fin d'avant-midi, trois hommes, venus pour me conduire au lieu secret, se sont présentés à ma porte. L'heure du départ avait enfin sonné. Malgré les deux heures nécessaires au voyage, jamais on ne m'a permis, comme convenu, d'entrevoir ne serait-ce qu'un mince filet de jour. Ce n'est que rendus à destination, une fois la voiture garée dans le stationnement intérieur de l'emplacement occulte, qu'on m'a libérée de ma cagoule. Après avoir enduré un inconfortable sentiment de captivité, pendant lequel je n'avais eu aucun contrôle de la situation, je retrouvais mon entière liberté et, surtout, mon statut d'invitée d'honneur.

Deux autres jeunes femmes, sans doute des recrues, se sont jointes à moi pour une visite guidée que nos hôtes avaient pris soin d'organiser. En aucun moment, on ne nous a permis d'admirer l'extérieur de l'édifice; même les fenêtres étaient placardées ou teintées, de sorte qu'il nous était impossible d'observer l'aménagement paysager et d'être éventuellement en mesure d'identifier ou de décrire ce terrain privé. Même en plein jour, donc, la noirceur régnait à l'intérieur du château et c'est à la lueur des lustres et candélabres, qui brûlaient dans les passages et dans les pièces, que nous avons parcouru les lieux. L'aménagement était majestueux. D'imposantes toiles et d'impressionnantes sculptures ornaient les couloirs. Pièce par pièce, nous avons exploré ce manoir aux allures de musée. Sur les parois de pierres, de grands tableaux évoquaient l'évolution de l'histoire de la torture en Europe, de la Rome antique à nos jours. De vieilles gravures allemandes datant de 1834 présentaient différentes techniques utilisées par les bourreaux de l'époque. Leur inventivité était impressionnante. Nadja, notre accompagnatrice, une brunette aux yeux noirs comme le jais, se révélait extrêmement documentée sur le sujet et insistait sur la valeur artistique et monétaire, mais aussi sociohistorique de chacune de ces œuvres. Elle nous expliquait avec passion et moult détails comment avait été conçu, à travers les siècles, chacun de ces ingénieux instruments de torture. Par ailleurs, en dehors de tous ces engins inventés dans la vieille Europe, Nadja nous a raconté que, parmi les maltraitances imposées par les tortionnaires de ce monde, on recensait souvent la privation de sommeil. Selon toute vraisemblance, on y pratiquait également la torture par l'eau, c'est-à-dire qu'on ligotait le prisonnier en l'obligeant ensuite à avaler une abondante quantité de liquide, jusqu'à causer son asphyxie, la victime étant incapable de reprendre son souffle. En d'autres temps, on imposait le « supplice de la baignoire », une technique par laquelle on suspendait le détenu par les pieds, au-dessus d'un grand bassin d'eau en lui immergeant la tête entière. Pour respirer, le prisonnier devait se démener comme un diable dans l'eau bénite. D'ailleurs, à cet effet, notre guide a ajouté une anecdote fascinante : pendant la Seconde Guerre mondiale, la Gestapo exerçait cette torture en prenant soin de ne jamais changer l'eau du bassin, de manière à rendre plus horrible et dégoûtante la suffocation des torturés, dont la tête plongeait dans l'eau souillée par les précédentes victimes. Elle nous apprit, de plus, que les Américains avaient eux aussi pratiqué cette forme de maltraitance sur les combattants du Viêt-Cong pendant la guerre du Viêtnam. C'était même une méthode enseignée par les Français au Centre de formation à la guerre subversive pendant la guerre d'Algérie, dans le petit village de Jeanne-d'Arc, rebaptisé depuis Larbi Ben M'Hidi. Bref, nous réalisions que la torture n'exigeait pas toujours des accessoires complexes ou des machines abracadabrantes. Avec intelligence, malgré peu de moyens matériels, on pouvait tout de même jeter son dévolu sur une victime et lui faire payer cher d'avoir vu le jour.

À la fin de notre fascinante visite guidée, Nadja nous a offert une consommation dans un luxueux salon attenant à la salle à manger. Elle nous a ensuite dirigées vers des locaux réservés aux visiteurs.

— Voici vos appartements, avait-elle précisé en nous désignant une grande pièce entourée de chambres attenantes. Libre à vous de poursuivre la discussion ou encore d'effectuer une sieste. Le repas vous sera servi en début de soirée. Des gardes viendront vous chercher lorsque le souper sera prêt.

Nous étions bien trop échauffées pour être disposées au repos. Toutes ces méthodes historiques de torture nourrissaient nos désirs extravagants. En attendant le repas, j'ai donc discuté beaucoup à ce sujet avec mes nouvelles camarades. Anna, une jolie Italienne d'environ vingt-cinq ans, nous révéla au cours de cette conversation être la fille d'une dominatrice très connue dans son pays : Maîtresse Padrona Donatella. Cette dernière siégeait au conseil de la FSS et à maintes occasions, elle avait promis à sa fille une place de choix à cet audacieux spectacle; ce moment était enfin venu. Elizabeth était, quant à elle, une Australienne rouquine au début de la trentaine. Elle pratiquait la domination depuis peu. Malgré une vie de couple qu'on pouvait qualifier de stable, elle n'en pouvait plus de refouler ses fantasmes. À l'insu de son mari, un peu trop conformiste à son goût, elle s'était lancée dans l'aventure du sadisme en dénichant des clients par l'entremise d'un journal à potins. Son conjoint avait fini par découvrir sa véritable nature et leur union de quatre ans avait pris fin de manière abrupte. Mise au parfum de l'existence de cette société secrète par une source qu'elle souhaitait garder anonyme, Elizabeth avait tenté par tous les moyens d'entrer en contact avec les organisatrices afin de demander audience pour leur faire part de son puissant désir d'obtenir le privilège d'y assister. De toute évidence, son plaidoyer avait retenu l'attention des dirigeantes; elle était parvenue à les convaincre de son intérêt viscéral.

— Chut! souffla tout à coup Anna en apposant l'index sur ses pulpeuses lèvres roses.

À ce signal, nous sommes restées figées dans nos fauteuils. Un grincement provenait de l'intérieur du mur tout juste derrière nous. Nous nous sommes retournées vivement et, stupéfaites, nous avons observé le lent mouvement de la bibliothèque qui se déplaçait en glissant sur son socle. Dans l'entrée ainsi dégagée se trouvait une femme à l'allure excentrique, fin trentaine, chevelure violette, visage carré au teint clair, frange coupée nette et droite, sans aucun cheveu fou, à la Cléopâtre. Nous nous sommes levées pour la saluer convenablement.

— Bonjour, mesdames. Reprenez vos places. Je serai brève, car le temps presse, nous dit-elle avec un charmant accent scandinave. Désolée pour l'apparition inopinée, mais j'aime bien circuler via les couloirs secrets afin d'éviter les supplications des esclaves sur mon passage. Je suis Saphira, dirigeante de la FSS.

Intimidées par sa prestance, nous sommes restées muettes en attendant la suite.

— Dernièrement, notre organisation a adopté une nouvelle résolution afin de permettre l'hégémonie mondiale de la FSS. Aussi, votre sélection pour assister au spectacle de ce soir n'est pas le fruit du hasard. Nous croyons en votre potentiel; nous présumons de votre capacité à diriger de nouvelles divisions dans vos pays respectifs. En ce moment, seule l'Europe jouit de notre existence. L'Australie et le Canada sont nos points de mire actuels.

Le regard de Saphira s'est dirigé vers Anna qui, à part ce voyage, n'avait jamais mis les pieds hors de l'Italie.

— Ton cas est différent, Anna. J'ai parlé à ta mère hier et nous songeons à te confier la division de Milan, un maillon faible dans ton pays.

Elizabeth a levé la main, un geste que Saphira s'est empressée d'imiter.

— Ne dites rien! Je ne suis ici que pour vous informer de nos attentes. Vous serez toutes guidées ultérieurement. Je disais donc que nous visons l'établissement de nouvelles filiales dans les trois « M » : Montréal, Melbourne et Milan. Soyez bien convaincues de vouloir vous joindre à la FSS avant que ne débute l'événement de ce soir. Il est encore temps de changer d'avis. Vous ne pourrez plus retourner en arrière quand vous aurez vu battre le cœur de l'organisation. Vous serez dès lors tenues au secret par rapport à tout ce qui vous sera révélé. Aussi, je vous laisse encore quelques minutes pour y réfléchir. Avant d'être guidées vers la salle, vous devrez confirmer votre désir d'aller de l'avant ou, dans le cas contraire, vous désister de manière définitive et irrévocable. Si jamais vous choisissez la voie du refus, nos gardes s'occuperont de votre exclusion.

Dès qu'elle a eu terminé sa courte déclaration, Saphira a regagné le sombre tunnel d'où elle avait émergé. Nous avons regardé la bibliothèque reprendre sa place. De mon côté, ma décision était déjà prise. Pour rien au monde, je n'allais me désister. Il n'était pas question de rater la soirée extraordinaire qui s'annonçait. Les deux autres femmes avaient fait le même choix.

À la suite de longues heures d'attente entrecoupées d'un repas convivial à trois, l'horloge à pendule a finalement retenti dix fois. Nos yeux fébriles se sont alors croisés tour à tour; nous arrivions enfin au moment ultime.

Deux hommes imposants ont alors fait leur entrée. Sous leur escorte, nous avons franchi un long corridor, puis des escaliers menant au balcon d'une ancienne salle de concert. Afin de répondre aux besoins particuliers de l'organisation, on avait démoli la scène et retiré les sièges du parterre, qui servait anciennement à accueillir les spectateurs. Non loin de nous, trois femmes d'une autre génération, assises côte à côte dans des fauteuils inclinables en velours rouge, discutaient à voix basse. L'éclairage tamisé rendait impossible l'identification de leurs visages, mais l'une d'entre elles s'est aussitôt levée pour venir à notre rencontre. J'ai reconnu Nadja.

Penchées au-dessus de la balustrade, Anna et Elizabeth observaient les derniers préparatifs de l'équipe technique. Je tentais d'imprégner dans ma mémoire les moindres détails de cette impressionnante installation. Le ring circulaire devait s'étaler sur une trentaine de mètres de diamètre. Un ingénieux système mécanique permettait de rendre la plateforme amovible, tel un carrousel. De nombreux câbles d'acier fixés aux écrous du plancher de bois massif convergeaient vers un assemblage de poulies. Il était donc possible de soulever entièrement le plateau. L'arène elle-même était divisée en quatre parties égales, chacune identifiée par les points cardinaux *Norden, Süden, Osten, Westen.* Ancrées au sommet du toit en dôme, de longues chaînes étaient tendues au-dessus de chacun des quadrants, à quelques mètres du sol. Anna arborait un air de confusion. De toute évidence, elle était déroutée par la complexité des installations.

— Je remarque une série de cabines qui ceinturent l'arène, dit-elle en se tournant vers Nadja. De quoi s'agit-il?

— Ce sont des suites de luxe, expliqua la guide. Nous en avons huit au total. Toutes sont équipées de jouets sexuels. Ces pièces servent à héberger nos clients, de riches voyeurs qui déboursent une fortune afin d'assister à la mise à mort de quatre victimes sans aucun moyen de défense. La liste d'attente atteint parfois deux ans, tant ces soirées sont prisées par les voyeurs. Les loges sont remplies au maximum de leur capacité. Ce soir ne fait pas exception.

— Ces spectateurs... ce sont toujours des hommes? ai-je demandé.

— En majorité, oui. Mais de temps à autre, des femmes achètent une place. Je suppose qu'elles nourrissent le fantasme d'infliger d'épouvantables souffrances aux hommes, sans toutefois posséder le courage de concrétiser leur désir.

De la porte entrouverte de la loge devant nous, un étage plus bas, s'échappait une lueur tamisée. Le cou étiré, les yeux rivés sur l'ouverture, Elizabeth tentait d'espionner l'intérieur. Vigilante, Nadja s'est empressée d'intervenir :

— Un peu de discrétion, s'il vous plaît. Laissons aux clients leur intimité. Soit dit en passant, il leur est impossible de voir autre chose que l'action qui se déroule devant eux, sur la plateforme circulaire. Chacun dispose d'un angle de vue limité à quarante-cinq degrés. Grâce au verre unidirectionnel, ils ne peuvent aucunement voir à l'intérieur des loges situées à l'opposé.

Il ne restait plus qu'un quart d'heure avant le début des hostilités. Elizabeth et Anna se sont jointes à moi dans les sièges avoisinant les autres femmes, un moment marqué par une curieuse absence de présentations, à peine quelques regards échangés. J'en ai profité pour prendre connaissance, à la lueur de la lampe située tout près de moi, du programme de la soirée que je tenais entre mes mains depuis un bon moment, mais que, dans mon exaltation, j'avais négligé jusque-là de consulter. On y présentait brièvement le profil de chacun des condamnés.

Le premier était un homme d'origine birmane, récemment immigré d'Arabie saoudite. On ne spécifiait pas comment il avait réussi à traverser les frontières, mais on faisait état de son effroyable crime : il avait tranché la tête d'une femme supposément adultère dans les rues de La Mecque, en appelant au respect d'Allah. L'assassinat avait été commis avec la complicité de policiers locaux, qui, sur le bitume, avaient maintenu en place la victime agenouillée, dont le corps entier était dissimulé sous son niqab. Un témoin avait filmé la scène et la vidéo s'était rapidement retrouvée sur le Web. Malgré la censure appliquée, les internautes n'avaient évidemment pas manqué d'en faire des copies et de la remettre en ligne pour dénoncer l'horreur de cette décapitation. Je me souvenais d'ailleurs très bien d'avoir vu cette vidéo. Je me remémorais les sons et les images : d'un grand coup de sabre, le meurtrier avait mis fin à la vie de la pauvre dame. Et les cris de cette dernière, qui jusqu'à son dernier souffle avait hurlé son innocence, avaient fait place au silence alors que son sang rampait sur la chaussé sablonneuse, aux pieds de son meurtrier, en une grande mare de liquide écarlate.

Le second captif était Canadien, un jeune homosexuel au début de la trentaine, à la santé mentale terriblement perturbée. On le savait coupable du meurtre prémédité d'un garçon reconnu pour avoir été son amant d'un soir. Le tueur avait entraîné sa proie jusque dans son appartement du centre-ville de Berlin, où il l'avait baisé à sa guise en l'attachant à la tête du lit, prétextant des jeux érotiques. En cours de soirée, sa violence avait pris de l'ampleur et il lui avait fait subir quelques supplices avant de commencer à le découper en morceaux, membre par membre, sous l'œil d'une webcam qu'il avait précédemment installée de manière à immortaliser sa performance. Une autre vidéo affreusement macabre qui avait fait le tour du cyberespace. J'étais franchement impressionnée, encore une fois, de cette incroyable prise de la FSS; leurs effectifs étaient redoutables!

L'un des autres condamnés, presque aussi fou que le précédent, se prenait pour rien de moins qu'un messager de Dieu. Il avait fondé une secte et s'était installé avec quelques disciples dans une ferme biologique dans les confins de la Bretagne, en France. Polygame, il comptait pas moins d'une vingtaine d'enfants nés de treize femmes différentes. Il les avait tous, autant qu'ils étaient, abusés sexuellement sous prétexte de devoir les marquer du sceau divin. Il avait par ailleurs amputé la main d'une des femmes et éviscéré le bébé, né prématurément, d'une autre. C'était un monstre qui, après plus de deux décennies d'incarcération, venait tout juste d'être remis en liberté conditionnelle.

Le dernier détenu, je le connaissais déjà un peu : il s'agissait du Roumain au visage duquel j'avais craché dans le sous-sol du donjon de Cornelia. Ce charognard, qui avait assassiné sa petite copine, me semblait mériter autant que les autres les mauvais traitements qui allaient suivre.

L'éclairage dans la salle s'est amenuisé jusqu'à disparaître totalement, et des lamentations ont commencé à envahir l'enceinte de l'amphithéâtre. Les organisateurs avaient vraiment pensé à tout : des micros installés à proximité des prisonniers captaient leurs gémissements, retransmis à l'aide d'un amplificateur. Les spectateurs pouvaient ainsi se repaître du désarroi des victimes. Graduellement, j'ai commencé à percevoir le son d'une trame musicale d'inspiration gothique. Un chant grave et funèbre s'est mis à résonner, suivi par des coups de tambours cadencés. La tension était à son comble; le début des procédures était imminent. La voix de la maîtresse de cérémonie s'est fait entendre :

— Mesdames, messieurs, ce soir, nous vous offrons un spectacle de torture sous le thème de la flagellation. D'abord, accueillons ceux qui serviront de souffre-douleur à nos magnifiques dominatrices...

Des bruits métalliques résonnèrent dans la salle alors qu'un cortège de cages mobiles défilait sous nos yeux, dirigé par des bourreaux cagoulés et vêtus de noir. À l'intérieur de chacune croupissait un homme condamné à subir les foudres d'une impitoyable sadique. Tous étaient dénudés, la plupart beuglaient des insultes, imploraient un peu de pitié ou susurraient des complaintes, dont le son était capté par les micros et amplifié par les haut-parleurs. Je pouvais lire sur le visage et dans le regard de mes compagnes un plaisir jouissif semblable au mien. Un puissant sentiment d'exaltation m'envahissait, une curieuse euphorie rendait l'instant sublime.

À tour de rôle, les chariots se sont arrêtés sur leur quadrant respectif. Les bourreaux ont alors fait sortir un à un les prisonniers, afin que l'assistance ait le temps de bien les observer. Ils ont ensuite, à l'aide de lourdes menottes de fonte noire, lié leurs bras aux chaînes suspendues. Malgré les crânes rasés des détenus, qui les rendaient tous semblables les uns aux autres, j'ai été saisie d'un moment de stupeur lorsque j'ai reconnu les traits de l'homme que j'avais visité dans les cachots du château de Cornelia. Dans mon exaltation, j'avais oublié qu'il était du lot des sacrifiés. Le Roumain arborait un tatouage inachevé au dos – un dragon multicolore sans ses ailes – qui le rendait impossible à confondre avec un autre.

— Et maintenant, a repris la voix de l'animatrice, l'heure est venue de placer vos paris. Nos hôtesses circulent présentement parmi vous et elles se feront un plaisir de noter vos mises. Au bénéfice des recrues, que nous sommes heureux d'accueillir parmi nous ce soir, il s'agit d'identifier celui qui, selon votre évaluation, sera le dernier survivant. Puisque chaque victime occupe une partie distincte de la scène, vous n'avez qu'à cocher l'un des quatre points cardinaux énumérés sur votre bulletin. L'enjeu est un prix d'une valeur inestimable, attribué à celles qui auront vu juste : les gagnantes auront l'occasion de participer à la prochaine soirée Exécution à titre de dominatrice invitée, qui aura lieu dans trois mois, cette fois sous le thème de la castration.

Un coup de coude m'a heurté les côtes.

— Tu as entendu? s'énervait Elizabeth. C'est mon fantasme de toujours! Je dois absolument gagner.

Anna, pour sa part, fourrageait dans le fond de sa sacoche.

— Voilà! Quoi de mieux pour observer les candidats de plus près, rigolait-elle, de mini jumelles à la main. Et toi, tu as fait un choix, Elizabeth?

— Certainement. Je sélectionne celui de l'Ouest. Il est trapu, mais sans aucun doute le plus musclé du lot. Il devrait tenir longtemps celui-là.

Le Roumain, placé dans le quadrant Nord, se voulait le choix tout désigné pour moi; il était, d'une certaine manière, notre poulain à nous, du moins celui de Cornelia. J'étais convaincue qu'elle allait le torturer lentement, lui faire subir des supplices à la mesure du crime atroce qu'il avait commis aux dépens de son ex-copine. Peut-être serait-il le martyr le plus résistant.

— Finalement, je vais opter pour la proie du Sud, avait déclaré Anna en baissant ses mini jumelles de poche. Les grands minces sont habituellement fringants.

Sous le roulement des tambours, le son perçant des trompettes martiales et l'agitation du drapeau de chacun des pays que représentaient les dominatrices, quatre femmes se sont avancées au seuil de l'arène, causant un singulier tumulte. Campées dans une noirceur quasi totale, nous ne pouvions estimer le nombre de personnes présentes dans l'assistance. Seule la scène bénéficiait d'un grand halo de lumière. L'animatrice est intervenue une dernière fois avant de nous laisser savourer le spectacle :

— Mesdames les dominatrices… amusez-vous bien! Mais surtout, donnez-nous un bon spectacle. Quant à vous, chers spectateurs, régalez-vous de ces délicieux supplices.

Les dominatrices se sont aussitôt dirigées vers leurs proies. En un rien de temps, elles ont balancé de vicieux coups de fouet sur les torses dénudés. Mon attention s'est dirigée vers Cornelia qui, pour l'occasion, portait un costume de femme chat en latex, de longues bottes noires à talons vertigineux parés d'un éperon à l'arrière et de pics en métal sur le dessus. Avec un large sourire aux lèvres et des yeux pétillants, elle s'est empressée de déposer son fouet au sol, après quelques coups, ce qui me semblait étrange considérant le thème de la soirée.

Elle a alors plongé la main dans sa botte, retirant de celle-ci un objet qu'il m'était difficile d'identifier. J'ai bondi sur les jumelles d'Anna sans même lui en demander la permission, juste à temps pour remarquer le carré de papier d'émeri que Cornelia déposait au fond de sa main droite. Elle avait choisi de tricher un peu, en quelque sorte. La flagellation allait devoir attendre quelques instants. Elle s'est approchée un peu plus du Roumain pour lui empoigner la verge. D'une main ferme, elle a amorcé les mouvements de masturbation, engendrant ainsi les premiers cris de sa victime. Elle a augmenté graduellement la cadence, à un point tel que les cris de douleur du Roumain couvraient ceux de tous les autres.

La salle était hystérique. Elizabeth ne cessait de me taper l'épaule, de me pointer toute nouvelle action. Anna se trémoussait sur le bout de son siège. Moi, je ne savais plus où donner de la tête.

Les premiers filets de sang ont fait leur apparition sur la victime du quadrant Est. Sa tortionnaire, une Asiatique au regard chargé de haine, ne lui octroyait aucun répit. Le pauvre avait hérité de la plus violente dominatrice du groupe. À la main, elle tenait un fouet à lanière de cuir d'une longueur prodigieuse, dont l'extrémité s'achevait par un bout de ficelle mince. Dans une gestuelle très méthodique, elle pliait le bras vers l'arrière, tel un pêcheur à la mouche, puis relâchait son courroux avec vigueur sur la peau déjà lacérée du condamné. Chaque flagellation creusait sa peau toujours plus et l'affaiblissait à vue d'œil. Satisfaite des lésions qu'elle causait, les lèvres de l'Asiatique s'élargissaient pour dévoiler un effroyable sourire d'hyène.

— Par chance, aucune de nous n'a parié sur lui, blaguait Anna. Il sera certainement le premier à y laisser sa peau.

Une fois de plus, Elizabeth m'enjoignait à regarder ailleurs, cette fois au Sud.

— Tu as vu ça, Gabriella? Cette fille ne fait pas plus de vingt ans. Voilà une dominatrice précoce!

La jeune blonde au corset de cuir montrait des allures de guerrière avec son teint basané et ses bras recouverts de tatouages tribaux. Elle n'avait qu'une courte cravache à la main, qu'elle utilisait pour frapper à répétition l'intérieur des cuisses de son esclave et l'obliger à écarter les jambes. Les testicules et le pénis, voilà ce qui semblait l'intéresser. Elle s'acharnait sur son sexe ensanglanté, dont des lambeaux de peau se détachaient peu à peu. L'homme convulsait de douleur.

La dernière du quatuor, une Latina bien en chair aux formes généreuses, se promenait d'un quadrant à l'autre, le regard acéré comme une lionne en cage. Elle semblait se foutre du concours, à savoir lequel des suppliciés tiendrait le plus longtemps. Son souffre-douleur du quadrant Ouest n'avait au dos que quelques éraflures.

— Injuste, clamait Anna. Elles n'ont pas de règles à suivre?

Un sourire oblique au visage, Elizabeth ne s'en plaignait aucunement, son poulain bénéficiant par le fait même d'un avantage indéniable. Son bonheur fut cependant de courte durée, car l'impitoyable Asiatique délaissa le quadrant Est pour venir s'acharner sur son candidat.

— Mais… de quoi se mêle-t-elle, celle-là? se désolait l'Australienne.

À chaque assaut qu'effectuait l'Asiatique, son long fouet claquait pour s'enrouler ensuite autour du ventre de sa nouvelle cible. En l'espace de trois assauts, le poulain d'Elizabeth saignait à foison, sa peau s'étant fissurée à de nombreux endroits. C'était au tour d'Anna de se réjouir de l'affaiblissement du candidat de sa concurrente.

Peu à peu, des gouttelettes de sang ont éclaboussé le sol sous les corps persécutés des hommes qui pendouillaient au bout de leurs chaînes. Les sadiques, quant à elles, continuaient de s'en donner à cœur joie et lacéraient leurs victimes sans pitié aucune.

Le papier d'émeri dont Cornelia avait usé sur la verge du Roumain s'y trouvait toujours, imbibé de sang, fusionné à sa chair sanguinolente. Tout comme les autres détenus, ce dernier mugissait et se tortillait de douleur, tel un vermisseau.

En moins de dix minutes, les victimes ont commencé à s'évanouir, à bout de forces. On les réanimait avec des gifles bien administrées au visage, mais les femmes éprouvaient de plus en plus de difficultés à les garder éveillés. Rapidement, les martyrisés retournaient au pays des cauchemars.

C'est l'Asiatique qui a levé les bras en premier, voyant que son supplicié ne respirait plus. La foule s'est mise à hurler alors qu'un médecin s'est avancé sur scène, chargé de constater le décès et de le confirmer à l'assistance. Les spectatrices qui avaient misé sur l'esclave du quadrant Est venaient de perdre leur gageure. Se désintéressant du macchabée, impatiente d'aider maintenant une collègue, l'Asiatique s'est avancée en direction de la jeune blonde afin de s'acharner en tandem sur l'esclave du quadrant Sud.

Fascinée, je promenais mon regard enchanté dans toutes les directions afin de ne rien manquer. Notre Roumain était mal en point. Des larmes ruisselaient sur ses joues et dégoulinaient sur son visage crispé. Ses membres tressaillaient, agités par des spasmes nerveux. De toute évidence, il n'en pouvait plus. Il a fini par se vider de son sang, donnant lieu à une finale entre le prisonnier du quadrant Sud (la sélection d'Anna) et celui de l'Ouest (le choix d'Elizabeth).

— Voilà, je vais gagner! s'est mise à chantonner Elizabeth en sautillant sur le rebord de son siège.

La tête du grand mince, au Sud, s'est affaissée pour de bon.

— Ouais! jubilait Elizabeth.

Les quatre dominatrices se sont réunies à proximité du dernier survivant, l'homme trapu et musclé. Les bras bien haut en signe de victoire, elles ont salué les spectateurs. Puis, l'Asiatique s'est permis d'enrouler son long fouet autour du cou de l'esclave. Gardant l'un des deux bouts dans sa main et offrant le second à Cornelia, les deux femmes ont tiré très fort, chacune de son côté, jusqu'à ce que s'étrangle à mort leur victime.

Le chahut s'est estompé, laissant place à un silence sépulcral; seul subsistait le bruit morbide des dernières gouttes de sang tombant dans les flaques au sol, amplifié par les micros judicieusement disposés tout autour.

Minuit avait sonné : « L'heure du crime. » Quelle coïncidence! Il était temps de retourner au château.

❧

De retour au Québec, deux jours plus tard, j'ai passé de longues heures assise dans mon fauteuil, perdue dans mes pensées, à réfléchir à tout ce que je venais de découvrir, aux émotions fortes que j'avais vécues, aux plaisirs insoupçonnés que me procurait la concrétisation de ces fantasmes extrêmes. Ne restait plus qu'à mettre en œuvre ma vocation.

CHAPITRE 25
Accusations

Émilie Perreault, la jeune femme soupçonnée d'avoir fait intrusion dans le système informatique de la SQ, patiente depuis quelques heures dans la salle d'interrogatoire du poste de Mascouche. Nerveuse, elle enroule sans arrêt des mèches de sa longue chevelure noire autour de son index, formant ainsi des boucles. Sa jambe droite, croisée sur la gauche, se balance au rythme des battements effrénés de son cœur. Son accoutrement négligé témoigne de la rapidité avec laquelle elle s'est vêtue lorsque les enquêteurs Fournier et Saint-Jean l'ont arrêtée chez elle en début de matinée : elle porte un jeans et un coton ouaté un peu usé. Un agent, qui se tient debout près de la porte, lui adresse des regards méprisants entre deux bâillements.

L'inspecteur Fournier et l'agent Vincent Legendre entrent, talonnés par un troisième homme de petite taille aux courts cheveux bruns. La suspecte se raidit sur sa chaise et leur décoche un regard défiant. Fournier fait signe au garde de disposer, puis s'adresse à la femme d'un ton rêche :

— Demeurez assise, madame Perreault. Nous en avons pour un moment.

L'inspecteur prend place dans la chaise devant la jeune femme tandis que Legendre referme la porte et appuie son épaule contre le chambranle. L'autre homme, un informaticien de la SQ qu'on vient d'attitrer au dossier, s'installe en retrait près du mur et repousse ses lunettes rondes en attendant la suite.

— Écoutez-moi bien, madame Perreault, commence Fournier. Notre analyste en informatique, ici présent, vient de passer les deux dernières heures à effectuer un examen complet du disque dur de votre ordinateur et y a déniché des informations plutôt compromettantes. J'oserais dire que vous êtes dans le pétrin, aussi je vous conseille de coopérer.

Émilie Perreault sent ses mains devenir moites. Elle n'aura peut-être pas le choix de révéler certaines choses, mais comment répondre sans tout raconter? Tout dépendra de l'allure que prendra l'interrogatoire. Perdue dans ses pensées, la jeune femme loupe la première question de Fournier.

— Madame Perreault?

— Oh! Pouvez-vous répéter votre question? Je n'ai pas très bien compris, demande la jeune femme en revenant à elle.

— Quel est votre âge? réitère Fournier.

— Vingt-neuf ans.

— Votre profession?

— Je suis étudiante.

Fournier ne peut croire que malgré la mise en garde qu'il vient de lui adresser, l'effrontée lui ment déjà. Il sait très bien, selon une courte enquête dont le rapport vient de lui être livré par Gisèle, qu'elle travaille à son compte.

— Madame Perreault, précise Fournier d'un air irrité, je vous ai demandé d'être honnête avec nous.

La jeune femme entrouvre la bouche, hésitant un instant.

— Comme vous le savez peut-être déjà, dit-elle en tentant de dissimuler les frétillements de sa lèvre inférieure, j'ai choisi de travailler à mon compte dès la fin de mes études universitaires en informatique, il y a environ cinq ans. Je suis consultante en webmarketing. Comme la plupart de mes mandats sont à la pige, je ne tire de ce métier qu'un revenu très modeste.

La jeune femme marque une pause. Elle empoigne le verre d'eau qu'on a déposé devant elle un peu plus tôt et boit quelques gorgées.

— Récemment, je me suis inscrite à un cours par correspondance afin d'étudier les techniques juridiques. Voilà ma principale occupation des derniers mois.

— Que faisiez-vous sur notre site sécurisé? Votre explication au sujet de la rédaction d'une thèse sur l'actualité criminelle me semble être de la pure foutaise. Je ne crois pas non plus que cette formation exige de vous que vous fouilliez dans nos fichiers pour trouver des renseignements à propos de deux meurtres qui sont au centre de nos préoccupations actuelles.

— J'avoue que ce sont plutôt mes intérêts personnels qui m'ont incitée à le faire. Il n'y a rien de plus palpitant au Québec, présentement, que cette histoire de Justicière. Tout le monde en parle!

Fournier, penché au-dessus du bureau, les paumes bien appuyées sur celui-ci, fixe Émilie Perreault d'un regard perçant.

— À la suite de l'examen de votre profil Facebook, il nous a été donné de constater que vous comptez mesdames Nancy Tremblay et Mélanie Bilodeau parmi vos contacts. Quelle est la nature de vos liens avec ces deux femmes?

— Je ne les connais que virtuellement, je ne les ai jamais rencontrées.

— Pourtant, elles font partie de vos deux mille contacts Facebook.

— Je vois, monsieur, que vous ne connaissez pas grand-chose aux réseaux sociaux. Je comprends que ce n'est pas de votre génération, mais…

— Holà, petite, ne jouez pas les insolentes… se fâche Fournier.

— Tout le monde sait que seule une faible proportion de nos contacts sur les réseaux sociaux sont de vrais amis, enchaîne Émilie Perreault. Il me semble que vous devriez savoir ça…

Fournier bout. Cette chipie joue avec ses nerfs. Le traiter d'ignorant est une chose, mais de là à s'en prendre à son âge... Il inspire profondément, question de se calmer avant de poursuivre l'interrogatoire.

— Pour quelles raisons, dites-moi, la procureure de la Couronne fait-elle partie de vos contacts?

La prévenue se redresse.

— Laissez-moi vous expliquer, inspecteur.

— C'est ce que nous attendons depuis le début, marmonne Fournier.

— Nancy Tremblay et Mélanie Bilodeau ne me connaissent pas plus que je les connais, et pour elles, je ne suis qu'une personne comme tant d'autres qui s'intéressent à leurs activités professionnelles. En fait, je surveille leurs commentaires et activités sur le Net.

Fournier se lève, contourne la table et dépose une fesse sur le coin du meuble, à quelques centimètres d'Émilie Perreault. Il croise les bras.

— Vous ne cessez de me surprendre avec vos explications farfelues, madame Perreault. J'en ai vu d'autres, en trente ans de carrière, vous savez, ajoute-t-il d'une voix basse, comme s'il s'agissait d'un secret. Je n'ai pas de doutes quant à votre curiosité, mais quelle est l'utilité d'espionner ces gens sur les réseaux? Elles ne vont tout de même pas révéler des informations compromettantes!

L'informaticienne fait basculer sa chaise sur les deux pattes arrière, trouvant que Fournier est beaucoup trop près d'elle et qu'il envahit son espace personnel.

— Par simple curiosité, réplique-t-elle d'un air nonchalant. Les gens ont parfois des vies captivantes et c'est d'autant plus passionnant de découvrir la vie privée de ceux dont on étudie le dossier public.

L'inspecteur se gratte la tête en réfléchissant.

— Si je comprends bien, madame Perreault, vous êtes une informaticienne émérite, passionnée par le droit, qui est prête à s'exposer à des poursuites criminelles en infiltrant illégalement nos banques de données, et ce, dans le seul et unique but de suivre, par intérêt strictement personnel, les enquêtes judiciaires majeures tout en espionnant les intervenants impliqués. Est-ce que ça résume bien les faits jusqu'à présent?

— Oui, ça ressemble à ça… confirme Émilie Perreault en tentant de dissimuler son malaise.

Le poing de Fournier s'abat sur le bureau, qui vacille sous la force de l'impact.

— Vous irez raconter tout ça à quelqu'un d'autre, madame! Vous me cachez quelque chose... et je vais le découvrir!

Fournier regarde tour à tour ses collègues.

— Messieurs, je vous prie d'aller m'attendre dans la salle des employés. J'irai vous rejoindre dès que j'en aurai terminé avec madame Perreault.

L'informaticien tourne les talons et sort en premier, suivi de Legendre, qui semble déçu de devoir quitter la pièce. Une fois la porte close, Fournier tourne de nouveau son regard vers la suspecte.

— Je m'apprête à vous laisser partir, madame Perreault. Votre matériel informatique est cependant confisqué pour une période indéterminée.

Celle-ci plisse le front, mais demeure muette.

— Vous savez, madame Perreault, il suffirait d'un peu plus de collaboration de votre part pour que soit réduite l'accusation qui pèsera bientôt contre vous.

Mais la jeune femme ne bronche pas; l'important pour elle est d'avoir réussi à passer à travers cet interrogatoire, sans en avoir trop révélé.

CHAPITRE 26
Médias

Incommodé par le brouhaha extérieur, Fournier laisse échapper quelques jurons en se demandant s'il réussira à terminer un jour la rédaction du rapport de l'interrogatoire d'Émilie Perreault. Curieux de connaître le motif de ce chahut, il laisse tomber son stylo puis abandonne son fauteuil afin de se rendre à la fenêtre de son bureau. Il repère aussitôt un rassemblement de badauds au milieu du stationnement recouvert d'une fine couche de neige.

— Bordel... ce n'est pas vrai, bougonne-t-il. Il ne manquait plus que ça!

Une camionnette blanche, clairement identifiée du sigle HTN en caractères gras et coiffée d'un récepteur satellite, est campée à moins de vingt mètres de l'édifice. Une femme équipée d'un micro interroge un homme, tandis qu'autour d'eux s'affaire une petite équipe de tournage.

— Gisèle! s'écrie Fournier en fonçant vers le bureau de son adjointe. Contacte Chapleau au plus sacrant. Nous avons les médias sur le dos, une chaîne que je n'arrive pas à identifier. À titre de relationniste, elle connaît sûrement ce réseau de télévision.

D'un pas tout aussi résolu, l'inspecteur retourne à la fenêtre.

— Madame Chapleau est à l'écoute sur la deuxième ligne, lui indique la voix de Gisèle sur l'interphone quelques instants plus tard.

Fournier décroche en vitesse, portant la main au front dans son énervement.

— J'ai besoin de toi, Lise. J'ai la chaîne HTN dans notre cour arrière. De toute évidence, l'intérêt des médias pour cette Justicière prend de l'ampleur. Voilà que cette affaire attire maintenant les médias étrangers! Ces filous vont sans doute sauter sur moi dès que je mettrai les pieds à l'extérieur afin d'essayer de me tirer les vers du nez. Tu connais ce réseau?

À l'autre bout de la ligne, Lise Chapleau pose la main sur sa bouche, muette de stupeur.

— Tu as bien dit HTN, Jacques? bafouille-t-elle enfin.

— Oui... quoi... qui sont-ils?

— Il s'agit de l'*Homicide Television Network*, une chaîne américaine. Je n'en reviens pas! Je croyais que ce genre de couverture médiatique n'arrivait qu'ailleurs. Tu sais ce que ça implique?

Fournier, assommé, s'affale dans le fauteuil.

— C'est le monde entier qui, à compter de maintenant, pourra suivre cette saga, précise-t-elle. La réputation de ce réseau, qui ne s'intéresse qu'aux sordides dossiers de meurtres, lui procure un vaste auditoire. Les dirigeants de cette chaîne spécialisée n'hésitent jamais à partager l'information recueillie – tant les images que les entrevues – avec les autres médias, pour peu qu'ils détiennent la primeur et que les autres diffuseurs citent ensuite explicitement leur source. Les retransmissions deviennent virales, d'autant plus qu'on peut les partager sur les réseaux sociaux dans l'heure qui suit la diffusion de l'émission.

— Crisse!

— Je vais m'occuper d'eux, Jacques. Je connais tes récriminations à l'égard des journalistes et je peux déjà t'assurer d'une chose : les reporters de HTN te harcèleront de questions. Tu risques de t'ennuyer de ton amie la journaliste Nancy Tremblay, ajoute-t-elle avec sarcasme.

Fournier étire le cou juste à temps pour apercevoir l'arrivée d'un second véhicule à l'effigie de la même chaîne.

— Ben voyons donc! peste-t-il.

— Quoi donc?

— Il faut faire quelque chose… un autre camion arrive!

— Oh... qu'on le veuille ou non, reprend Lise, nous allons devoir leur donner de quoi se mettre sous la dent. C'est la meilleure façon de contrôler ce qu'ils vont communiquer et de s'assurer qu'ils ne vont pas raconter trop de bêtises. Les histoires de meurtres ont toujours eu la cote, tu sais, alors il y a plusieurs petits futés qui ne se mêlent pas trop de leurs affaires. Dans cette situation, il faut être extrêmement prudent. Ne dévoile rien, tu m'entends? Rien de rien, pour le moment du moins. Je vais m'en charger. J'arrive dans une heure.

— Une heure? Bordel de merde…

— Je suis désolée, avec la distance et la circulation, je ne peux pas faire mieux… impossible de me téléporter.

— Bon, ça va… À plus tard.

Fournier se dirige vers la patère du coin et décroche son manteau d'hiver. Il se rend ensuite au bureau de sa coéquipière.

— Annabelle, que dirais-tu d'un bon spaghetti au Vulcano pour dîner? J'aimerais mieux ne pas sortir seul; des vautours m'attendent à l'avant de l'immeuble. Si nous filons par la porte arrière, il y a peut-être moyen de leur échapper.

— Avec plaisir, Jacques. Laisse-moi seulement le temps de terminer un courriel et je suis prête.

Dès leur sortie, les enquêteurs sont pris d'assaut par un petit groupe de journalistes qui guettait l'issue de secours. On leur planque des micros sous le nez, on prend des clichés et les questions fusent de toutes parts.

— Arrggh! râle Fournier en se protégeant le visage de son avant-bras. Impossible de s'en sortir!

À l'approche de la caméra, l'envie de rebrousser chemin lui traverse l'esprit. Peut-être aurait-il dû se contenter de son sandwich au jambon, qui défraîchit depuis la veille dans le réfrigérateur.

— *Inspector Fournier, may we have a word with you?* demande une journaliste aux cheveux bruns bouclés, début quarantaine.

Elle tend son micro devant la bouche de Fournier, qui le repousse du revers de la main. Pendant qu'Annabelle se faufile à travers l'attroupement, suivie de près par l'inspecteur, la brunette poursuit les enquêteurs en compagnie de son caméraman.

— Excuse mon français, il n'est pas très bonne, précise la reporter.

Fournier esquisse un petit sourire, étonné par l'effort de l'Américaine. L'envie ne lui manque pas de rétorquer que son *english* n'est pas *much better,* mais il se retient.

— Vous avez des pistes, un *profile of* la Justicière? Vous avez *apparently* une hypothèse des complices? poursuit-elle dans son français hésitant.

Fournier demeure de glace. La journaliste hausse alors le ton.

— Nous devons penser que votre *investigation is going nowhere,* que vous n'avez pas une bonne plan d'action. *I want to talk with the captain...*

Fournier rigole. *Ah! ces Américains!* se dit-il. Cette dame semble confondre la fonction d'enquêteur avec le titre d'inspecteur, qui se veut un grade au sein de la SQ. Par ailleurs, elle a tout l'air de croire que le grade de capitaine est supérieur à celui d'inspecteur, alors que c'est plutôt le contraire.

— Écoutez, madame...

— Stone, Jennifer Stone.

— Mon équipe d'enquête déploie tous les efforts possibles afin de démasquer la Justicière. Je vais laisser le soin à notre relationniste de presse, madame Chapleau, de vous parler des détails. Elle est d'ailleurs en route. En après-midi, elle se fera un plaisir de vous rencontrer et de répondre à vos questions.

Rendu à proximité du véhicule, Fournier déverrouille les deux portières à l'aide de la télécommande de son porte-clés. Annabelle s'engouffre sans tarder du côté passager.

— Oh! *Excuse me,* inspecteur. *I forgot a little detail,* souligne la reporter avant que Fournier ne démarre la voiture.

Au même moment, elle se retourne vers l'un de ses assistants et lui fait signe de s'approcher avec le paquet qu'il tient sous son bras.

— *A man delivered this box...*

Elle pointe le centre de la boîte, là où il est inscrit « La Justicière ». Les yeux de Fournier restent accrochés au paquet.

— *The package was given to me. If we must, my team will open it in our trailer. I am willing to hand it over to you, inspector, but we must be allowed to witness the opening of the box.*

— Qu'est-ce… qu'est-ce qu'elle dit? demande Fournier en se retournant vers Annabelle.

— Elle te propose d'ouvrir la boîte devant des millions de spectateurs pour lui permettre d'obtenir une exclusivité et d'ainsi voir augmenter son chèque de paye, ironise la coéquipière.

Fournier réfléchit rapidement, puis fait signe à Annabelle de sortir de la voiture. Le spaghetti devra attendre.

— Dis-lui de nous suivre, mais qu'il n'est pas question d'entrer dans le poste avec une caméra ou un micro.

CHAPITRE 27
La rencontre

Dès mon retour d'Allemagne, j'ai pris la décision de diminuer mes activités sadomasochistes dans la métropole. J'entrevoyais le jour où je concrétiserais mon projet de devenir la Justicière et je jugeais qu'il serait désormais plus prudent de me faire discrète, afin qu'on m'oublie un peu. J'envisageais de réapparaître plusieurs années plus tard, sous un autre jour, après un retour aux études qui me permettrait de parfaire mes connaissances dans une discipline ayant des liens étroits avec mes ambitions.

L'impératif de mener une double vie, publique et privée, était plus que jamais une évidence. Dans une certaine mesure, je vivais déjà avec cette double nature, comme c'est le cas d'à peu près tous les gens pratiquant le sadomasochisme, mais dans le cadre de mes visées ambitieuses, cela devenait vital; je devais maîtriser l'environnement où j'entendais sévir. Un diplôme dans un secteur d'activité pertinent m'accorderait l'occasion de déployer enfin mes ailes, celles qui me permettraient, d'une part, de jeter de la poudre aux yeux des curieux, en me hissant au-dessus de tout soupçon. Et qui m'assureraient d'autre part d'identifier avec soin mes éventuelles victimes, depuis ce point de vue privilégié.

Pour quelques mois encore, en attendant le début de ma première session scolaire, je ne serais disposée qu'à rencontrer mes meilleurs clients. Malgré cette décision de ne plus accepter aucune nouvelle demande, j'ai succombé à la requête d'une jeune femme qui sollicitait mes services pour la première fois.

Au téléphone, elle m'avait expliqué que son conjoint appréciait les jeux de rôles, le ligotage et les coups de fouet. Depuis qu'il avait osé laisser libre cours à ses appétences pour le fétichisme, il s'intéressait moins aux nuits d'ébats romantiques, désirant expérimenter désormais le sadomasochisme. La femme ne savait trop où cette aventure les conduirait, mais la perspective d'une rencontre à trois en ayant recours aux services d'une professionnelle suscitait son intérêt. Prenant soin de préciser qu'elle ne s'estimait pas lesbienne, elle m'avoua cependant son fantasme de soumission envers une autre femme, et me demanda si j'étais disposée à leur accorder ce genre de séance sur mesure.

Je n'avais encore jamais accompli un tel mandat, mais je me souvenais que Brigitte m'avait fait part de la popularité grandissante de ce genre d'activités chez les couples désireux de pimenter leur vie sexuelle; je n'étais pas contre cette idée. Nous n'avions alors mis que quelques minutes à nous entendre sur les paramètres de la rencontre. Aussitôt la conversation terminée, j'ai planifié ledit rendez-vous, amusée à l'idée de leur imposer mes perversités et d'exiger des actes indécents de leur part.

Le jeudi soir suivant, je me suis donc présentée à leur résidence de Westmount. L'imposante maison de pierres grises, de style Tudor, se voulait un petit bijou de patrimoine architectural. Ornée de colombages décoratifs rappelant l'architecture médiévale, la résidence était coiffée d'un toit pentu et d'une digne tourelle à toit-pinacle, qui lui conférait des airs de petit château. Sans le moindre doute, mes clients étaient de ceux qui ont davantage peur de la fin du monde que de la fin du mois...

Chargée de mon sac d'équipement sur l'épaule, j'ai gravi les quelques marches de pierre menant au palier de l'entrée, tout en fixant la fontaine ceinturée de fleurs au centre de la terrasse. De celle-ci jaillissait un immense jet d'eau, dont plusieurs gouttes étaient emportées par une chaude brise. J'avais à peine appuyé sur la sonnette qu'un homme affublé d'un harnais de cuir m'ouvrit la porte de bois massif. À l'instant où je me suis avancée dans le hall d'entrée, il s'est empressé de refermer la porte derrière moi. Sans aucune discrétion, il a scruté mon corps de pied en cap, s'attardant à l'opulence de ma poitrine. J'ai toléré sa balourdise sans le réprimander, charmée par cette convoitise qui, au fond, flattait mon ego de femme fatale. Lorsque nos regards se sont enfin croisés, ses yeux pétillants confirmaient son enthousiasme.

— Bonjour, je suis Frédéric, m'indiqua le trentenaire.

N'ayant aucun intérêt pour les présentations d'usage – un homme étant un homme, quant à moi –, j'ai aussitôt pointé un doigt autoritaire vers le sol, lui indiquant de s'agenouiller devant moi, une commande qu'il a exécutée sur-le-champ. Il me fixait de ses grands yeux bruns en attendant mes prochaines directives. De mon sac, j'ai retiré un bouquin, une règle en bois et une paire de lunettes de lectures qui, combinés à ma blouse blanche très décolletée, à ma jupe moulante ainsi qu'à mes souliers à talons aiguilles, me conféraient un look d'institutrice. J'ai ensuite de nouveau plongé la main dans mon fourre-tout afin d'en tirer un collier de cuir, que je me suis empressée de lui fixer au cou.

— Ceci est le symbole de ta soumission, avais-je décrété. Tant et aussi longtemps que tu le porteras, tu devras m'obéir, sans jamais me refuser aucun caprice. Pour des raisons de ménagement, j'adhère cependant à un code verbal auquel nous devons mutuellement consentir. Il te permettra de te soustraire à mes requêtes dans le cas où nous serions sur le point d'outrepasser tes limites. Le cas échéant, tu n'auras qu'à prononcer le mot « rouge », et ça mettra un terme à la séance. À moins d'une consigne contraire de ma part, ce mot est le seul et unique que j'accepterai de t'entendre prononcer. C'est bien compris?

Au même moment, j'ai aperçu la silhouette d'une ravissante jeune femme aux longs cheveux noirs qui descendait l'escalier hélicoïdal en bois d'acajou.

— Émilie, je présume, lui avais-je lancé avec un certain respect.

— Bonjour, Gabriella. Je suis heureuse de vous rencontrer enfin. Voilà déjà quelques mois que je songe à cette soirée. J'ai finalement pris mon courage à deux mains en décrochant l'appareil pour vous appeler l'autre jour.

Beaucoup plus jeune que je ne l'avais imaginée, Émilie m'apparaissait être ma cadette de quelques années; elle était probablement au début de la vingtaine.

Le portrait de la situation se dessinait : j'avais devant moi, à mes pieds, un riche homme d'affaires, amant du vice, pour qui la compagnie d'une jolie conjointe de quinze ans sa cadette ne suffisait plus. Cet anticonformiste éprouvait le besoin d'expérimenter une autre sphère de l'érotisme et d'entraîner sa partenaire dans un monde plus que libertin. Grâce à moi, il était sur le point d'explorer tout un pan de possibilités pour satisfaire ses fantasmes de soumission.

J'ai fait signe à Émilie de s'approcher. J'avais envie de poser une main baladeuse sur son corps recouvert d'un déshabillé écarlate en tissu diaphane. Sous le regard salace de Frédéric, j'ai approché vivement sa partenaire de moi d'une main derrière sa nuque et appuyé ma bouche contre la sienne, puis j'ai exploré de mes lèvres la courbe de sa poitrine en descendant jusqu'à effleurer le rebord de ses mamelons durcis par l'excitation.

La présence d'une enveloppe blanche déposée sur un meuble d'appoint attira mon attention. J'ai alors contourné mon esclave agenouillé afin de plaquer mon talon pointu contre son dos et de le pousser à agir :

— Va chercher mon offrande, à quatre pattes. Ramène-la-moi dans ta gueule.

Les jambières de cuir que portait Frédéric ne couvraient qu'une partie de ses cuisses. Ses fesses dégagées m'invitaient à entreprendre la séance en lui assénant quelques bons coups de règle sur le postérieur.

Tandis qu'il avançait en direction du petit meuble, j'ai fouillé dans mon sac, retirant cette fois un fouet à lanières de cuir. J'ai aussitôt déposé l'objet dans la main d'Émilie, prête à entreprendre le jeu de rôle qu'elle avait elle-même déterminé pour la soirée.

— J'ignore si tu as remarqué les regards libidineux de Frédéric à mon endroit, Émilie, mais, de toute évidence, il m'accorde plus d'intérêt à moi, sa préceptrice, qu'à toi, sa petite copine de classe. Si je me fie à l'attention indiscrète qu'il porte à mes seins, à mes fesses et à ma silhouette de déesse, je crois qu'il a pour fantasme de me baiser. Non seulement cet élève n'a pas fait son devoir de mathématique, mais il ose se désintéresser de toi, son amoureuse. Je crois qu'il mérite une bonne correction. Tu as envie de le punir?

Émilie a aussitôt fait claquer son fouet sur le fessier de Frédéric. J'en avais assez dit pour qu'elle s'enflamme. J'ai saisi son bras avant qu'elle ne poursuive.

— Pas tout de suite. Conduis-moi d'abord au cabinet de travail, le lieu privilégié de tout professeur.

Une fois à l'intérieur de la pièce, je n'ai pu m'empêcher d'admirer le vaste espace, le décor admirable, l'ambiance feutrée. De nombreux tableaux enjolivaient les murs recou-verts d'un chic papier peint. Ici et là, sur d'imposants meubles, reposaient des sculptures de bronze, quelques créations d'André Desjardins, un talentueux artiste québécois. C'est dans un fauteuil de cuir capitonné que j'ai pris place derrière l'imposant pupitre en chêne, obligeant mon esclave à s'asseoir en face, de l'autre côté.

— Frédéric... dépose tes deux mains sur le bureau, bras devant, les doigts écartés. Et ne t'avise surtout pas de les retirer. Tous mes élèves rebelles ont droit à ce traitement.

D'un coup sec, j'ai fouetté ses jointures avec la règle de bois. Une grimace de douleur est apparue sur son visage, sans qu'il ne bouge pour autant. J'ai répété ce geste à quelques reprises avant de remettre l'instrument de mesure à Émilie, afin qu'elle lui impose à son tour un peu de discipline. Frédéric n'a pas bronché. Ma jeune complice m'avait fait part au préalable de l'intérêt que celui-ci portait envers ce scénario en particulier. Toutefois, j'avais aussi des préférences, des impulsions que j'étais sur le point de dévoiler à mes clients d'un soir. J'anticipais déjà quelques heures de plaisirs érotiques dans la chambre à coucher en compagnie d'Émilie, sous le regard envieux de son conjoint. Certes, il aurait l'occasion de participer à nos ébats, mais je n'avais pas encore décidé du niveau de son implication.

Nous sommes montés à l'étage, dans l'alcôve des maîtres. La pièce se composait de meubles anciens et les murs et accessoires dans les tons de crème conféraient à l'endroit une ambiance apaisante. Au fond, dans un mobilier fabriqué sur mesure, était encastré un téléviseur à écran plat. Les occupants pouvaient ainsi se divertir, confortablement installés dans le vaste lit baldaquin qui régnait au centre de la chambre. Mon œil s'est arrêté sur le canapé qui se trouvait au pied du matelas, l'emplacement idéal pour la fessée que j'avais en tête d'administrer à Émilie. Dès que je me suis assise sur le sofa, j'ai fait signe à la Belle de s'approcher.

— Allonge-toi sur le ventre, en travers de mes cuisses, lui avais-je ordonné en lui tirant le bras.

Au son de ma voix autoritaire, elle s'est exécutée. J'ai soulevé son vêtement, dévoilant sous mes yeux un popotin bien rond et musclé, des fesses que je me suis amusée à faire rougir pendant plusieurs minutes. À chaque coup que je lui portais, elle laissait s'échapper un gémissement, une lamentation qui ressemblait davantage à un aveu de plaisir qu'à un cri de douleur. De temps à autre, elle se retournait pour me considérer avec de grands yeux chatoyants, qui semblaient m'implorer de prolonger le traitement.

Quand j'ai eu terminé, j'ai fait signe à Frédéric de venir plus près. D'un mouvement guilleret, j'ai arraché son cache-sexe en cuir, révélant ainsi un début d'érection.

— Asseyez-vous côte à côte sur le rebord du lit, ai-je ordonné.

Je me suis avancée à quelques centimètres du couple, mon buste généreux dans le visage d'Émilie. J'ai alors pointé le bouton de ma blouse qui se trouvait à mi-chemin entre mes deux seins, celui qui semblait sur le point de se découdre tellement le tissu était tendu.

Émilie m'a dévêtue, savourant chaque instant, un sourire lumineux accroché aux lèvres. J'observais, pendant ce temps, la verge de Frédéric qui prenait du volume au fur et à mesure que se dévoilait mon corps. Son regard braqué sur ma taille de guêpe, sa mâchoire tombante, le mouvement de sa main vers son entrejambe, tout témoignait de l'envie qu'il avait de se masturber devant moi.

Incapable de contenir son ardeur, Émilie s'est mise à me caresser, à poser ses lèvres sur ma peau douce. Elle s'est agenouillée devant moi afin de retirer ma jupe. Je me suis alors retournée pour lui présenter la fermeture éclair qu'elle devait détacher. En un rien de temps, mon vêtement est tombé au sol. J'ai senti sa langue chaude qui se déployait dans le creux de mes reins et qui se dirigeait vers ma croupe.

Je me suis étendue à plat ventre, en diagonale, sur le grand lit douillet. Émilie m'a alors chevauchée, palpant mes fesses avant de s'attarder à mon échine, sa chatte bien appuyée contre mon arrière-train. Frédéric, pour sa part, n'a eu droit qu'à l'adoration de mes pieds parfaitement manucurés d'un vernis rouge sang. Quelques tentatives de sa part de s'aventurer vers mes cuisses lui ont attiré mes réprimandes, de même que des claques au visage administrées par Émilie, sous mes ordres.

Le point culminant de la séance est survenu au moment où j'ai exigé qu'ils s'offrent en spectacle devant moi, qu'ils s'exécutent pour mon bon plaisir. Brandissant bien haut la cravache que je tenais dans ma main droite, j'ai énoncé mes directives :

— Enfile les bottes cuissardes que j'ai apportées, Émilie.

Mon but était simple : abuser physiquement de Frédéric tout en humiliant Émilie.

Au lit, mes subordonnés se sont enlacés, s'embrassant à pleine bouche sous mon regard approbatif. Autour du lit, je me déplaçais afin de ne manquer aucun angle de vue, mon fouet prêt à intervenir en cas de relâchement. L'homme caressait les seins splendides de sa conjointe, son pénis durci plaqué contre sa cuisse. Un petit coup de genou dans les flancs lui a fait comprendre que je m'attendais à plus. Le mamelon dressé d'Émilie a alors disparu entre les lèvres enflammées de Frédéric, s'engouffrant aussitôt dans sa bouche gourmande. Il a ensuite glissé ses mains vers le bas, ses doigts parcourant la moindre courbe, sa langue agile quittant doucement le petit fruit savoureux qu'il dégustait. Émilie pouvait maintenant percevoir l'air chaud de son haleine qui se déplaçait tranquillement vers son entrejambe. Ses cuisses se sont alors largement écartées pour permettre à Frédéric d'y plonger son visage, de goûter le divin nectar qu'elle avait à lui offrir.

J'avais prévu pour Frédéric l'un des rituels de choix de toute dominatrice : l'épreuve du godemichet entre les fesses. J'attendais le moment parfait pour lui enfoncer l'objet dans l'orifice anal.

J'ai enfilé le harnais autour de ma taille, à l'insu de mon esclave qui avait le dos tourné, trop occupé à lécher le pubis fraîchement rasé d'Émilie. Celle-ci, témoin de ma préparation, m'a observée avec de gros yeux ahuris. Sans en faire de cas, j'ai rejoint le duo, un tube de lubrifiant à la main. Me positionnant derrière le mâle, j'ai saisi ses hanches et relevé ses fesses d'un mouvement brusque. Surpris, il s'est retourné, ravi de découvrir mon intérêt à son égard. Puis, il a plongé son regard vers mon sexe orné d'un accessoire en caoutchouc, long et étroit, ressemblant à un phallus. Je pouvais lire l'inquiétude sur son visage, ce qui m'amusait beaucoup.

Étonnamment, il n'a offert que peu de résistance. Je me suis d'ailleurs demandé s'il en était ou non à une première expérience. Au cours des minutes qui ont suivi, j'ai exprimé mon amusement et ma dominance sur chacun d'eux par mes paroles.

— Tiens, prends ça, avais-je vociféré entre les dents en poussant avec force mon bassin vers l'avant, enfonçant mon faux sexe dans son cul. Sais-tu au moins pourquoi Émilie porte *mes* bottes présentement? C'est pour t'aider à imaginer que *je* suis celle que tu goûtes présentement, et non Émilie. De nous deux, je veux être celle que tu préfères. Oublie-la, elle n'est qu'un prolongement de moi-même, elle n'est plus qu'un accessoire pour nous. Maintenant, montre-moi comment tu me désires, et fais-moi jouir par son entremise!

Mes mots incisifs, dénués de délicatesse, je les voulais humiliants pour Émilie, mais ce n'était rien en comparaison de l'affront qu'allait lui faire subir son propre conjoint. Dans un élan de fougue, il a accéléré le rythme de sa dégustation, surexcité par la situation. Il la respirait, explorait ses profondeurs de sa langue avide, la dévorait comme un affamé. Et moi, je ne manquais pas de l'encourager. Mon souffle devenait plus court. L'excès de mes coups de bassin, auquel je soumettais Frédéric, commençait à me fatiguer. En aucun temps je n'avais diminué mon ascendant sur lui, ma vigueur ou la cadence de mes mouvements. Émilie ne cessait de se trémousser de plaisir. Les stimulations orales qu'elle recevait, la sodomie dont était victime son conjoint, la vue de mon corps aguichant, semblaient l'exciter au plus haut point. Ses gémissements devenaient plus intenses, ses reins se cabraient, et je pressentais l'éminence de son orgasme.

Alors qu'elle enfonçait ses ongles dans la chair de Frédéric, ses lamentations ont cédé la place à un cri digne de rendre l'ouïe à un sourd. Dans son euphorie, elle n'a témoigné d'aucune considération envers lui, agrippant solidement sa chevelure, secouant sa tête avec vigueur, l'étouffant presque et lui arrachant une poignée de cheveux. Peu à peu, ses convulsions se sont calmées et elle a lâché prise.

À la suite d'une brève accalmie post-orgasmique, que j'ai honorée en lui accordant un peu de répit, Émilie s'est relevée, un air espiègle accroché au visage.

— Je peux? m'avait-elle imploré en pointant le gode-michet.

J'ai vite compris qu'elle avait un désir brûlant d'exploiter Frédéric à son tour, de le punir pour son désir excessif pour moi. Dès l'instant où j'ai approuvé son intention, elle s'est précipitée vers l'attelage qui me ceinturait les hanches, qu'elle m'a littéralement arraché du corps et, en un rien de temps, elle était prête à sévir.

Bouche bée, toujours sur le ventre, Frédéric observait la scène, la tête retournée. Avant qu'il ne bouge, j'ai bondi sur son dos, appuyant avec force mes genoux contre ses bras pour empêcher tout mouvement. Sans retenue, Émilie l'a pénétré à son tour, prenant bien soin, avec chaque poussée, de se rendre jusqu'au plus profond de ses entrailles. Plus les mugissements de Frédéric se faisaient entendre, plus elle se déchaînait. On se serait cru au rodéo de Saint-Tite.

L'épuisement a eu raison d'elle. Aussitôt libéré, Frédéric a virevolté, sécurisant son derrière contre le matelas. De toute évidence, il ne voulait pas courir le risque que je prenne la relève.

Il commençait à se faire tard. Mes clients avaient bénéficié d'un petit bonus en temps par rapport à notre entente. Malgré tout, j'avais envie d'une dernière extravagance, un de mes jeux préférés, un acte au cours duquel j'allais enfin permettre à Frédéric de se branler et d'éjaculer devant nous : une abondante douche dorée. Adjacent à la chambre principale se trouvait une salle de bains presque aussi vaste. De grands miroirs, deux lavabos, un bidet adjacent à la toilette, une baignoire en coin et même une causeuse garnissaient la pièce. L'attrait de premier plan restait cependant l'immense douche vitrée, dont le plancher en tuiles de céramique s'étendait sur plus de trois mètres carrés.

— Couche-toi sur le dos au sol, Frédéric, lui avais-je intimé en posant mes pieds nus à l'intérieur de la douche.

Saisissant la bouteille d'huile d'amande douce que me tendait Émilie, j'ai laissé couler un long filet de liquide visqueux sur l'organe viril.

— Tiens, tu as cinq minutes pour te branler.

Frédéric s'est aussitôt exécuté, se caressant sous mes yeux pendant qu'Émilie se joignait à moi pour observer la scène. Un sourire discret aux lèvres, il scrutait mon corps en alternant son regard entre mon visage, mes seins et mon entrecuisse. Il ne regardait Émilie que par intermittence. Il m'a suffi de jeter un coup d'œil en direction de cette dernière pour comprendre que le comportement de Frédéric ne la froissait plus, que de toute manière, elle ne s'intéressait plus à lui, et que maintenant elle n'avait d'intérêt que pour moi. Nous sommes alors tombées dans les bras l'une de l'autre, nous embrassant éperdument au-dessus de celui qui cherchait à atteindre le septième ciel.

Incapable de me contenir, j'ai reculé légèrement, me positionnant ainsi au-dessus du visage de Frédéric, l'endroit précis où je désirais uriner. Ma puissante douche dorée a inondé sa figure.

— Allez... ouvre ta bouche, avais-je ordonné à l'homme avant que ne cesse mon jet.

Réjouie, Émilie s'est laissée aller à son tour sur le sexe de Frédéric, une audace qui n'a pas manqué d'étonner ce dernier. Aux abords de l'extase, il a augmenté le dynamisme avec lequel il manipulait sa verge pulsante. Il nous a offert un jaillissement digne des acteurs pornos. Un vrai geyser, une succession de giclées entrecoupées d'une multitude de cris, des éclaboussures atteignant mes genoux. Petit à petit, ses gloussements de plaisir ont fini par s'atténuer, laissant place à un relâchement, quelques jurons et un long soupir.

Impatientes de nous laver et de nous cajoler à nouveau, Émilie et moi avons quitté l'endroit main dans la main, en direction de l'une des trois autres salles de bains de la résidence, abandonnant Frédéric à lui-même; il ne revêtait plus aucun intérêt pour nous. En quelques heures à peine, j'avais conquis cette fille, obtenu sa complicité. Était-ce la partenaire idéale pour moi? Oh que oui! Pour l'instant, elle n'était qu'une aventure, mais l'avenir allait me surprendre, me présenter Émilie sous un angle nouveau. Loin de m'en douter, j'avais à mes côtés une éventuelle amoureuse, une femme de carrière, une future complice dans la réalisation de mes fantasmes tordus.

CHAPITRE 28
Directives

Depuis la saisie de son matériel informatique et son interrogatoire au poste de Mascouche, Émilie Perreault demeure discrète, consciente d'être sous surveillance policière. Elle cherche à ne pas compromettre davantage l'identité de son acolyte, la femme la plus recherchée au Québec...

Afin de pouvoir communiquer avec sa complice, elle a inventé un subterfuge. Elle se rend le matin à la bibliothèque avec son sac à dos rempli de documents d'études et s'installe à une table pour y travailler tout l'avant-midi, sachant bien que quelque part, au fond de la salle, un policier ou une policière en civil doit se cacher derrière un livre pour l'épier. Elle joue le jeu de la nonchalance, concentrée sur le travail qu'elle doit remettre. Elle feuillette les bouquins, dans lesquels elle puise l'information nécessaire à son travail et prend des notes dans un cahier à spirales, en prenant soin de ne pas se retourner, de ne pas avoir l'air de vérifier si elle est ou non observée.

À 11 h 24, elle jette un coup d'œil discret à son cellulaire puis, feignant un besoin naturel, se dirige vers la toilette des femmes. Elle met la main sur la poignée de porte et fait semblant que celle-ci est barrée en affichant une moue déçue; elle se rabat sur la porte d'à côté, une toilette pour handicapés dont l'intérieur est plongé dans le noir. Elle y entre en allumant la lumière et le ventilateur, qui mène un bruit d'enfer. Elle referme ensuite la large porte derrière elle.

— Tu as intérêt à ne plus faire de faux pas, Émilie! chuchote une femme d'une voix irritée. Cette négligence a bien failli…

— Chhuutt! fait Émilie en mettant le doigt sur sa bouche. Pardonne-moi, Gabriella, poursuit-elle en murmurant. Je me sens coupable. Je me suis fait piéger comme une débutante. Sois assurée que je redouble de vigilance, voilà pourquoi il importe de se voir ici en secret. Je vois que tu prends toi-même des précautions avec ce déguisement, mais je te souligne qu'il y a un flic dans la salle de lecture et un autre qui surveille l'entrée des toilettes. Je ne peux pas rester longtemps.

— Tu m'as déçue, Émilie, *grandement* déçue. Depuis l'incident, je ne décolère pas; tu mérites une bonne leçon et, crois-moi, quand l'occasion se présentera, je ne manquerai pas de t'en administrer une à la hauteur de ta négligence! Te rends-tu compte qu'à cause de cette bêtise, nous devons revoir toute notre stratégie?

Émilie se prend la tête.

— Quel cauchemar...

— En ce moment, tu ne m'es d'aucune utilité, Émilie. Tu deviens même un boulet à mes pieds. Vois comment les choses se compliquent maintenant! Alors, n'empire pas la situation en t'apitoyant sur ton sort. Il faut assumer ta bévue. Pour ce faire, je vais devoir te soustraire à la vigilance des autorités, c'est ma seule option. Je viens d'affecter l'un de mes serviteurs à une nouvelle tâche : localiser un endroit tranquille et retiré de la ville, un lieu sécuritaire pour te mettre à l'abri et où tu pourras effectuer le travail dont je t'ai confié la responsabilité, avec de l'équipement neuf, exempt de logiciels espions ou de mouchards. À l'insu des policiers, mes hommes vont te cueillir grâce à une habile stratégie. Vous devrez agir rapidement et efficacement. Tu n'as pas idée de toutes les difficultés que ça pose et du degré de risque encouru par moi-même et mes hommes, à cause de toi, de ta bêtise. Tu nous as mis dans un sacré pétrin! Et c'est moi, maintenant, qui me retrouve avec la tâche ingrate de devoir limiter les dégâts. Je dois prendre des risques que je n'aurais pas eu à courir si tu n'avais pas été aussi sotte! Pour un temps, ne t'en déplaise, tu seras ma captive. Dis-toi bien qu'il s'agit d'un mal nécessaire et que c'est par ta faute, et la tienne seule, si tu dois être retirée de la circulation. En attendant que mes hommes soient prêts à intervenir, ne bouge pas de chez toi, ne fais rien qui serait susceptible d'attirer l'attention.

— Bon... c'est ça... Pendant ce temps, je vais me taper douze heures par jour de *World of Warcraft,* en mangeant des pizzas, souffle Émilie d'un air découragé.

— Tu en profiteras pour assurer ton boulot habituel et avancer tes études à distance. Je t'assure que nous allons bouger rapidement, il n'y a pas de temps à perdre, Émilie. J'ai toujours un urgent besoin de ton assistance, qui doit être plus avisée que jamais. La chasse à l'homme à laquelle je devrai me livrer afin de capturer ma prochaine victime nécessite une logistique importante.

— Tu parles de Tanguay?

— Exactement. La protection policière dont il bénéficie depuis quelque temps complique notre tâche. Remarque que c'est peut-être une bonne chose que tu sois toi aussi sous surveillance; il faut voir si cette conjoncture aura pour effet de diviser les effectifs locaux. Il y a peut-être moyen de tourner ça à notre avantage; je continue à étudier l'échiquier. Maintenant, parle-moi de cette tâche pour laquelle tu t'es fait prendre; je présume que tu as tout de même eu l'occasion d'effectuer quelques vérifications avant que ne survienne cet incident malheureux...

— En ce qui concerne tes anciennes annonces sur Internet, il n'y a pas lieu de s'inquiéter. Je peux t'affirmer qu'aucune trace de tes activités sadomasochistes passées ne subsiste à ce jour. Grâce à quelques habiles manœuvres de ma part, même tes interventions sur les forums de discussion ont disparu. Évidemment, nous ne sommes pas à l'abri des publications imprimées.

— Comment comptes-tu préserver mon vrai nom, me protéger des médias sociaux?

— Je crois qu'il sera difficile d'établir un lien entre ton pseudonyme et ta véritable identité, Gabriella. Mais pour les médias sociaux, c'est une tout autre histoire; avec la carrière publique que tu mènes, forcément des photos de toi circulent ici et là, sous d'autres prétextes peut-être, mais il reste que tôt ou tard, certains pourraient faire des rapprochements d'après les descriptions physiques que les services policiers commencent à recouper.

— Voilà une autre raison pour ne pas trop retarder l'élimination de mes deux prochaines victimes afin de partir au loin ensuite.

— Je dois sortir, Gabriella, ça fait déjà quelques minutes que je suis ici…

— Rendez-vous ici exactement, même tactique, jeudi matin à dix heures quarante-cinq cette fois. Je te donnerai alors les consignes pour ta fuite.

— Très bien… c'est noté.

Sur ce, Émilie appuie sur la chasse d'eau, fait couler le robinet, démarre le séchoir à mains, puis ressort des toilettes et retourne dans le calme travailler jusqu'à midi, à la table où elle avait laissé ses documents.

CHAPITRE 29
Disparition

L'agent Vincent Legendre parcourt en vitesse le couloir menant au bureau de l'inspecteur Fournier. Ses collègues le regardent passer avec un air interrogateur, personne ne semblant connaître la raison de cette précipitation. Il entre dans la pièce sans même frapper à la porte.

— Nous avons un problème, inspecteur.

Le visage de Fournier s'assombrit. Il laisse tomber son stylo sur la feuille devant lui et lève aussitôt les yeux vers son collègue.

— L'équipe de surveillance a perdu la trace d'Émilie Perreault, annonce Legendre.

Fournier se lève d'un bond.

— Pardon? C'est une blague? Est-ce que vous ne deviez pas assurer une étroite surveillance?

— Oui, bien sûr, tout a été mis en œuvre, mais…

— Maudit manque d'effectifs... voilà ce qui arrive quand on confie le travail à de vertes recrues! le coupe Fournier en balançant un coup de poing sur le bureau.

Exaspéré, l'inspecteur fait descendre tous les saints du ciel.

— Bordel de merde! Ça confirme que sa surveillance était nécessaire, que cette fille a des raisons de nous filer entre les doigts! Non, mais... c'est quoi ce foutu travail d'amateurs?

Fournier reprend place dans son fauteuil, croise les deux mains derrière sa tête en songeant au lien que pourrait avoir cet incident avec le dossier de la Justicière. Il lui faut évaluer la stratégie nécessaire pour faire face à ce revirement de situation. Aussi, la réception d'un colis mystérieux, ces derniers jours, le troisième en l'espace de quelques mois – qui contenait cette fois une oreille humaine – a eu pour effet d'en décourager quelques-uns au poste. Certains se demandent si on parviendra à faire cesser les massacres en neutralisant enfin cette prétendue Justicière. Les analyses effectuées sur les deux phalanges amputées reçues précédemment – le doigt et l'orteil – démontrent qu'elles proviennent du même individu. Les probabilités que l'analyse de ce dernier morceau de chair confirme l'appartenance à la même victime sont donc très élevées.

Pour l'instant, retrouver Émilie Perreault devient une priorité; elle est désormais la principale suspecte, pense Fournier en se tournant vers Legendre pour lui donner ses directives :

— En l'absence d'Annabelle, ce matin, nous devons mettre les bouchées doubles, Vincent. Commence par trouver le rapport des deux bouffons qui devaient surveiller Émilie Perreault; je veux tous les détails de cette fuite.

410

La porte se referme à peine derrière Legendre que Fournier ressent une vibration sur sa hanche gauche. Sur l'afficheur de son cellulaire apparaît le nom de sa collègue.

— Annabelle... je parlais justement de toi. Comment va la formation?

— Numéro un, même si, en fait, j'ai l'esprit distrait par l'affaire de la Justicière. Je dois me documenter pour cette formation, planifier la matière, structurer mes interventions, et tout ça me cause une surcharge de travail dont je me passerais bien à ce moment-ci. Je commence à avoir hâte à la relâche du temps des Fêtes.

— Nous avons du nouveau dans le dossier d'Émilie Perreault. Serais-tu disponible pour en discuter cet après-midi?

À l'autre bout de l'appareil, Annabelle roule de gros yeux.

— Tu en as déjà trop dit, Jacques. Je t'écoute, mais fais vite; je suis en pause et je n'ai que dix minutes à te consacrer.

Pendant que Fournier lui parle de la disparition de la suspecte, Annabelle griffonne quelques notes dans un calepin.

— Je dois te quitter, Jacques, annonce-t-elle au bout d'un certain temps. Les élèves m'attendent, mais fais-moi savoir l'heure à laquelle nous pourrons reprendre cet entretien; j'ai eu une idée géniale, hier soir, pour la suite de l'enquête. En fait, je te téléphonais pour cette raison, mais je n'ai plus le temps de t'en parler tout de suite. Je t'en ferai part cet après-midi.

Avant même que Fournier n'ait le temps de la saluer, la communication s'interrompt, et le témoin lumineux de la ligne numéro trois de son téléphone fixe se met à clignoter. Il décroche :

— Jacques Fournier.

— Bonjour, inspecteur, ici l'agent Rivard. On m'a demandé de vous rappeler à propos d'Émilie Perreault.

— C'est bien vous qui aviez la responsabilité de sa surveillance, agent Rivard?

— Oui, en effet. Laissez-moi vous expliquer un peu les circonstances. C'était un coup bien préparé, inspecteur. J'avoue qu'on s'est fait avoir, mais l'évasion de Perreault aura nécessité l'intervention d'une complice.

— Une complice, vous dites?

— Vous m'avez bien entendu, inspecteur Fournier. Quand nous avons découvert le subterfuge, il était déjà trop tard. Perreault a reçu l'aide d'une dame qui s'est fait passer pour elle.

Fournier secoue la tête, n'y comprenant rien.

— Bon. Vous allez recommencer depuis le début, Rivard. J'ai de la difficulté à vous suivre.

— Madame Perreault a quitté sa résidence vers dix heures quarante-cinq dimanche matin, explique l'agent. Après une dizaine de minutes de marche, elle est entrée dans une église de son quartier.

Fournier se cale au fond de son siège, avide de connaître la suite.

— Je vous vois venir... Un vrai scénario hollywoodien. Je suppose que vous l'avez suivie, mais que ce n'était pas la bonne personne. C'est ça?

— Non, c'était bien elle, inspecteur. D'ailleurs, à l'aide de jumelles, nous avons nettement vu son visage au sortir de la maison, et nous avons noté son habillement : un long manteau beige et un béret vert en laine, recouvrant ses cheveux. J'ai regardé dans les jumelles, mon coéquipier aussi. Il n'y avait aucun doute, c'était bien elle. Je l'ai suivie à l'intérieur de l'église, alors que l'agent Rousseau est demeuré dans la voiture. Elle a pris place sur un banc de la cinquième ou sixième rangée pour assister à la messe.

— À la messe? Ce qu'il ne faut pas entendre! Elle allait confesser ses actes de piratages peut-être?

— Écoutez, monsieur Fournier, nous n'étions pas là pour juger de ses actes, mais bien pour faire de la surveillance…

— Oui, oui… grommelle Fournier, irascible. Mais quand même! À la messe… il y avait de quoi être sur vos gardes, c'est si peu crédible…

— Eh bien, justement, on a ouvert l'œil, mais toujours est-il qu'à la fin de la célébration, lorsque la femme a quitté l'église par la porte de côté, j'ai suivi son déplacement à pied jusqu'à un petit casse-croûte, où elle est entrée pour commander un café et lire le journal. Une fois à l'intérieur, je me suis assis à une banquette tout au fond, en ligne droite derrière elle. Lorsqu'elle a enlevé son béret, j'ai été étonné de lui découvrir une chevelure rousse. Je me suis raidi, jetant aussitôt un œil dans le miroir au fond de la salle à manger dans lequel j'ai vu le reflet de son visage. J'ai alors réalisé que ce n'était pas Émilie Perreault...

La lassitude envahit Fournier. Certes, il se souvient qu'il devait se contenter des affectations de surveillance lui aussi, à ses débuts en tant que détective. Bien qu'ennuyeuse, la tâche exigeait une rigueur de tous les instants, mais jamais il n'avait perdu la trace d'un suspect placé sous sa responsabilité.

— Mais bordel! Comment avez-vous pu... grogne Fournier dans le combiné de l'appareil.

— Laissez-moi terminer mon explication, je vous prie, le coupe l'agent de police.

Fournier prend une bonne respiration par le nez, une technique qu'il a dû maîtriser au fil des ans pour l'aider à surmonter son irritabilité.

— Allez-y, je vous écoute.

— Dès cet instant, nous avons tenu cette femme pour suspecte, la soupçonnant d'avoir agi en tant que complice. Son accoutrement était semblable en tous points à celui de Perreault. Une copie conforme de cette dernière. Selon nous, le temps que j'entre dans l'église – à peine quelques secondes – les deux femmes avaient échangé leur rôle. Après réflexion, tout porte à croire que la complice patientait dans un recoin sombre de l'entrée. La suspecte s'y serait planquée le temps de me laisser m'asseoir près de la mauvaise personne.

Fournier retient un petit rire narquois. Il trouve hilarante la manière dont les deux détectives se sont fait duper.

— Évidemment, lorsque j'ai réalisé l'arnaque, nous avons interrogé la rousse sur place, poursuit Rivard. La femme n'a cessé de plaider qu'elle ne connaissait personne ayant assisté au service religieux. Confrontée au fait qu'elle portait des vêtements parfaitement identiques à une suspecte sous surveillance policière, qui nous a échappée pour cette raison, elle s'est défendue en prétendant qu'il devait s'agir d'une coïncidence. Ne croyant en rien cette histoire, nous l'avons emmenée au poste où nous avons procédé à un interrogatoire en règle.

— Avez-vous achevé votre rapport?

— Absolument.

— J'aimerais en recevoir copie par courriel le plus rapidement possible. Je vais devoir interroger cette femme à mon tour au cours des prochains jours, précise Fournier avant de mettre fin à l'appel.

Pendant de longues minutes, l'inspecteur demeure immobile dans son fauteuil, la tête contre le haut du dossier, perdu dans ses pensées. Bien qu'il soit conscient de l'importance des derniers incidents impliquant cette informaticienne, il se doute bien qu'il ne s'agit là que de la pointe de l'iceberg. Pour la première fois dans sa longue carrière, il se sent dépassé par les événements. Il lui semble que cette histoire se complexifie un peu plus chaque jour. Jamais il n'a eu à piloter une enquête aussi confondante, chaque journée apportant son lot de rebondissements et de frustrations. Se disant que la paperasse devra attendre, qu'il a besoin d'un endroit tranquille pour réfléchir, et que rien ne vaut une bonne balade en voiture pour se ressourcer, Fournier se lève, animé par un élan de détermination.

À partir de son cellulaire, il compose le numéro de sa coéquipière afin de laisser un message sur sa boîte vocale :

— Annabelle, c'est Jacques. Je quitte le bureau à l'instant. Je propose de tenir notre rencontre au bistro de mon bon ami Champlain, en bordure du fleuve, à Berthierville. J'ai envie d'un endroit paisible. Depuis Joliette, ce sera plus rapide pour toi. Viens m'y rejoindre dès que tu auras terminé ta formation.

❦

Assis sous la véranda chauffée du restaurant, Fournier avale le dernier morceau de sa tarte au sucre, puis il termine son verre le lait. Au même moment, il aperçoit Annabelle qui gravit l'escalier de bois menant à l'étage où il se trouve, une terrasse vitrée qui surplombe le fleuve. Malgré le temps froid à l'extérieur – trois semaines avant Noël –, les rayons de soleil percent le vitrage et égayent l'atmosphère.

— Allô Jacques! s'exclame Annabelle en franchissant la dernière marche, le souffle court.

— Et moi qui croyais que tu étais une jeune policière en grande forme, plaisante Fournier, beaucoup plus décontracté qu'il ne l'était il y a quelques heures à peine lorsqu'il s'indignait des dernières bévues policières.

Annabelle se laisse tomber dans une chaise de rotin en face de Fournier.

— Tu as l'air détendu, s'étonne-t-elle.

416

— Pour être honnête avec toi, je me sentais dépassé par les événements tout à l'heure. Mais le paysage féérique et le climat de tranquillité qui règne ici m'ont permis de retrouver mes esprits.

Annabelle s'esclaffe :

— Je n'en doute pas une seconde, voyant que tu as même fait un bout de chemin pour venir à ma rencontre, blague-t-elle.

— Mais n'empêche, j'ai très hâte d'entendre l'idée de génie à laquelle tu faisais référence lorsque tu m'as raccroché la ligne au nez tantôt.

— Quelque chose pour vous, madame? demande un serveur muni d'un cabaret.

— Un chocolat chaud, s'il vous plaît, commande Annabelle.

— Tiens! Tu m'étonnes... rigole l'inspecteur. Et qu'advient-il de ton régime à la noix?

— Ahhh, fous-moi la paix avec ça, veux-tu? Ma vie est exténuante ces derniers temps et j'ai bien besoin d'une petite gâterie de temps à autre pour m'aider à tenir le coup.

— Si ça peut t'aider à éviter un *burnout,* tu as ma bénédiction, annonce Fournier en faisant un grand signe de croix dans les airs.

Il lève ensuite le menton, avec un petit air défiant, et braque les yeux sur sa collègue, impatient de l'entendre dévoiler ses plans.

— Bon... Je crois deviner que malgré ton allure nonchalante, tu es impatient d'entrer dans le vif du sujet, en déduit la jeune policière.

— Comme toujours, on se comprend sans même avoir à se parler, confirme Fournier avec un sourire satisfait.

— C'est dans mon bain, hier soir, que j'ai eu cette idée, débute Annabelle. Loin de moi l'intention de remettre en question tes méthodes d'enquête, Jacques, mais je trouve que nous sommes trop passifs dans cette affaire. J'ai l'impression d'être le dindon de la farce, toujours en attente des prochains faits et gestes de notre meurtrière, une attitude plus réactive que proactive, si tu veux mon avis. Que dirais-tu de tendre un piège à la Justicière?

Fournier hausse les sourcils, intrigué par cette suggestion.

— Tanguay, le père de famille qui a poignardé ses deux enfants, pourrait servir de leurre, propose Annabelle.

— On l'a déjà à l'œil, celui-là. On l'utilise déjà en quelque sorte comme un appât, non? demande Fournier, qui jongle avec l'idée.

— Oui, si on veut, mais il y a moyen de tirer nous-mêmes les ficelles. Il est évident que le cas de Tanguay présente un grand intérêt pour la Justicière; c'est probablement le plus flagrant dossier d'injustice dans l'histoire du Québec, du moins selon la population. Je t'avoue d'ailleurs que je suis surprise qu'on ne le compte pas encore parmi ses victimes. Selon moi, ça ne saurait trop tarder... On a intérêt à être vigilants.

418

La proximité d'un autre client pousse Fournier à s'avancer sur le bout de sa chaise pour se pencher vers sa collègue.

— Tu as peut-être raison, ce n'est pas sous surveillance policière que devrait se trouver actuellement Tanguay, chuchote l'inspecteur, mais plutôt en hébergement restrictif vingt-quatre heures sur vingt-quatre.

Annabelle arbore un sourire discret.

— C'est exactement où je veux en venir, Jacques. Mon stratagème consiste à confiner Tanguay dans un établissement, sous prétexte de vouloir le protéger d'un danger imminent. De cette manière, on s'assure d'obtenir sa collaboration, mais d'abord, on pourrait laisser subtilement filer l'information de façon à nous assurer que les médias en parlent : la population est très préoccupée par tout ce qui concerne ce meurtrier remis en liberté. Si Tanguay fait effectivement partie des plans de la Justicière, elle n'aura d'autre choix que d'agir prestement, avant qu'il ne lui file d'entre les doigts et se retrouve sous haute protection. Nous l'attendrons alors de pied ferme.

Fournier regarde Annabelle avec admiration.

— Vos réflexions m'épatent toujours, madame Saint-Jean. Ça me rappelle les raisons de votre ascension rapide au sein de notre corps policier, blague-t-il.

Sa collègue lui répond par un sourire.

— Tout ça n'est pas très *politically correct,* poursuit l'inspecteur. Tu te rends compte des répercussions si jamais cette tactique ne fonctionne pas? Et le danger potentiel auquel nous soumettons Tanguay si nous n'intervenons pas à temps?

Les craintes émises par le capitaine Gailloux quant à la possibilité de la présence d'une taupe dans l'équipe d'enquête résonnent dans la tête de l'inspecteur. S'il fallait que ce soit le cas, une telle opération pourrait très mal tourner, songe-t-il en secret, sans oser toutefois en parler à sa collègue.

Annabelle hausse les épaules.

— Et toi, Jacques, nonobstant ta responsabilité professionnelle et ton code de déontologie, tu te soucies *réellement* du sort de Tanguay?

Fournier jette un regard circonspect autour de lui.

— Tu es bien la seule à qui je suis prêt à avouer le fond de ma pensée, précise-t-il en soupirant, mais en effet, si jamais la Justicière arrive à le capturer, ce ne sera pas la fin du monde… Il aura, si je puis dire, mérité son infortune.

— Je suis assez d'accord avec toi, déclare Annabelle en lui décochant un clin d'œil. Et puis, bon… entre sauver la peau d'un criminel et mettre la main sur un autre qui présente un risque encore plus élevé de récidive, je parle bien sûr de la Justicière, il faut évaluer ce qui nous importe le plus. Il faut ce qu'il faut…

— Ouais, malheureusement on ne fait pas d'omelette sans casser des œufs, comme on dit…

— Bon, allez, maintenant, tu me parles un peu de ce qui s'est passé avec Émilie Perreault?

CHAPITRE 30
Boris

C'était terminé les annonces dans les journaux spécialisés, les photos de moi dans les grandes revues internationales qui annonçaient mes services aux riches étrangers en quête d'une dominatrice, à l'occasion de leur visite dans la métropole québécoise. En fait, depuis mon voyage en Allemagne, je n'avais effectué qu'une seule séance pour des clients, celle d'un couple qui m'avait permis de faire la connaissance d'Émilie, ma nouvelle complice.

C'était avec une certaine nostalgie, cependant, que je me voyais dans l'obligation d'abandonner le métier de dominatrice que j'aimais tant; le besoin d'assouvir mes passions m'habitait toujours et il m'était difficile de passer plus de quelques jours sans avoir à mes pieds un rampant serviteur, prêt à se soumettre à mes moindres lubies. En attendant mon retour aux études, je tentais de trouver une issue à cette impasse.

Un homme de Palm Springs, en Californie, m'a offert une solution sur un plateau d'argent lorsqu'il m'a jointe au téléphone. Il s'est présenté comme étant un acteur hollywoodien bien en vue dans la communauté cinématographique, né d'une mère francophone originaire de Montréal. Il était fier de me dire qu'il avait appris le français dès le berceau. Il m'a fait savoir qu'il avait obtenu mes coordonnées par l'entremise d'un ami qui, apparemment, avait fait ma rencontre lors d'un voyage au Québec. Depuis, ce dernier n'avait cessé de lui vanter mes prouesses de dominatrice.

— Je suis au beau milieu d'un tournage, m'indiqua Steven. Or, à court terme, il m'est impossible de me déplacer moi-même pour vous rendre visite, mais que diriez-vous d'un voyage de quelques jours en Californie, toutes dépenses payées, et de dix mille dollars en échange de vos services?

Je restais sur mes gardes. J'avais besoin de garanties. Par le passé, j'avais souvent reçu des appels alléchants du même genre qui n'avaient abouti à rien, effectués par certains adeptes dans l'unique but de se branler en discutant avec moi, une pratique fréquente avant l'avènement de la pornographie sur Internet. J'ai donc exigé un temps de réflexion, mais Steven m'a de nouveau contactée dès le lendemain soir pour me convaincre de la sincérité de sa démarche.

— Si je suis prêt à payer le gros prix, en requérant les services d'une dominatrice de l'extérieur du pays, c'est que mes fantasmes nécessitent une discrétion absolue. Permettez-moi de vous offrir un acompte substantiel afin de réserver vos services.

Au cœur de la discussion, il m'a avoué sa fantaisie : devenir le soumis de quelques actrices dominantes, mais il ne pouvait se permettre ce genre de rapport avec des collègues de travail. Qui plus est, il devait préserver son image publique et s'assurer que ce désir demeure un secret bien gardé. À ses yeux, selon les références qu'il avait obtenues, j'étais la personne toute désignée pour les sévices psychologiques et physiques auxquels il aspirait.

À bien y réfléchir, c'était là une occasion appropriée de poursuivre – sous le couvert du plus grand secret – l'exploration de mes propres fantasmes. Je pourrais du même coup acquérir un bon montant d'argent en vue de mes projets d'études. Au fil des échanges avec Steven, j'ai finalement accepté de passer un week-end en sa compagnie; une petite visite sous le chaud soleil de l'Ouest américain, en plein cœur de l'hiver québécois, me ferait le plus grand bien.

∾

Pendant que j'étais dans l'un des restos-bars de l'aéroport international de Montréal, un homme à l'allure noble, coiffé d'un chapeau melon désuet, n'a cessé de me dévisager au moment où je dégustais un verre de vin rouge. J'étais habituée à ce qu'on contemple mes courbes et mon habillement, mais cet individu avait l'air intéressé surtout par mon visage, plissant les yeux dans ce qui me semblait être un effort pour me reconnaître, comme si je lui rappelais quelqu'un. La situation me rendait inconfortable, moi qui tentais depuis un bon moment de me faire discrète dans l'exercice de mes fonctions. Je tentais de le dissimuler en me concentrant sur la lecture du journal; cet homme ne me rappelait personne.

Entrecoupé d'une courte escale à Détroit, mon vol vers la Cité des Anges a pris une tournure inattendue. L'avion était presque vide et j'étais seule dans ma rangée, assise au bord du hublot, à l'arrière de l'appareil. Du coin de l'œil, j'ai de nouveau aperçu l'homme au chapeau. D'un pas maladroit, il avançait dans le couloir en ma direction, posant les mains sur chacun des appuie-dos afin de conserver son équilibre. Je croyais qu'il se rendait ainsi aux toilettes et j'ai baissé les yeux dans l'espoir d'éviter de croiser son regard, mais il s'est arrêté près de mon siège.

— Vous permettez que je prenne place quelques instants à vos côtés? m'a-t-il demandé dans un français de toute évidence québécois.

Étonnée de sa hardiesse, je n'ai cependant pas hésité à accepter sa compagnie, curieuse d'élucider les motifs de son intérêt à mon égard. Il me fallait en avoir le cœur net. Aussi, d'un petit signe de la main, je lui ai indiqué le fauteuil donnant sur l'allée, sur lequel il s'est laissé choir.

— Bonjour, Maîtresse, avait-il murmuré en se penchant vers moi. Je suis désolé de vous aborder dans ce contexte, mais je dois vous parler.

Je n'avais aucun souvenir de cet individu. Un client, peut-être. Pourtant, je n'oubliais jamais le visage des soumis qui, un jour, avaient rampé à mes pieds. J'avais d'autre part les yeux recouverts lors de chacune de mes séances, alors comment ce client – s'il en était un – aurait-il pu me reconnaître?

— Et vous êtes...?

Embarrassé, et craignant les oreilles fines, il a recouvert sa bouche à demi :

— Je me prénomme Jules. Nous nous sommes rencontrés lors d'un atelier sur le fétichisme, il y a déjà quelques années. Vous étiez en période de réflexion, me disiez-vous à l'époque, jonglant avec l'idée d'œuvrer à titre de dominatrice professionnelle. Au fil de notre conversation, je vous avais fait part de mon passe-temps favori – l'ébénisterie – et de mon désir de travailler pour vous gratuitement, en fabriquant des meubles pour votre donjon personnel, si jamais un tel projet vous intéressait.

— Ah! voilà. Je me rappelle maintenant. Mais n'êtes-vous pas juge à la Cour du Québec, vous?

Son visage s'est illuminé d'un large sourire.

— C'est exact... magistrat de jour, accro au sadomaso-chisme de soir, avait-il ricané.

L'espace de quelques instants, j'ai réfléchi à cette idée répandue selon laquelle les gens qui occupent d'importants postes au sein de la société éprouvent souvent un besoin d'échappatoire, passant par un fort désir d'être assujetti. Selon certains psychologues, cette soif était inversement proportionnelle au pouvoir associé à la fonction occupée par le sujet. Grâce à la pratique du BDSM, les adeptes parvenaient en quelque sorte à un juste équilibre. Je ne savais s'il convenait ou non de généraliser, néanmoins mes expériences person-nelles confirmaient cette hypothèse. La majorité de mes clients occupaient des postes d'autorité : gens d'affaires, juges et avocats, médecins, pharmaciens, policiers et autres emplois du même acabit. Mais cela se justifiait peut-être par l'abondance de leurs moyens financiers; les services d'une dominatrice ne sont pas à la portée de tous les portefeuilles.

Nous entrions dans une zone de turbulences. Le témoin lumineux des ceintures de sécurité s'est alors allumé, produisant une notification sonore qui a eu pour effet de me sortir de mes pensées. À courte distance de mon visage, Jules me fixait toujours.

— Je suis curieux de savoir si vous êtes toujours active dans le domaine de la domination, poursuivit-il.

Dans un éclat de rire, j'ai incliné la tête vers l'avant et désigné du regard mon accoutrement.

— Me voici vêtue d'un costume d'élasthanne noir, les pieds moulés dans de hautes bottines lacées. Qu'est-ce que tu crois?

— Puis-je vous livrer le fond de ma pensée, Maîtresse Gabriella?

Se souvenir de mon prénom, voilà qui méritait tout de même mon attention.

— Bien sûr.

Langoureusement, j'ai déchaussé l'une de mes bottes devant le regard ébahi de Jules.

— J'avoue vous avoir remarquée à plusieurs occasions lors de vos présences dans les soirées fétichistes, Maîtresse. Je vous avais contemplée si longuement lors de notre seule rencontre que j'arrivais toujours à vous reconnaître, malgré votre petit déguisement. Je n'ai jamais eu le cran de vous approcher de nouveau dans ce contexte, mais sachez que je suis l'un de vos admirateurs inconditionnels. Cela dit...

À la vue de mon pied nu fraîchement manucuré que je venais de déposer sur le siège du milieu, Jules a semblé manquer de souffle. À voir sa pomme d'Adam monter et son cou se tendre, on aurait dit qu'il venait d'avaler de travers.

— Cela dit...? insistai-je.

— En fait, j'aimerais obtenir une séance de domination privée avec vous. Apparemment, les possibilités de rendez-vous se font rares. Aux dires des gens du milieu, vous êtes de plus en plus difficile d'accès.

Mon petit sourire en coin en disait long. D'un geste de la main, j'ai invité le juge à s'occuper de mon pied. Comme tout bon soumis, il a compris que j'avais besoin d'un massage et que je désirais qu'il se taise un moment, le temps d'effectuer le service que j'exigeais. Pendant de longues minutes, j'ai réfléchi aux avantages d'intégrer Jules dans mon entourage immédiat, songé à l'utilité que représentait sa haute fonction dans le système judiciaire.

— Tu sais, Jules, c'est bizarre cette manière dont le destin arrange les choses, cette habileté qu'il a de placer les bonnes personnes au bon moment sur le chemin de nos vies.

Il a haussé les sourcils, l'air de ne pas bien déceler ce que j'entendais par là.

— Je suis disposée à t'offrir plus encore que ce que tu demandes, c'est-à-dire à augmenter le nombre de nos interactions, à construire une relation allant plus loin qu'une simple séance BDSM. Je dois m'assurer d'abord de ton dévouement absolu. Autrement dit, je dois évaluer ta volonté de me servir et de me satisfaire. Je mijote présentement un projet auquel tu pourrais collaborer un jour, si bien sûr tu éprouves un réel désir de coopérer. Dans un premier temps, il faudrait que tu sois disposé à me laisser tes coordonnées, soit ton adresse courriel et le numéro de ton cellulaire. J'aimerais avoir la possibilité de te joindre à tout moment.

Il a hésité, la bouche tordue d'incertitude. Sans doute que les éventuelles implications de mon projet le tourmentaient. Il m'a regardé d'un air un brin inquiet :

— Je consens à votre demande, Maîtresse, mais qu'attendez-vous de moi au juste?

J'ai retiré mon pied d'entre ses mains.

— Pour l'instant, cesse tes questions et remets ma botte. Je t'en informerai en temps et lieu.

Après avoir lacé ma chaussure, il a retiré un porte-carte doré de la poche intérieure de son veston de suède. Un stylo à la main, il a inscrit un numéro de téléphone au verso de sa carte professionnelle.

— Voici au dos mes coordonnées personnelles, incluant mon numéro à la maison. En cas d'absence, laissez-moi un message; je me ferai un devoir de vous rappeler aussitôt que possible.

Lentement, d'une voix calme et posée, j'ai clarifié quelques détails.

— Jules, Jules, Jules... je vois que tu m'as bien mal comprise. Permets-moi d'être un peu plus explicite : je te suggère *fortement* de répondre à mon appel, que tu sois en procès ou non. Je croyais que c'était toi, le patron d'une salle d'audience!

J'attendais sa réplique avec anxiété, car elle serait déterminante pour notre liaison; sa réaction allait m'indiquer le sérieux de sa dévotion. Sa réponse quasi instantanée m'a étonnée.

— Écoutez, Maîtresse : tout à l'heure, j'ai fait allusion aux quelques occasions ratées que j'ai eues de m'approcher de vous. Pendant longtemps, j'ai regretté mon inertie, déploré ma passivité. Je ne vais pas reproduire la même erreur et vous perdre de vue à nouveau. Vous pouvez compter sur moi, je suivrai vos instructions à la lettre.

— J'ai une dernière question pour toi, Jules, avant que tu ne retournes à ton siège. Est-ce que tu es présentement en couple?

— Euh... oui. Pourquoi?

— Ça ne t'inquiète pas de me confier toutes ces informations à ton sujet, de te mettre à nu devant moi, comme ça? Je pourrais les utiliser contre toi…

Son visage rosé a tourné au cramoisi, mais il n'a pas bronché.

— Il vous appartient de décider de mon sort, Maîtresse Gabriella.

Dès lors, j'ai commencé à soupçonner son intérêt pour le chantage, un risque dont s'abreuvent certains soumis. Je me disais qu'il fantasmait sans aucun doute sur le fait que je puisse le trahir auprès de sa conjointe ou même de ses collègues de travail. Je me suis amusée à mon tour à fantasmer à des scénarios d'humiliation.

À Los Angeles, Steven m'a accueillie à la porte des arrivées, avec dans les mains un assortiment de chocolats noirs. Je l'ai tout de suite identifié grâce à la casquette des Alouettes de Montréal dont il m'avait parlé et qu'il portait comme convenu, un présent que lui avait rapporté du Québec le même ami qui lui avait fourni mes coordonnées. Du coup, je lui ai indiqué la poignée de ma valise.

— Apporte ceci... Ta servitude débute dès maintenant.

À bord de sa Maserati, nous avons parcouru la rive du Pacifique et longé la plage de Malibu. Soucieux de garder clandestin mon séjour en sa compagnie, il avait loué une somptueuse résidence, loin de chez lui, avec vue sur la mer.

Lors de nos échanges téléphoniques, l'acteur avait exprimé l'essentiel de ses fantasmes : la captivité, le ligotage ainsi que l'abstinence forcée. Content de m'annoncer qu'il avait réservé toutes les places d'un chic restaurant pour le repas du soir, il était loin de se douter que sa séance de soumission s'y poursuivrait.

À l'exception de deux serveurs, du chef et du propriétaire du restaurant qu'il avait loué au grand complet, nous étions seuls dans l'établissement. Une corde de nylon jaune se trouvait dans mon sac fourre-tout, exactement ce dont j'avais besoin pour attacher Steven au dossier de sa chaise. Pendant que je m'exécutais, les deux serveurs planqués au seuil de la cuisine m'observaient d'un air méfiant, chuchotant entre eux, scrutant mes faits et gestes avec des yeux agrandis par l'étonnement. L'un d'eux a disparu à l'arrière, le temps d'interpeller le proprio. Vivement, celui-ci a accouru auprès de son client.

— Euh... ça va, monsieur Lang?

— Oui, oui... madame ne fait que s'amuser, balança Steven avec un petit sourire et un air détaché, question de les mettre en confiance.

Pendant que je dégustais mon assiette de crabe, mon captif se morfondait devant son filet mignon. Solidement ligoté, il ne pouvait que humer les fumets qui lui chatouillaient le nez. Dans un élan d'indulgence, j'ai fini par le libérer au moment où je terminais mon assiette, l'invitant à manger sa viande refroidie.

Ne lui octroyant aucun répit, j'ai sommé mon client de se dévêtir dès notre retour à la résidence.

— Amène cette chaise dans la chambre à coucher, lui avais-je ordonné en pointant l'un des sièges à haut dossier de la salle à manger.

Bientôt, il avait poignets et chevilles fixés aux barreaux et aux pieds du mobilier choisi, les fesses sur le rebord, les jambes écartées, son organe pendant vers le sol. En croisant les bras devant ma poitrine, j'ai retiré mon chandail rouge, dévoilant ainsi mon soutien-gorge en dentelle débordant de chair ferme. J'ai ensuite délogé mes seins des bonnets; ils apparaissaient ainsi avec encore plus d'opulence. De simples effleurages de mes mamelons contre son visage ont suffi à faire dresser son membre.

Le creux de ma main enduite de lubrifiant, j'ai appliqué le liquide visqueux sur sa verge, m'attardant à masser son gland avec le bout de mes doigts. Je sentais toutes les pulsations de son désir. Puisque j'avais comme seul objectif la privation de sa jouissance, je relâchais sa baguette bien tendue chaque fois qu'il était sur le point d'éjaculer. Au bout d'un certain temps, il me suppliait de le laisser exploser de plaisir, mais il n'en était pas question. Par expérience, je savais trop bien qu'il allait chercher à se masturber à la première occasion, seulement, j'avais prévu le coup. De mon bagage à main, j'ai tiré l'appareil de chasteté en métal que j'avais apporté, le fixant au bassin de Steven avant de défaire ses liens pour la nuit.

⚜

Le lendemain, j'ai axé ma domination vers le thème de la captivité, une pratique difficile à concrétiser en l'absence d'une cellule ou d'une cage au minimum. C'est donc dans une minuscule pièce sous l'escalier – encore plus petite que l'alcôve d'Harry Potter – que j'ai enfermé Steven avant ma sortie du samedi soir dans un club branché de Los Angeles.

Je me baladais dans les rues du centre-ville tard en soirée pour découvrir pour la première fois l'atmosphère enivrante de la mégapole. Au cours de mes déambulations, j'ai fait la rencontre fortuite d'un Américain d'origine bulgare. L'homme se trouvait à quelques mètres de moi lorsqu'un jeune fêtard enivré m'a adressé des propos agressants.

— *Hey! What's your problem?* s'est insurgé le témoin de la scène. *Show a little respect!*

Sans autre avertissement, l'inconnu s'est approché du soûlon pour lui asséner quelques taloches au visage. C'était charmant. Il n'en fallait pas plus pour que je l'invite à prendre un verre dans le club techno où je m'apprêtais à entrer.

Plombier de formation, sans attaches familiales, ce colosse à la mâchoire carrée et au teint ambré vivait seul en banlieue. Comme la musique déchaînée faisait vibrer l'établissement, nous avons pris place au balcon dans un divan de cuir, afin de s'entendre pour discuter de tout et de rien. Un peu pompette après quelques martinis, j'ai fini par aborder le sujet de la domination, un propos qui allait changer mon destin de façon palpitante.

L'homme n'en croyait pas ses oreilles. Peu bavard d'entrée de jeu, il est devenu très volubile. S'il était toujours célibataire, m'avait-il avoué, c'est qu'il entretenait encore l'espoir de trouver une femme telle que moi. Il rêvait de devenir l'homme de confiance d'une dominatrice. Au même titre que lui, j'étais ébahie par cette heureuse coïncidence, fébrile à l'idée qu'il soit prêt à se soumettre à moi en permanence.

De plus en plus grisée, j'ai été envahie par une envie soudaine d'imposer ma dominance. J'avais d'ailleurs un fantasme à l'esprit, un désir machiavélique qui me trottait dans la tête depuis ma jeunesse, depuis mes toutes premières sorties dans les clubs. L'occasion parfaite de le réaliser s'offrait enfin à moi.

— Serais-tu disposé à me servir à l'instant, ici même, à me protéger contre toute menace?

L'air enchanté, il a écarté les bras de chaque côté, comme s'il devait empêcher les gens de s'approcher de moi.

— *It's a pleasure to serve you, ma'am.*

Avec un sourire espiègle, j'ai saisi la manche de sa chemise entre mes doigts, le sommant de me suivre. J'ai endossé le rôle d'une garce qui se croit tout permis. J'invitais les gars qui me draguaient à me payer un verre, pour aussitôt en renverser le contenu à leurs pieds, ou encore leur cracher au visage. À la vue de l'armoire à glace qui me talonnait, aucun n'osait riposter. Je n'ai pas hésité non plus à bousculer quelques garçons qui me scrutaient un peu trop à mon goût. Mon protecteur prenait la relève afin de les rudoyer davantage, mais ce manège a fini par attirer l'attention des portiers de l'établissement. Voyant qu'on causait un certain émoi, ils nous ont invités à quitter les lieux.

Puisque je n'étais pas du tout en état de conduire la Maserati que j'avais empruntée à Steven sans prendre la peine, évidemment, de lui en demander la permission, c'est à mon nouveau sujet que j'ai confié les clés et la responsabilité de me ramener à la maison. Il n'aurait qu'à prendre un taxi pour retourner à la sienne. Avant de me laisser sur le pas de la porte, en guise de déférence, il a posé les genoux par terre et embrassé mes souliers. Je savais que nous allions nous revoir bientôt.

C'est ainsi que notre destin s'est scellé. Depuis, Boris est devenu mon confident, mon garde du corps, l'un de mes grands complices.

CHAPITRE 31
Traînée de poudre

En raison de l'annulation à la dernière minute d'un procès dans lequel elle devait plaider ce matin, maître Mélanie Bilodeau profite d'une journée de congé impromptu en ce vendredi glacial. Vêtue de son peignoir de satin bleu dans lequel elle aime flâner pendant des heures, elle appuie sur le bouton de mise en marche de sa cafetière Keurig pendant que les rayons du soleil commencent à percer le givre des fenêtres. Une odeur de café à la vanille embaume la pièce. *Pourquoi ne pas profiter de ce congé pour me rendre à Sherbrooke?* songe l'avocate. Il y a déjà trois semaines qu'elle n'a pas vu sa copine Nancy.

À de rares exceptions près, leurs dîners occasionnels ont lieu à Montréal, lors des fréquentes visites de la journaliste dans la métropole. Mélanie se dit qu'il serait agréable de se déplacer elle-même et de prendre cette fois le repas du midi dans la ville de son amie, question de faire changement. Elle prévoit lui passer un coup de fil en milieu de matinée afin de s'enquérir de ses disponibilités. En attendant, elle se dirige vers la porte d'entrée de sa résidence, qu'elle ouvre de quelques centimètres à peine pour s'emparer du quotidien, livré par le camelot. Elle s'accroupit, étire un bras à travers la mince ouverture pour s'emparer de la publication et referme aussitôt la porte en grelottant de froid.

Tiens, la une ne fait aucune mention de la Justicière aujourd'hui, remarque l'avocate, qui suit le dossier avec grand intérêt. De retour à la cuisine, elle empoigne sa tasse de café avant de prendre place sur un tabouret près du comptoir. Elle n'a feuilleté que quelques pages du journal lorsqu'un titre sur la droite attire son regard : « Tanguay... un homme traqué? » Intriguée, elle entame la lecture de l'article :

« Les policiers de la SQ craignent pour la sécurité de Gérard Tanguay, l'homme acquitté le printemps dernier du meurtre avoué de ses deux enfants. Ayant été reconnu non criminellement responsable de son crime en raison de problèmes de santé mentale, il avait recouvré la liberté quelques semaines après le verdict, une fois que la Commission d'examen des troubles mentaux avait jugé qu'il ne posait pas de risques pour la société. Depuis le deuxième meurtre dont se réclame la Justicière, les autorités gardent Tanguay à l'œil, estimant qu'il pourrait faire partie des cibles potentielles de la célèbre meurtrière. D'après nos sources, il semblerait que la protection accordée à Tanguay sera sous peu élevée d'un cran et qu'on le détiendra dans un endroit gardé secret. Afin d'assurer sa protection, l'homme y restera confiné jusqu'à la capture de la Justicière. »

Mélanie referme le journal sans explorer les pages qui suivent, prend une dernière gorgée de son chaud breuvage, verse le restant du liquide dans l'évier puis dépose la tasse au fond de celui-ci. Elle s'empare du téléphone et compose le numéro de la reporter.

— Bonjour, Nancy…

— Mélanie! Je pensais justement à toi.

— Ah bon?

— Je viens de rédiger un nouvel article sur le pourri qui a assassiné ses enfants. Je sais que tu portes une attention particulière à ce dossier. Je m'apprêtais à t'en envoyer une copie.

— Il n'y a pas deux minutes, je lisais justement un texte à ce sujet dans *Le Métropolitain.* On y disait que sa protection devait être renforcée. Quelle est donc la teneur de ton article?

Nancy, qui croyait avoir obtenu une primeur de la part de Fournier, déballe sa frustration :

— Maudit trou de cul de Fournier! J'aurais dû me douter qu'il se foutait de ma gueule. « Vous serez la première à qui je ferai part de tout nouveau développement », mon œil! Mais je vois que la nouvelle se repend comme une traînée de poudre…

— Écoute, Nancy, ça te dirait de manger ensemble, ce midi? Nous sommes vraiment mûres pour un dîner de filles.

— C'est une excellente idée, Mélanie. Que dirais-tu d'un bœuf aux légumes au Normandin?

— Parfait, je t'y rejoins vers midi trente.

Dès que se termine la conversation, Nancy dépose l'appareil sur la table et, par la fenêtre, jette un regard sur le lac, à peine à dix mètres de la cour arrière de son chalet. Se disant qu'elle n'a plus que deux heures pour terminer le projet entrepris ce matin, elle tourne les talons et se dirige vers une porte qu'elle avait laissée entrouverte. Elle en franchit le seuil et pose le pied sur la première marche menant au sous-sol.

CHAPITRE 32
La capture

C'est le calme plat depuis la divulgation dans les médias, la semaine dernière, du projet de protection accrue dont les autorités comptent faire bénéficier à Gérard Tanguay. À la veille du transport de ce dernier vers l'établissement spécialisé des Hautes-Laurentides, rien ne démontre encore que la Justicière lui porte un intérêt particulier. Le stratagème qu'avait suggéré Annabelle Saint-Jean ne semble pas porter ses fruits.

Dans un hôtel de Longueuil, où le Service des enquêtes sur les crimes contre la personne (SECP) héberge Tanguay en attendant son transport, deux agents de la SQ chargés de sa sécurité font le guet à la porte de sa chambre. À minuit moins cinq, l'agent Fillion tend l'oreille et discerne le son du téléviseur provenant de l'intérieur des quartiers de Tanguay. Il frappe trois coups.

— Monsieur Tanguay?

Quelques instants s'écoulent avant que la porte ne s'ouvre de quelques centimètres. Le visage de Tanguay apparaît enfin.

— Bonsoir, monsieur Tanguay, je tiens à vous aviser que, d'ici quelques minutes, de nouveaux agents prendront le relais jusqu'au petit matin.

— C'est bon... merci. Ne me dérangez plus, je m'apprête à aller au lit, annonce Tanguay en étouffant un bâillement.

La porte se referme et, au même moment, deux policiers émergent de l'ascenseur situé tout près.

— Bonsoir, messieurs. Nous sommes prêts à assurer la relève, indique l'un des deux agents nouvellement arrivés. Y a-t-il quelque chose d'important à savoir avant que vous nous cédiez la garde?

— Je viens à peine d'annoncer votre arrivée à Tanguay; il vient de se mettre au lit, déclare l'agent Fillion.

— Parfait, passez une bonne fin de soirée.

Les flics sortent leurs badges et, après vérification, Fillion et son collègue Sauriol les saluent à leur tour et se retirent en utilisant l'ascenseur.

L'un des nouveaux venus frappe à la porte de Tanguay. Quelques instants s'écoulent, puis le policier frappe encore, cette fois de manière insistante. Tanguay ne met alors que quelques secondes à ouvrir.

— Câlisse, je vous ai dit...

La rapidité avec laquelle s'exécute l'agent ne laisse aucune chance à Tanguay. Aussitôt la porte entrouverte, l'assaillant fracasse de son poing la gueule du meurtrier, puis donne un coup de pied dans la porte pour l'ouvrir au complet. Alors que Tanguay, déséquilibré et la vue embrouillée par le choc, penche son visage ensanglanté vers l'avant, le second baroudeur se faufile derrière lui et lui enfonce un bâillon dans la bouche. L'autre complice l'immobilise pendant ce temps au moyen d'une clé de bras, qui achève de le neutraliser. Comprenant qu'il vaut mieux coopérer, Tanguay n'oppose aucune résistance.

Dans l'intervalle, aux abords de son véhicule, l'agent Fillion scrute le stationnement de l'hôtel. En l'absence d'une voiture de police autre que la leur, il se tourne avec anxiété vers son collègue :

— Est-ce que tu vois une voiture de la SQ, toi?

— Non… aucune, répond Sauriol avec un filet d'appréhension dans la voix.

— Est-ce que tu vois quelque chose qui ressemble au moins à un véhicule fantôme? Je commence à me demander…

— Oh non… *fuck!*

En un tour de main, Sauriol ouvre la portière de sa voiture de patrouille et s'empare de la radio.

— Ici le 6241... 10-14 à l'Hôtel des Patriotes de Longueuil. Je répète : 10-14 à l'Hôtel des Patriotes, au 1456, boulevard Hamelin, chambre 413. C'est urgent! crache-t-il dans l'émetteur... Possibilité d'enlèvement en cours. Il faut sécuriser le secteur!

Le message de besoin d'assistance est entendu par toutes les auto-patrouilles en service. Deux équipes de policiers qui se trouvent dans les environs confirment qu'elles ont bien reçu le message et arriveront dans quelques instants.

— Allons-y! lance Fillion à son collègue en levant le menton en direction de l'hôtel.

Les deux agents se précipitent vers le hall d'entrée, une main sur l'étui qu'ils portent à la hanche. Le préposé à la réception semble avoir du mal à comprendre ce qui se passe. Fillion, qui n'en fait aucun cas, s'adresse à son partenaire :

— Prends l'ascenseur. Je monte par l'escalier.

Fillion gravit les étages deux marches à la fois, envahi par une intuition qui lui noue l'estomac un peu plus à chaque pas qu'il fait dans l'escalier. À l'instant où il atteint le corridor du quatrième niveau, un serrement de cœur lui coupe le souffle : la porte de la chambre où logeait Tanguay est grande ouverte. Sans tarder, il dégaine son arme et avance vers la pièce en longeant le mur intermédiaire, son révolver pointé droit devant lui.

À proximité, les deux portes d'acier de l'ascenseur s'ouvrent sur la silhouette de Sauriol adossé contre le rebord, mains jointes sur l'épaule, fusil en main. Son collègue le fixe dans les yeux avec un doigt sur la bouche. Appuyé au chambranle de la porte 413, Fillion pivote brusquement et braque son arme vers l'intérieur de la pièce.

L'endroit est désert...

Sauriol distingue un bruit provenant de l'escalier de secours, à l'autre bout du corridor. D'un signe de la tête, il invite son collègue à le suivre. Il fonce en direction de la petite enseigne lumineuse qui indique la sortie d'urgence et dont la porte est mal refermée. Il l'entrouvre très doucement et ressent la vibration de l'escalier de métal dans laquelle dévalent les fugitifs. En regardant par la fente, il repère dans la pénombre, au bas des marches, les deux costauds qui bousculent Tanguay, dont les mains semblent ligotées derrière les fesses. L'un des malfrats se retourne, jette un œil autour. Sauriol se planque derrière la porte pour ne pas être aperçu, tandis qu'à un mètre de lui, Fillion l'observe, sur le qui-vive, prêt à réagir.

Pendant que le trio en cavale traverse une haie de cèdres pour se rendre dans la rue adjacente, les agents entreprennent de descendre l'escalier aussi rapidement que possible.

Deux voitures de la SQ arrivent en trombe, leurs gyrophares allumés. Elles entrent par le côté nord, illuminant du même coup l'aire de stationnement qui, jusque-là, était plongée dans une relative pénombre.

C'est à ce moment que Fillion et Sauriol parviennent au bas de l'escalier. À peine cent mètres devant eux, de l'autre côté de la rangée de conifères, les fuyards s'affairent à embarquer le captif par la porte arrière de leur fourgonnette. L'un d'eux, qui tient Tanguay par le col et la ceinture de son pantalon, le propulse à l'intérieur sans aucun ménagement, puis pénètre à son tour dans l'habitacle en refermant la portière derrière lui. Son complice se précipite au volant et ne tarde pas à appuyer sur l'accélérateur.

Sauriol fait de grands signes aux nouveaux arrivants pour leur indiquer l'autre côté de la haie et il regagne immédiatement la voiture en compagnie de Fillion. Les chauffeurs des auto-patrouilles d'assistance réagissent vite et, tandis que l'une des voitures traverse le stationnement pour accéder à la rue adjacente vers la gauche, l'autre se dirige vers la droite pour couper les fuyards à la hauteur de la prochaine avenue.

— À toutes les voitures! Nous avons un 944 en cours, signale Fillion sur sa radio, alors que Sauriol se glisse derrière le volant. La cible est un camion de type fourgonnette, de couleur foncée, le numéro de plaque est inconnu pour l'instant. Je répète : un 944 est en cours à Longueuil, le véhicule se dirige en direction nord sur le boulevard Therrien.

Sauriol s'élance à toute vitesse dans la rue longeant celle empruntée par les malfaiteurs, dans l'espoir de parvenir à les dépasser et de les couper plus haut. Il effectue une manœuvre téméraire, un coup de volant brusque vers la gauche qui les amène dans une étroite ruelle. Quelques poubelles et bacs de recyclage volent dans les airs au passage. Lorsqu'ils regagnent de nouveau la route sur laquelle s'enfuient les truands, ils s'aperçoivent avec satisfaction que le raccourci était parfait : le pare-chocs de leur voiture n'est qu'à courte distance de la fourgonnette qu'ils poursuivent.

Les feux de circulation, toujours au vert sur une quinzaine d'intersections, alimentent la vitesse folle à laquelle s'effectue la poursuite, une simultanéité que Fillion, de son siège de passager, ne manque pas de constater.

— Waouh! Méchante coïncidence…

Sauriol, les deux mains sur le volant, attaque fougueusement une courbe sans porter attention aux remarques de Fillion. Du coup, les fuyards changent de direction, empruntant une rue secondaire qui les mène vers l'est. Encore une fois, la signalisation semble figée au vert.

— Ben voyons donc, ciboire! s'étonne Fillion.

Alors qu'ils approchent de la rampe d'accès à l'autoroute, il conserve son appareil radio à la main, prêt à informer le répartiteur de la voie qu'emprunteront les malfaiteurs.

— Le pont-tunnel Louis-Hippolyte-La Fontaine! s'écrie Fillion. Ils se dirigent vers Montréal. Pouvons-nous en bloquer la sortie nord à temps?

Une voix provenant de la centrale se manifeste :

— Des auto-patrouilles se dirigent dans votre direction, mais on nous rapporte un embouteillage monstre dans le souterrain adjacent, direction sud. Tous les feux de circulation sont au rouge de ce côté.

Avec la paume de sa main libre, Fillion se frappe le front par trois fois.

— Merde, merde, merde!

— Nous déployons l'hélicoptère sous peu, nous n'attendons que le pilote, annonce une voix féminine sur les ondes.

La fourgonnette poursuivie zigzague entre les voitures, permettant aux hors-la-loi de prendre de l'avance sur les auto-patrouilles lancées à leurs trousses. Dans la pénombre du tunnel Louis-Hippolyte-La Fontaine, les accrochages commencent à se multiplier, causant de sérieux ennuis aux poursuivants. La camionnette disparaît dans le souterrain tandis que plusieurs véhicules se tamponnent sur son passage; d'assourdissants bruits de collisions se font entendre, des débris de voitures se mettent à voler ici et là. C'est la panique parmi les automobilistes.

Puis, la circulation s'immobilise; plus rien ne bouge.

En moins de deux, Sauriol et Fillion quittent leur voiture, tout comme les autres policiers qui accourent rapidement à leurs côtés. À la vue de la fourgonnette stationnée en travers de la route, tous se lancent en sa direction. Certains automobilistes nerveux se planquent sous leur tableau de bord en appréhendant une fusillade.

Les portes arrière de la fourgonnette immobile, ainsi que celle du côté conducteur, sont grandes ouvertes. Les hommes se sont vraisemblablement enfuis à pied.

— Ça n'a pas de sens, rugit Sauriol. Pourquoi cet arrêt soudain en plein milieu du tunnel? Ils sont en panne…?

— Par ici! hurle Fillion.

À toute hâte, il franchit une ouverture dans le mur de béton et se retrouve dans un couloir qui divise le tunnel en deux, séparant les voies opposées de la circulation.

— Formons deux groupes, propose Fillion à l'attroupement de policiers qui se joint à lui. Sortez vos lampes de poche et vérifiez toutes les issues sur votre chemin.

Dès l'ouverture de la première porte qui donne accès aux voies en sens inverse, les policiers constatent que le bouchon auquel faisait allusion le répartiteur vient tout juste de se résorber. Peu à peu, les voitures reprennent leur vitesse. En levant les yeux, Fillion remarque que les feux sont de retour au vert.

— Tabarnac! beugle l'agent.

Sauriol et les autres agents se tournent vers le blasphémateur.

— On s'est fait avoir en ostie! crache Fillion. Avisez la centrale du fait que les fugitifs ont de toute évidence repris la fuite vers le sud. Un chauffeur a dû les récupérer. Dans quel genre de véhicule? On n'en a aucune crisse d'idée! J'oserais même parier que les caméras de surveillance du tunnel sont hors d'usage en ce moment même.

Dès qu'elle en est informée, la centrale décrète la formation de barrages routiers.

— Elle s'est bien foutue de notre gueule… grogne Fillion en retournant à la voiture.

— Qui ça, *elle?* La Justicière? demande Sauriol.

— Ahhh, ta gueule! rétorque Fillion, blanc de colère.

Les renforts terrestres et l'hélicoptère ne permettent pas de retrouver les fugitifs. Au petit matin, les policiers sont forcés de se rendre à l'évidence : Tanguay et ses assaillants leur ont échappé.

᠄

Jacques Fournier franchit la porte du bureau du commandant Dupont.

— C'en est assez! fulmine l'inspecteur, outré par les erreurs policières. On n'avance pas, on recule, commandant! À compter de maintenant, je veux diriger *chaque* opération, définir les horaires, choisir mes hommes, même les chiens renifleurs qui les accompagnent, s'il le faut! Ça n'a aucun bon sens, c'est tout croche notre affaire, simonac! On ne fait pas le poids, vous en rendez-vous compte? J'en connais qui vont se foutre de nous dans les médias, ça ne sera pas trop long. Avec de telles bêtises, on va faire le régal des radios poubelles et de leurs auditeurs qui n'attendent que ça, cracher sur le service de police! Il faut qu'on reprenne le dessus avant d'être la risée de tous, ici comme à l'international!

Dupont, qui connaît bien Fournier pour ses sautes d'humeur périodiques, dénote cette fois une réelle frustration chez son homme de confiance.

— Écoute, Jacques, l'équipe t'attend dans la salle de réunion. Reviens me voir après la rencontre, nous en reparlerons.

Fournier lève des bras exaspérés vers le ciel. D'un pas pressé, il rejoint le groupe d'enquêteurs, qui patiente depuis plusieurs minutes dans la pièce contiguë. En entrant, il claque la porte derrière lui et fait sursauter le capitaine Gailloux qui discutait avec Annabelle. L'agent Legendre, imperturbable à l'autre bout de la table, lève les yeux vers lui.

— Où sont les autres? grogne Fournier.

Annabelle pointe l'écran d'ordinateur qui fait face au siège habituel de l'inspecteur. Ce dernier baisse les yeux et aperçoit du coup les visages du sergent Corriveau et de la lieutenante Granger, assis côte à côte au poste de Saint-Jérôme.

— Ils se joignent à nous via Skype, indique Annabelle d'une voix rassérénante, la seule du groupe susceptible de réussir à calmer Fournier.

— Dans ce cas, débutons! marmonne l'inspecteur en repoussant l'écran plus loin sur la table, permettant ainsi à tous de prendre place en demi-cercle et d'assurer une bonne vision aux participants de Saint-Jérôme.

Avant de s'asseoir, l'inspecteur laisse tomber un mince document devant chacun des enquêteurs.

— Voici le rapport des événements d'hier soir, le compte rendu des agents Sauriol et Fillion. Nous savons maintenant que l'équipe de la Justicière compte un minimum de trois personnes, soit les deux ravisseurs ainsi que le conducteur de la voiture qui les attendait dans la voie sud du tunnel Louis-Hippolyte-La Fontaine et par laquelle ils ont pris la fuite.

— Je constate que leur logistique est sans bavure, intervient Gailloux en feuilletant les pages du rapport. Regardez-moi ça : un trajet de fuite prédéterminé, des feux de circulation synchronisés au vert, des caméras de surveillance hors service et un véhicule de secours non identifiable pour clore le tout...

Le sommaire de Gailloux ne manque pas de raviver l'irritation de Fournier.

— En effet, une opération de cette envergure requiert toute une orchestration! rugit-il. On dirait qu'en plus de parvenir à mobiliser les ressources nécessaires, cette maudite Justicière dispose d'un accès à tous les systèmes de contrôle de la ville! Tu nous excuseras, Annabelle, d'avoir douté un moment du bien-fondé de ta proposition, tu as eu une excellente idée; la stratégie d'attirer l'attention de la Justicière a fonctionné, sauf que notre corps policier ne s'est pas montré à la hauteur de son adversaire.

Au poste de Saint-Jérôme, Lyne Granger s'approche de la caméra.

— Comment explique-t-on l'absence des véritables policiers qui devaient prendre la relève de Sauriol et Fillion? Se sont-ils seulement présentés sur les lieux?

— Une confusion dans l'octroi des horaires de travail serait à l'origine du problème, explique Annabelle. Les hommes prévus pour la tâche auraient reçu un avis indiquant qu'une autre équipe avait été mandatée à leur place.

Fournier laisse tomber les deux bras, tellement les choses vont de mal en pis. *Tout ça ressemble à de la magouille à l'interne,* pense-t-il. L'hypothèse de la taupe prend de plus en plus de place dans sa tête.

— Avons-nous réussi à identifier le propriétaire de la fourgonnette ayant servi à quitter l'hôtel? demande le sergent Corriveau.

— Comme nous nous en doutions, il s'agit d'un véhicule volé, précise Annabelle. Les spécialistes s'affairent en ce moment même au prélèvement d'empreintes sur cette fourgonnette, en espérant que ça nous fournira des informations utiles.

— Revenons à l'enlèvement de Tanguay, reprend Fournier. De toute évidence, à moins d'un miracle dans les prochains jours ou encore de l'arrestation inespérée de la Justicière, Tanguay est un homme mort. Alors voici comment nous allons procéder dans les prochaines heures…

Les têtes se relèvent, l'attention des enquêteurs redouble.

— Je compte obtenir l'appui de la direction générale afin de solliciter l'aide de tous les policiers de la province, dans un effort concerté pour retrouver Tanguay. J'ai bien peur qu'il ne soit déjà trop tard pour lui, mais tâchons, à tout le moins, de concentrer notre travail dans un ultime effort pour mettre la main au collet de cette folle dangereuse. Si nous agissons assez rapidement, nous avons peut-être un mince espoir en ce qui concerne son nouveau captif. Sinon, les paris sont ouverts quant à l'endroit où nous allons récupérer le corps. Quoi qu'il en soit, soyez conscients d'une chose : peu importe nos tentatives, la Justicière possède une longueur d'avance sur nous. J'oserais même insinuer qu'elle nous observe et qu'elle s'amuse à se jouer de nous. J'avoue en être assez insulté, si vous voulez savoir.

Il s'arrête et avale une gorgée d'eau.

— Dans un premier temps, poursuit-il, nous devons alerter la population à propos de cet enlèvement et dévoiler toute information pouvant lui permettre d'ouvrir l'œil. Il faut révéler également nos soupçons selon lesquels la Justicière détient peut-être maintenant deux captifs, si on tient compte de la disparition toujours non élucidée de Peters, le fraudeur financier. Encourageons les gens à nous faire part de toute activité suspecte et augmentons le montant de la récompense s'il le faut! De notre côté, nous devons amorcer une fouille systématique des résidences suspectées de pouvoir abriter les prisonniers, en collaboration avec tous les corps policiers. Les chalets, les hangars, les sous-sols et les maisons de campagne constituent sans aucun doute nos priorités.

— Mais, Jacques, est-ce que tu comptes ratisser le territoire au grand complet? C'est pire que chercher une aiguille dans une botte de foin! réagit Annabelle.

— Au risque de me répéter, je propose de définir nos points de mire et non de passer la province au peigne fin, répond Fournier sèchement. Une centaine de kilomètres à la ronde, tout au plus pour le moment. Si nous explorons ne serait-ce que dix pour cent du territoire, ce sera déjà ça de fait. Nous verrons pour la suite des choses. Ce sera tout pour aujourd'hui, je dois vous quitter pour une réunion avec le commandant.

CHAPITRE 33
Meurtrière

Déjà six années se sont écoulées depuis ma rencontre avec Boris, qui n'a pas tardé à emménager à Montréal pour devenir mon fidèle serviteur. Sa présence à mes côtés est providentielle; il me rend la vie plus agréable. Je lui suis par ailleurs reconnaissante de m'avoir soutenue lors de l'une des périodes les plus sombres de ma vie, il y a quatre ans, alors que j'ai eu à enterrer ma bonne amie Brigitte. Sa pernicieuse maladie avait eu le dernier mot, et mon sentiment d'impuissance était grand. Je perdais non seulement une amie, une compagne de tous les instants, mais en quelque sorte une partie de mon histoire, de celle que j'étais devenue grâce à elle. Pour me consoler, je me disais que Brigitte continuait de vivre en moi, car grâce aux préceptes qu'elle m'avait transmis, mon évolution allait se poursuivre dans la même voie. La présence de Boris m'a permis de jeter un baume sur ma tristesse; il m'a également encouragée tout au long de mes études, des années qui, dans ce contexte, se sont avérées longues et exigeantes. Au plus fort de la tempête, j'avais eu envie d'abdiquer, mais dans son soutien moral, j'ai puisé l'énergie nécessaire à ma persévérance. De son côté, au fil des ans, il a appris peu à peu à maîtriser notre langue tout en continuant d'exercer de jour son métier de plombier et de soir, sa servitude volontaire.

Le printemps dernier, quelques jours avant d'éliminer Robert Pelletier, j'ai profité d'un moment de détente dans mon spa pour me remémorer les événements qui avaient marqué jusque-là ma vie. J'ai songé à ma jeunesse, une période durant laquelle je me suis laissée emporter dans un monde imaginaire, où tous les fantasmes étaient permis. J'ai aussi pensé à Brigitte, cette femme extraordinaire qui m'avait prise sous son aile afin de m'apprendre les rouages de la domination et l'art du sadomasochisme. Ce faisant, elle m'avait permis d'entreprendre une lucrative carrière de dominatrice. Au bout d'une seule année à pratiquer ce métier, des fantasmes morbides avaient commencé à envahir mon esprit, la plupart inexécutables sur les plans légal et moral puisqu'ils s'achevaient par la mort d'un homme. Ce désir funeste brûlait en moi, mais je ne concevais pas de devenir une tueuse d'hommes dans le seul et unique but d'assouvir ma soif de domination extrême. J'avais besoin de trouver une justification à mes actes, besoin de leur conférer un sens. Mon premier voyage en Allemagne, avant même de rencontrer Boris, m'avait ouvert les yeux et révélé une manière de voir les choses qui me permet d'atteindre enfin mes visées avec – aussi curieux que cela puisse paraître – une certaine conscience éthique.

Depuis ce voyage inoubliable, j'ai assisté à chacune des réunions annuelles de la FSS en Europe, une communauté à laquelle j'appartiens désormais. Je suis devenue leur représentante au Canada, mais jamais encore un événement officiel n'a eu lieu sur mon territoire. C'est plutôt de l'autre côté de l'Atlantique que se prépare pour l'année prochaine une opération de grande envergure : une infiltration sans précédent au sein de multinationales et de gouvernements, dans le but de repérer des cibles potentielles et de procéder à un « nettoyage en règle » au cœur de la corruption mondiale.

Il y a six mois, on m'a informée que lorsque la FSS sera prête à frapper en Europe, mes services seront requis là-bas, à temps plein, et ce, pour une période indéterminée. Mes éventuelles responsabilités au sein de la FSS, ainsi que mon ascension dans l'organisation, reposaient sur mon consentement à joindre le siège social en Allemagne, m'avait-on spécifié. J'ai donc donné mon aval dès la semaine suivante. En acceptant leur offre, j'ai consenti à devoir bientôt abandonner la profession que j'exerce depuis ma diplomation, une carrière qui m'accorde un accès privilégié à l'information dont j'ai besoin pour cibler ici même, au Québec, les criminels impunis par un appareil judiciaire déficient. Bien que je trouve dommage de devoir couper court à mon projet de Justicière au Québec – après autant d'efforts investis dans mes études –, je ne peux laisser passer une telle occasion. En donnant mon accord, j'ai raccourci également de façon considérable la période dont je dispose pour exécuter les quatre homicides prévus à mon échéancier personnel.

J'avais choisi Robert Pelletier comme première cible, ce mari violent qui avait noyé son épouse dans la piscine familiale. Ses jours étaient désormais comptés. Il allait subir mon châtiment le plus cruel, une sanction bien au-delà d'une détention à perpétuité. Je lui ferais vivre l'enfer qu'il méritait.

Mon stratagème pour éliminer Pelletier me rappelle ma toute première expérience de domination, lors de mon adolescence, cette occasion où, pendant un jeu dans la piscine, j'avais étouffé le beau Michel Durand entre mes jambes. Avant l'enlèvement de ma première victime, je devais m'attarder à la logistique de cette opération pour le moins délicate. Pour accomplir la première étape, j'ai fait appel à Boris et à Jorge, mes deux gardes du corps, afin qu'ils enquêtent sur les habitudes de vie de Pelletier. Je voulais avoir une idée de ses déplacements et prendre connaissance des gens qu'il avait l'habitude de côtoyer. Grâce à ces précieuses informations, j'allais être en mesure de déterminer, entre autres, le moment et le lieu les plus favorables pour l'exécuter.

— Robert Pelletier travaille en construction. Depuis la mort de sa femme, il vit seul à Saint-Luc, sur la Rive-Sud de Montréal, et fréquente le club de rencontres Le Parchemin, à Brossard, m'avait rapporté Boris. C'est un lève-tôt, mais le soir, les lumières s'éteignent chez lui à vingt-deux heures trente précises.

Au début du printemps, j'ai moi-même épié Pelletier à plus d'une occasion lors de filatures discrètes. J'adorais observer ma proie à distance, tenir son sort entre mes mains, sans qu'il ne se doute de rien. J'étais Dieu au féminin, j'avais droit de vie ou de mort sur lui. Je jouissais de ma toute-puissance. Je me plaisais à imaginer la frayeur et la panique que je lirais bientôt sur son visage lorsque le moment serait venu de passer à l'acte.

L'avant-veille du crime, je me suis amusée à le suivre pour une dernière fois, au Parchemin, un endroit où le mobilier démodé et la décoration rétro rappellent avec nostalgie les années soixante. C'était grisant de songer à la mauvaise fortune qui attendait Pelletier, et de savoir qu'il s'agissait pour lui de sa toute dernière sortie avant de succomber à la souffrance atroce que je lui réservais. Il s'agissait d'un sursis dont il ne pouvait pas même jouir, puisqu'il lui était accordé à son insu. C'était moi, en fait, qui en bénéficiais, comme d'une sorte de délicieux préliminaires.

Ce soir-là, je venais de prendre place à une table branlante en bordure d'un vieux juke-box lorsque Pelletier est sorti des toilettes. Il s'est tout de suite dirigé vers le comptoir de service, là où patientait un barbu qui arborait des écussons de motard sur sa veste de cuir. Aux côtés de celui-ci, une brunette élancée, qui devait faire la moitié de son âge, vapotait avec langueur en se donnant des airs de diva.

Dans un endroit où tous les clients semblaient se connaître, il m'était difficile de passer inaperçue. J'avais beau porter une perruque pour modifier mon apparence, il n'en demeurait pas moins que j'étais pour eux une étrangère. Je me sentais aussi visible qu'un nez de clown au milieu d'un visage. Cependant, j'adorais l'excitation que ce risque me procurait. Une généreuse dose d'adrénaline nourrissait ma témérité. Pelletier m'avait d'ailleurs remarquée en passant près de moi; j'avais réalisé qu'il m'observait d'un regard indiscret, ce qui me laissait croire à un tête-à-tête imminent. J'ai aussitôt détourné les yeux pour une raison évidente : à quelques heures de devenir sa tortionnaire, je ne pouvais risquer d'être vue en sa compagnie devant témoins. Craignant qu'il se dirige vers moi, je me suis approchée de Jorge, qui se tenait près de la piste de danse. J'ai aussitôt commencé à bavarder avec lui, ce qui a eu tôt fait de dissuader Pelletier de m'approcher.

Au bout de quelques minutes, une engueulade a éclaté entre Pelletier et le motard. Lorsque ce dernier s'est permis de renverser le bock de bière du premier – je ne sais pour quelle raison, peut-être était-ce par pur désœuvrement ou désir d'ajouter de l'action à la soirée qui s'annonçait banale –, j'ai cru qu'ils allaient engager un combat à mains nues. Mais Pelletier a préféré battre en retraite, décevant du même coup certains clients, qui anticipaient un bon divertissement.

᰽

Afin de pouvoir observer de plus près l'enquête qui allait succéder à la découverte du corps de Pelletier, il m'importait qu'on retrouve sa carcasse sur la Rive-Nord de Montréal, dans le district de l'inspecteur Jacques Fournier. La plage d'Oka s'avérait par conséquent l'endroit idéal pour donner la mort à ce mari violent.

La veille de l'exécution, je sirotais un vin de glace dans mon salon, flanquée de mes deux gardes du corps, lorsque les douze coups de minuit ont sonné.

— C'est enfin l'heure. Les gars, allez me chercher ce pourri, leur ai-je ordonné.

D'un synchronisme quasi parfait, ils ont abandonné le divan pour se diriger vers le garage.

— Ah! j'oubliais. Notre fenêtre d'opération étant relativement courte – quatre heures tout au plus –, j'ai substitué l'éther au chloroforme dans votre trousse d'intervention. L'indice thérapeutique plus élevé de ce solvant fera en sorte qu'il reprendra connaissance plus rapidement. Bien que je souhaite faciliter votre travail au moment de l'enlèvement, je veux toutefois que Pelletier souffre en toute conscience lorsque le temps sera venu. Allez! On se revoit à notre point de rendez-vous dans deux heures.

Pendant que mes hommes s'affairaient à la capture de Pelletier, j'ai complété mes derniers préparatifs et rassemblé mon matériel de torture, que j'ai enfoui dans un grand bagage à main en vinyle bleu. Le temps de me vêtir avec l'ensemble de cuir que je m'étais procuré en vue de l'assassinat, et qui me conférait un incroyable sentiment d'invincibilité, il était temps de partir. Je me souviens du fait que mon cellulaire a sonné au moment même où je déposais mes choses dans le coffre arrière de la voiture.

458

— L'opération se déroule selon nos plans, me confirmait Boris. Pelletier est actuellement à bord du véhicule, *unconscious*. Quelques secondes ont suffi, il est *completely knocked out*.

— Génial. Vous êtes en chemin?

— *Absolutely*. Le GPS prévoit notre arrivée à l'endroit convenu dans cinquante minutes.

Des papillons plein l'estomac, je ne tenais plus en place. Au cours des heures suivantes, j'allais vivre le moment le plus intense de ma vie et par le fait même venger la mort d'une femme victime de violence conjugale. Enfin, je serais la Justicière. Je quittais le monde des fantasmes; je m'incarnais enfin.

∽

Lorsque je suis arrivée sur place, Jorge m'attendait aux abords d'une guérite donnant accès à la plage municipale d'Oka. Il a ouvert la barrière, dont il avait sectionné la chaîne au préalable, et je me suis approchée en voiture de la camionnette garée en bordure d'un buisson, puis j'ai coupé le moteur. J'ai enfilé mes gants de latex, soucieuse des techniques dernier cri qu'utilisent les corps policiers, dont l'utilisation de l'appareil Livescan qui permet de récupérer et de numériser « à chaud » les empreintes palmaires et digitales laissées sur place. Mes deux complices étaient d'ailleurs bien avertis de s'en remettre à une prudence de tous les instants.

— Yé vous prie dé mé suivre, *señorita,* avait dit Jorge à ma sortie du véhicule. Comme démandé, nous avons déposé lé corps dé Pelletier sur lé bord du lac. Boris lé surveille dé près, mais il é toujours inconscient.

Avec mon sac d'accessoires sur le dos, Jorge est passé devant. Je l'ai suivi, des espadrilles aux pieds et mes bottes cuissardes sur le bras – j'imaginais mal marcher avec mes talons de huit pouces dans le sable fin.

À une vingtaine de mètres de la rive, Boris se tenait à proximité du corps immobile de Pelletier. Ce dernier était allongé sur le dos, sur le sable blond, en costume d'Adam, les chevilles et poignets ligotés.

— Excellent travail, messieurs, ai-je soufflé.

Incapable de repousser ma furieuse envie de lui balancer mon pied dans les côtes, j'ai chaussé préalablement mes bottes afin de lui planter la pointe de mes talons dans la peau. Un seul coup dans les reins a suffi pour qu'il retrouve ses esprits. Pris de panique, il s'est alors tortillé comme un ver sous le talon que je lui enfonçais dans un poumon. De sa gorge se dégageait des cris étouffés par ses lèvres cousues d'un fil de pêche, une technique que j'avais enseignée à Boris. L'air confus, le visage chargé d'angoisse, il a plongé son regard horrifié droit dans mes yeux, me donnant même l'impression qu'il avait reconnu la femme qu'il avait scrutée avec attention au Parchemin.

— Ta cavale se termine ici, Pelletier. Ce soir, justice sera rendue! Le crime que tu as commis sera enfin puni comme il se doit. Et crois-moi, mes méthodes ne respectent en rien la Convention de Genève.

Sur ces mots, mon captif est devenu encore plus agité, tentant désespérément de se libérer. Réjouie par son désarroi, j'ai esquissé un petit sourire railleur et balancé des paroles agressives dans le seul but d'accroître sa frayeur.

— Compte sur moi pour te punir de façon à maximiser ton supplice. Plus grand sera ton désespoir, plus grand sera mon plaisir!

J'ai passé mes doigts dans un poing américain fait de métal poli. D'un coup de pied au sol, j'ai projeté du sable sur son visage, ordonnant ensuite à mes assistants de le placer à genoux devant moi. Pendant plusieurs minutes, je me suis acharnée à le battre de mon arme, tant par des coups dans les flancs que sur la mâchoire. Je m'étais fixé comme objectif de détruire sa dentition et de lui faire avaler ses dents. Je ne lui ai octroyé aucun répit quand il s'est affaissé par terre, la face contre le sol. À l'aide de mon fouet de charretier, je me suis ensuite acharnée sur son dos jusqu'à l'apparition de nombreux filets de sang.

— Sors les éperons de mon sac, Jorge. Ceux avec les pics de métal sur la courroie. Ce scélérat n'est pas au bout de ses peines.

Jorge s'est accroupi devant moi afin de fixer sur chacune de mes bottes la ganse ornée de rivets. Je me sentais alors beaucoup plus intimidante, capable de dommages supplémentaires. L'idée de lacérer Pelletier avec la petite roulette de métal que je portais au talon me titillait l'esprit. Pendant ce temps, Boris s'occupait de relever mon captif, afin qu'il soit prêt à recevoir ma savate. Ce dernier ne cessait de pleurnicher et de grimacer de douleur. Je lui avais fracturé une côte, et ce n'était plus qu'une question de temps avant qu'il ne s'affaisse une fois de plus.

J'ai balancé ma jambe droite vers l'arrière pour prendre mon élan. Puis, avec précision, j'ai atteint avec la pointe de ma botte les testicules de mon souffre-douleur. Il a aussitôt hurlé à travers sa bouche cousue et s'est écroulé au sol, adoptant une position fœtale. Quel plaisir j'éprouvais à contempler sa souffrance! J'espérais qu'il demeure conscient, que la couture à ses lèvres tienne le coup; je ne voulais pas qu'il puisse recracher ses dents cassées. Les deux mains sur les hanches, avec une allure d'amazone, j'ai enjambé le braillard.

— Approche-toi, Boris. J'ai besoin d'aide pour garder mon équilibre.

Agrippant le bras de mon serviteur, j'ai appliqué fortement la plante de mon pied sur la tête de ma victime et j'ai écrasé son crâne dans le sable mou avant de lui monter sur le corps. Je me suis amusée à le piétiner de long en large, à répétition, en appliquant une pression additionnelle sur mes talons afin de perforer sa peau et d'amplifier son calvaire. Je le sentais à bout de forces.

— Jorge, apporte-moi le collier de chien et la laisse. Toi, Boris, enlève-lui ses attaches. Il est tellement faible qu'il ne me causera certainement aucun ennui.

Sans tarder, j'ai apposé le carcan au cou de Pelletier, fixant par le fait même la chaîne à l'anneau. J'ai ensuite saisi l'autre extrémité et me suis dirigée tout droit vers le large. Lorsque la chaîne s'est tendue, Pelletier s'est vite retrouvé le visage au sol, ne pouvant s'empêcher de piquer du nez.

— Relevez-le! ai-je exigé.

Malgré la vigueur avec laquelle je tirais sur la chaîne et les coups de pied au cul que lui prodiguait Boris, la mauviette n'avançait que très lentement. Les genoux ensanglantés, il était au bout de ses énergies. Chaque coup d'œil que je dirigeais vers lui me procurait un indicible plaisir. Abuser de lui, être la source de ses souffrances, tenir son sort entre mes mains, voilà le plus grand agrément que la vie m'avait offert à ce jour.

Au bout du périple, Pelletier s'est retrouvé près de l'eau, à quatre pattes, faisant face à la vaste étendue bleu-gris, parfaitement calme. À ma demande, Boris lui a menotté les poignets derrière le dos avant de me regarder enfourcher ma victime. De ma main droite, j'ai empoigné son épaisse chevelure et tiré son crâne vers le haut afin de l'enserrer de mes jambes athlétiques. À petits pas, j'ai avancé dans le lac. Avec l'énergie du désespoir, ma victime se débattait entre mes cuisses, cherchant par tous les moyens à se libérer de mon emprise. Je me sentais comme à un rodéo, c'était extraordinairement palpitant!

— Il n'y a rien que tu puisses faire pour m'échapper, lui avais-je certifié. Bientôt, tu seras submergé, incapable de respirer. J'ai prévu pour toi une mort atroce.

Quelques mètres plus loin, nous avons atteint une profondeur d'eau appréciable me permettant d'engloutir la tête de Pelletier, que je tenais toujours entre mes cuisses. Je ne lui ai laissé aucune chance. Après plusieurs secondes, les mouvements de torsions frénétiques que je ressentais au niveau de mes hanches ont cessé : Pelletier agonisait et, en éprouvant une jouissance hors du commun, je l'ai senti sombrer.

C'en était fait de lui, son corps s'était ramolli, il ne réagissait plus.

À ma sortie du lac, j'ai consulté les aiguilles de ma montre et jeté un regard vers mes bottes endommagées. J'ai pointé mon pouce vers l'arrière, par-dessus mon épaule.

— Allez me chercher le cadavre, les gars. Il est quatre heures, nous devons déguerpir au plus vite.

Ces derniers se sont exécutés illico, laissant ensuite tomber le corps sur le sable, à proximité de mon sac d'accessoires.

J'ai tendu la main vers Boris :

— Passe-moi le scalpel.

CHAPITRE 34
Prisonniers

Sur le plancher de ciment, Tanguay ouvre l'œil après plusieurs heures de sommeil. Il est encore quelque peu sous l'effet des narcotiques que ses ravisseurs lui ont administrés en pleine nuit afin de trimballer sa carcasse. Le dos endolori, il se retourne et soulève ses paupières qui lui semblent lourdes. Son visage se crispe d'effroi lorsqu'il croise le regard transi d'un homme aux joues creuses, à quelques pas de lui, qui le fixe sans gêne. Cette présence inattendue lui glace le sang. Paniqué, il se lève d'un bond.

Des barreaux de fer délimitent les pourtours de la cellule dans laquelle il se trouve. Partageant le même espace que lui, l'individu rachitique est assis par terre et continue de soutenir son regard. Sa barbe est très longue et son corps est couvert de multiples ecchymoses.

— Au secours! s'écrie Tanguay en agrippant deux barreaux qu'il tente en vain de secouer, comme s'il était permis d'espérer qu'ils puissent céder à la force de son soudain désespoir.

Son codétenu, flegmatique, ne lève pas même le petit doigt pour le calmer.

Lorsque Tanguay se tranquillise enfin, après quelques minutes d'agitation, son compagnon de cellule se lève, avec peine.

— Je vous conseille de ne pas gaspiller vos énergies, suggère-t-il de son accent anglophone. *It's all useless...*

— Où sommes-nous? Que faisons-nous ici? Qui êtes-vous? s'enquiert Tanguay, la voix chevrotante.

— Nous sommes là où il n'est plus permis d'espérer, *my dear friend.* Vous voilà maintenant, tout comme moi, à la merci d'une terrible sadique. *If you really want to know... we're lost.*

— Perdus?

— Je n'ai aucune idée où nous sommes. Comme vous, on m'a capturé et amené ici il y a un certain temps, six mois peut-être...

Tanguay avale de travers. Au bord d'une crise d'anxiété, il respire difficilement.

— *Just look around you,* enchaîne l'homme en tournant la tête, désignant les quatre coins de la pièce obscure. Comment espérez-vous deviner l'endroit où nous nous trouvons?

— Mais... qui êtes-vous? Vous ne répondez pas...

Une toux profonde s'empare de l'homme au visage émacié.

— Je ne suis plus, comme vous, qu'un condamné. Nous ne sommes plus que ses proies, ses jouets...

— De quoi parlez-vous donc? Les jouets de qui?

— *They call her Gabriella...*

Sur ces mots, Tanguay tourne son regard vers l'extérieur de la cellule et examine les alentours. De chaque côté se trouvent de petites fenêtres carrées, des ouvertures qu'on a pris la peine de couvrir de tissus opaques. Grâce à la faible lueur s'échappant de l'étage supérieur, Tanguay croit percevoir d'étranges accessoires longeant le mur de gauche. Incapable de les identifier, il regarde devant, là où il discerne cette fois, à environ cinq mètres devant lui, l'escalier qui le nargue en lui inspirant le goût de s'échapper. Le désespéré s'assoit par terre en s'appuyant contre les barreaux. La tête entre les mains, il tente de réfléchir à une solution quelconque, accablé par la peur de mourir.

— Mon nom est Gérard Tanguay, susurre-t-il à l'intention de l'homme qui partage sa cellule.

L'homme amaigri lui adresse un simple hochement de tête.

— Allez-vous enfin me révéler le vôtre? s'impatiente Tanguay.

— *I'm John Peters,* déclare la voix enrouée.

— Oh… le financier? fait-il en redressant la tête. J'ai lu dans les journaux que vous étiez porté disparu.

— *My God...* me voilà qui alimente de nouveau les tabloïds.

— Tout le monde est convaincu que vous avez été capturé par la Justicière…

— *Who?*

— Une folle sanguinaire dont parlent tous les médias, ces derniers mois, et dont on a dit que j'étais l'une des prochaines cibles. J'imagine que nous sommes tous les deux devenus ses prisonniers…

— Je ne comprends pas de quoi vous parlez, *tell me*. Je suis enfermé ici depuis si longtemps…

Peters s'accroupit au sol en Indien. L'explication de Tanguay au sujet des deux meurtres de représailles commis jusqu'à présent par la Justicière ne manque pas de l'estomaquer. Les deux captifs poursuivent la conversation, chacun finissant par avouer à l'autre son propre crime. Puis, le regard de Tanguay s'arrête une fois de plus sur le bras lacéré de son semblable.

— Je suppose qu'elle est responsable de ces marques?

Peters hoche la tête :

— Cette Gabriella est une femme aux fantasmes sadiques. L'un de ceux-ci consiste à me rendre visite accompagnée de ses deux gorilles, pour m'infliger une punition corporelle, souvent au moyen d'un fouet. *The scenario is always the same* : vêtue de bottes cuissardes à talons vertigineux, d'une petite culotte moulante et d'un bustier orné de chaînes, elle descend lentement l'escalier en proférant des menaces, me laissant redouter les sévices qu'elle s'apprête à me faire subir.

Tanguay imagine la scène, l'aspect aguichant que cette femme arbore lorsqu'elle se donne ainsi en spectacle. L'espace de quelques instants, il oublie que cette perverse n'hésitera aucunement à le torturer, jusqu'à lui prendre son dernier souffle.

— Lorsque les pas de Gabriella la mènent au seuil de cette cellule, elle ordonne à l'un de ses serviteurs d'ouvrir la porte de la geôle, reprend Peters. C'est alors qu'elle fait son entrée, les yeux rivés sur mon corps dévêtu, telle une panthère qui s'apprête à bondir sur sa proie. La porte se referme derrière elle et les deux hommes montent la garde. En un clin d'œil, elle libère ses pulsions cruelles, les lanières de cuir de son fouet s'abattent férocement sur mon dos, mes jambes, mes bras, parfois pour quelques minutes, parfois pour des heures. *It all depends on how she feels…*

— Je suppose qu'elle va s'acharner sur moi de la même manière… souffle Tanguay en ayant peine à déglutir. Peut-être aurez-vous un peu de répit.

Peters ricane à voix basse.

— *You think? Not at all...* Elle n'a pas de limites, elle épuise ses victimes, ne les ménage d'aucune manière. Ses visites ne se terminent qu'au moment où je perds connaissance. Elle attend que je revienne un peu à moi, en me giflant au visage, et c'est alors qu'elle quitte la cellule, arborant un sourire victorieux. En remontant les marches de l'escalier, elle ne manque jamais de se retourner vers moi en me promettant un retour prochain.

Tanguay pointe le doigt vers un bol et une assiette qui reposent par terre, à proximité de l'entrée de la cellule.

— Ça vous est destiné? Que vous donne-t-elle à boire et à manger?

— *Nothing good.* Elle ne me fournit que deux bols d'eau par jour et des restes de table en guise de nourriture. Parfois, elle crache dedans avant de me remettre mon plat.

Le visage de Tanguay arbore une mine de dégoût.

Le bruit d'une porte grinçante fait sursauter les deux prisonniers, qui se taisent sur-le-champ. Des claquements de talons, dans l'escalier, annoncent l'arrivée de celle que craint déjà le nouveau prisonnier.

— Préparez-moi Tanguay, bandeau sur les yeux, menottes aux mains, commande une voix féminine.

Ce dernier blêmit. La perspective de sa mort imminente lui traverse l'esprit. Il imagine déjà les hommes de Gabriella en train de larguer sa dépouille dans un ravin. La gorge nouée, il tente de crier à pleins poumons, mais aucun son ne sort de sa bouche.

Les pupilles frétillantes, agitées par des mouvements oculaires délirants, Tanguay perçoit la silhouette d'une femme qui se pointe au bas de l'escalier. Elle est suivie par deux hommes de forte stature, qui ressemblent étrangement aux individus l'ayant capturé la nuit dernière.

La femme s'arrête près des barreaux.

Mains sur les hanches, elle fait un signe de tête aux deux colosses, qui la contournent avec empressement. L'un d'eux déverrouille la grille.

470

En inclinant la tête, Tanguay discerne le visage de la Justicière. Du coup, ses yeux s'écarquillent.

— Mais, je… je vous connais, vous! s'exclame-t-il.

CHAPITRE 35
Le juge

Depuis ma rencontre avec le juge Michaud, lors d'un voyage en Californie il y a plus de six ans, je maintiens une étroite relation avec lui. À l'époque où nous nous étions croisés dans l'avion qui nous menait à Los Angeles, j'estimais avoir déniché la perle rare : un magistrat – rien de moins! – sur qui je pourrais exercer mon contrôle.

Depuis ce jour, Michaud se plie à mes moindres exigences de dominatrice, occasionnellement aussi en matière de droit, parfois même à l'intérieur de la communauté sadomasochiste. L'année dernière, par exemple, j'ai fait appel à lui afin qu'il bloque – grâce à son influence juridique – une demande d'appel dans le dossier de l'acquittement controversé de Robert Pelletier. Puisque j'avais sélectionné ce dernier pour être ma première victime, il était impératif qu'il demeure en liberté.

— Je n'ai aucun problème à vous rendre cette faveur, m'avait assuré Michaud, sans trop savoir pourquoi je formulais cette demande. De toute façon, ce ne sera pas la première fois que ça se produit dans notre profession; la corruption judiciaire, ça existe depuis des lunes, avait-il confessé. Et puis moi, vous savez, j'ai un petit penchant pour tout ce qui est tordu! m'avait-il déclaré avec bonhomie.

En d'autres occasions, c'est pour faire appel à ses talents de menuisier que je le convoque. Les services que j'exige permettent à Michaud de concilier ses deux passions : le travail du bois et la soumission envers sa dominatrice. Ainsi, il fabrique depuis plusieurs années les meubles et appareils dont je dispose dans l'ensemble de mon donjon.

Comme c'est le cas pour la majorité de nos rencontres, nous sommes présentement réunis à son chalet, une résidence en bois rond située au milieu d'un immense terrain privé de plusieurs centaines d'acres, près du village d'Amherst, dans les Hautes-Laurentides. C'est un emplacement que j'affectionne particulièrement, un coin éloigné à l'abri des curieux, où je peux me permettre de dominer le juge Michaud en pleine nature.

Allongée sur une chaise de jardin en toile, aux abords de la piscine intérieure de l'immense chalet, je me prélasse sous le toit vitré d'un solarium chauffé qui surplombe le magnifique lac. Au large, des plaques de glace et flaques d'eau s'entremêlent; la fonte des neiges est amorcée, les rayons de soleil qui percent la verrière annoncent l'arrivée du printemps. Le juge Michaud est assis par terre, les fesses sur le rebord en céramique de la piscine, les pieds pendant dans l'eau. Un verre de jus d'orange à la main, il attend sagement que je lui adresse la parole.

— Mon nouveau projet requiert la confection de quelques accessoires de torture qui, pour le moment, n'existent que dans ma tête, lui appris-je. Je souhaite t'en expliquer le concept aujourd'hui, car j'en ai besoin rapidement.

Michaud doit sans doute savoir déjà à quoi serviront ces créations. Bien que nous n'abordions jamais le sujet du jour au Québec, celui de la Justicière, il devine très bien qui je suis, j'en mettrais ma main au feu. Jadis, il lui aurait été difficile de fermer l'œil, soucieux de remplir ses obligations professionnelles. Mais à l'aube de sa retraite, après des années à être lui-même témoin de nombreux crimes impunis, il ne ressent plus ce devoir moral. Maintenant, ce sont plutôt ses fantasmes qui le motivent. Être spectateur et complice des actes de cette dominatrice, qui prend à sa manière la justice entre ses mains, l'allume au plus haut point.

— Je serai heureux d'acquiescer à votre demande, Maîtresse.

Michaud retire un calepin et un crayon de sa poche de chemise. Je lui décris alors l'essentiel des fonctions de mes nouveaux jouets, leurs caractéristiques, les mécanismes recherchés. Il prend note de mes exigences, grimaçant à chaque détail additionnel que je dévoile. Il n'a pas de mal à imaginer la souffrance que subira l'éventuelle victime de ces nouveaux instruments de torture.

— De combien de temps est-ce que je dispose?

— Deux semaines, lui dis-je.

Michaud lève les yeux au ciel.

Je réfléchis quant à moi au moment précis où serviront ces nouvelles créations, l'utilisation unique que j'en ferai et, surtout, je songe à l'homme à qui elles sont destinées. Un sentiment de satisfaction m'envahit, mais, pour l'instant, pourquoi ne pas m'amuser un peu avec celui qui se trouve à mes côtés?

— Déshabille-toi, Jules.

CHAPITRE 36
Sans pitié

À la fin août de l'an dernier, deux mois après le meurtre de Robert Pelletier, j'étais fin prête à prendre les dispositions nécessaires pour l'exécution de Bruno Savoie, ce pédophile qui avait commis un crime odieux sur deux enfants. À ma grande satisfaction, l'enquête pour élucider le meurtre de ma première victime tournait en rond; j'étais très fière de mon habileté à échapper aux forces policières, ce qui me laissait le champ libre pour sévir une seconde fois dans des conditions semblables. Bien sûr, le risque de me faire prendre planait perpétuellement au-dessus de ma tête, comme une épée de Damoclès, mais ce danger rendait les choses d'autant plus excitantes. J'étais envahie par une dose permanente d'adrénaline et cette fébrilité me grisait. Je m'enorgueillissais d'échapper à la vigilance et à la perspicacité des membres de l'équipe d'enquête. Ces derniers avaient même trouvé sur la plage d'Oka le scalpel que j'avais égaré. Je gagnais chaque jour en assurance, mais je ne négligeais pas pour autant mes stratégies; je savais trop bien qu'il aurait suffi d'un petit manque d'attention de ma part pour que je me retrouve derrière les barreaux. J'étais d'autant plus comblée du fait que les médias locaux, nationaux et internationaux ne cessaient de parler de la Justicière; en un seul homicide, effroyable à souhait, il faut en convenir, je devenais une légende vivante. Cette conjoncture glorifiait mon zèle; j'en étais plus qu'enchantée.

Je me posais cependant encore des questions à propos d'un article paru dans le journal dans les semaines suivant la mort de Pelletier, qui parlait d'une livraison inusitée qu'avaient reçue les policiers. L'article se lisait comme suit :

« Un nouvel élément s'ajoute à l'enquête que mène la Sûreté du Québec à propos de la Justicière. Cette semaine, le détective responsable du dossier, l'inspecteur Jacques Fournier, a reçu un colis insolite : un paquet dans lequel on a découvert un doigt humain ensanglanté. Selon l'hypothèse la plus plausible, il s'agirait d'un envoi de la Justicière. »

Cette fameuse livraison m'a toujours laissée perplexe, car je n'y suis pour rien. D'ailleurs, à ce jour, deux autres colis de même nature sont parvenus aux autorités de façon anonyme. Évidemment, on me soupçonne d'être responsable de ces derniers envois comme du premier.

Depuis, je reste à l'affût des nouveaux développements dans cette affaire. Je ne cesse de m'interroger à propos de cette intrigue encore irrésolue : l'expéditeur cherche-t-il à attirer mon attention, à usurper mon identité, ou encore à semer la confusion dans la population et spécialement au sein du corps policier? Parfois, mon imagination fertile me joue des tours; je commence à me demander s'il est possible que le mystérieux expéditeur soit quelqu'un que je connais. Il est certain que mes nombreuses années au sein de la communauté SM de la métropole présentent un risque accru qu'on m'identifie, mais je ne suis connue que sous mon pseudonyme de dominatrice. Personne, à l'exception de Jules, de mes fidèles complices et de Brigitte – aujourd'hui décédée – n'a eu à ce jour l'occasion de voir mon visage en entier. Alors, comment quelqu'un pourrait-il réussir à m'identifier? Aussi, je ne me soucie pas trop du simili portrait-robot que l'un de mes anciens clients a remis aux enquêteurs. Je l'ai vu circuler et je ne peux croire que cette esquisse, d'une qualité médiocre, puisse permettre à quiconque de me reconnaître.

Quoi qu'il en soit, cette histoire de phalange et autres pièces détachées livrées aux policiers crée une remarquable diversion au cœur de l'enquête qui vise à me capturer, mais, en même temps, elle m'insécurise un peu. Je n'ai pas le contrôle de cette affaire et j'ai l'impression qu'on se joue de moi. Aussi, je me demande, si tel est bien le cas, pour quelles raisons quelqu'un s'amuserait à me narguer de la sorte. Après avoir évalué quelques autres hypothèses, je réalise que s'ajoute à celles-ci la possibilité que cet envoi inusité soit l'œuvre d'une personne à l'esprit dérangé qui, fascinée par le personnage de la Justicière, commence à me vouer un culte et m'envoie de cette manière indirecte une sorte d'offrande. Peut-être aussi que cette personne a entrepris, dès le premier homicide, de devenir mon émule? C'est tout de même préoccupant. Parmi le lot d'explications plausibles qui foisonnent dans mon esprit, la possibilité qu'on puisse m'identifier refait toujours surface lors de mes petits moments d'inquiétude. J'essaie de retracer dans ma mémoire les événements qui, par le passé, ont pu me compromettre de quelque manière que ce soit. Peut-être ai-je commis une imprudence lors de mon parcours. Je remonte le temps afin de retrouver toute faille dans mon cheminement vers la concrétisation de mon rôle actuel et je me souviens d'une soirée mémorable de domination que Brigitte et moi avions organisée dans un restaurant du centre-ville. À cette occasion, environ une douzaine de volontaires s'étaient présentés, prêts à se soumettre à nos moindres caprices. En plus de convier nos clients réguliers, nous avions lancé une invitation par l'entremise d'une petite annonce dans un journal à potins. C'est Brigitte qui en avait composé le texte :

« Deux jeunes dominatrices cherchent des hommes adeptes de sadomasochisme pour les accompagner lors d'un souper de groupe. Vous devez consentir à exécuter toutes nos demandes, être disposés à subir maltraitance et humiliation en public. »

Nous avions sélectionné un établissement qui nous offrait une salle privée au sous-sol. Telles des souveraines flanquées de leurs sujets, ma collègue et moi avions pris place aux extrémités d'une longue table de bois sculpté, nos esclaves alignés en nombre égal de chaque côté. Sans retenue, nous nous étions amusées à avilir chacun des participants, à tour de rôle, exigeant d'eux, entre autres, de se dévêtir devant les autres hommes, de manger sans leurs ustensiles ou encore de nous prodiguer des massages de pieds sous la table. Le tout sous une pluie d'injures et de réprimandes à la moindre hésitation ou maladresse.

Dès l'instant où je m'étais levée pour aller aux toilettes, un homme costaud aux traits hispaniques, qui avait répondu à l'annonce dans le journal, s'était offert pour m'accompagner. Il désirait veiller sur moi, patienter au seuil de la porte à la manière d'un garde du corps. C'était Jorge, celui qui, encore aujourd'hui, me sert de fidèle serviteur en compagnie de Boris. Comme ça, sans connaître ce que lui réservait l'avenir, il venait de s'offrir à moi de façon permanente. Jamais il n'allait par la suite me refuser un service ou encore oser remettre en question l'une de mes décisions, quelle qu'elle soit.

Une fois le repas achevé, une idée farfelue m'avait traversé l'esprit : j'avais envie de fouiller l'imaginaire de chacun, de connaître les désirs les plus pervers de nos participants. À la fin d'un tour de table, au cours duquel nous avions pris connaissance de fantaisies sexuelles plus excitantes et bizarres les unes que les autres, Brigitte et moi avions également révélé quelques secrets à propos de nous-mêmes; il s'agit de l'un des rares moments de ma vie où j'ai admis devant témoins mes fantasmes meurtriers.

C'était le vin, sans doute, qui avait fait tomber mes inhibitions. C'était une mauvaise idée de me laisser enivrer par l'alcool. Je le sais maintenant, mais j'avais l'esprit à la fête et comme tout le monde avait bu au moins autant que moi, je m'étais sentie à l'aise d'aborder le sujet. Cependant, de retour à la maison j'avais regretté d'avoir peut-être trop parlé...

∽

La culpabilité du pédophile Bruno Savoie ne faisait aucun doute dans mon esprit, mais suivant mon éthique professionnelle – aussi curieuse que cette dernière puisse paraître de par sa non-conformité –, j'avais besoin d'une certitude absolue avant de mettre fin à ses jours. J'allais devoir lui délier la langue, lui tirer les vers du nez. Contrairement aux autres victimes prévues à mon échéancier, j'avais choisi de m'attaquer à Savoie avant même qu'il ne soit soumis au processus judiciaire; j'estimais qu'il méritait un sort allant au-delà d'une sentence de prison à vie. Comme la peine de mort n'est plus en vigueur depuis le milieu des années soixante-dix au Canada, je considérais être la seule à pouvoir le sanctionner adéquatement. De ma main meurtrière, il connaîtrait un sort aussi atroce que celui qu'il avait fait subir à ces pauvres fillettes sans défense. J'avais l'intention de lui en faire voir de toutes les couleurs, à ce salaud, et de le soumettre à autant d'effroi que ses petites victimes avaient dû en ressentir lors de ce moment horrible où elles avaient été violentées, abusées sexuellement, puis lâchement assassinées.

Contrairement au cas de ma première victime, Robert Pelletier, le peu de temps dont je disposais avant l'arrestation de Savoie m'empêchait d'épier ma proie au préalable. De surcroît, il ne restait plus que quelques jours avant le retour du Mexique du fraudeur financier John Peters; je n'avais donc pas de temps à perdre pour finaliser les préparatifs de l'enlèvement de ce dernier à l'aéroport de Montréal. J'avais par conséquent confié à Boris la planification de mon deuxième homicide en lui remettant une enveloppe remplie d'informations, préparée par Émilie.

— Je vous laisse, à toi et à Jorge, le soin de tout mettre en place, lui avais-je indiqué. Quand vous serez prêts à me livrer Bruno Savoie, je n'aurai qu'à me présenter sur les lieux afin d'effectuer le travail final. Son destin sera alors entre mes mains.

J'entrevoyais une mise en scène qui correspondait à l'un de mes inépuisables fantasmes : un homme sans défense me serait présenté dans une position de vulnérabilité complète, solidement ligoté à un arbre au beau milieu d'une forêt dense, nu et cagoulé. Entièrement à ma merci, il aurait à subir mes tortures sans aucune possibilité de s'échapper. J'aurais sur lui le contrôle absolu, le pouvoir de vie ou de mort. Cette réflexion me procurait un plaisir incomparable.

✍

Au beau milieu de cet après-midi d'automne où nous devions exécuter le plan, je roulais à basse vitesse en périphérie d'un village, sur le tortueux chemin de campagne menant au lieu choisi pour le crime. J'étais aux aguets, cherchant à localiser Jorge qui devait m'attendre quelque part, en bordure de la route. À maintes reprises, je penchais la tête sur la droite afin de jeter un coup d'œil rapide à travers la fenêtre du côté passager. Le ciel se faisait menaçant et les indices d'une forte pluie se multipliaient. Déjà, quelques gouttelettes glissaient sur mon pare-brise. En dépit de ces conditions climatiques défavorables, l'exécution de Savoie devait se dérouler comme prévu. Il n'était plus temps de reculer. Pendant des semaines, mes hommes s'étaient préparés en vue de ce moment ultime. La suite m'incombait et je n'allais pas faillir à la tâche.

En voyant Jorge qui agitait les bras au-dessus de sa tête, j'ai appuyé sur le frein puis effectué un virage à droite sur un petit chemin gravelé, qui s'arrêtait au seuil d'une barrière de métal dont le cadenas avait été sectionné.

— Yé vais vous conduire à Boris, *señorita.* Cé dernier vous attend avec votré victime, à l'autre bout dé cé chémin cahoteux. Notré passage avec lé camion a été difficile. Yé vous récommande dé laisser votré voiture ici. Yé réviendrai monter la garde par la suite.

Quel emplacement idéal! Les alentours étant dénués de résidences, le risque de me faire surprendre était mince, même en plein jour. J'entrevoyais d'ailleurs qu'on puisse mettre un certain temps à retrouver le cadavre.

Comme c'est mon habitude en situation de pouvoir, j'étais bien préparée en matière de costume. Mes impulsions cruelles étant stimulées par mes tenues excentriques – celles qui me confèrent des allures de femme fatale si essentielles à mon plaisir –, j'ai chaussé mes bottes cuissardes et enfilé ma combinaison en latex noir.

En suivant le sentier raboteux, couvert de racines et de roches, j'ai appuyé une main sur l'épaule de Jorge, attentive aux endroits où je posais les pieds, de peur de perdre mon équilibre. J'ai fini par surprendre les lamentations étouffées du pourri que je m'apprêtais à maltraiter. Dès l'instant où il est apparu dans mon champ de vision, je n'ai pu m'empêcher de savourer un moment enivrant : complètement nu, grelottant de froid, la tête coiffée d'une cagoule en cuir munie d'une bandelette détachable, il était retenu à un gros érable par deux chaînes rouillées : l'une au niveau de sa taille, l'autre à la hauteur du cou.

Des entraves fixées à ses chevilles étaient rivées au sol et empêchaient tout mouvement de ses jambes légèrement écartées. De chaque côté, mes hommes avaient planté des tiges en métal qui servaient à lui attacher les bras en croix. D'un pas déterminé, je me suis approchée du condamné, à quelques centimètres de son nez, pour qu'il sente bien ma présence :

— Te voilà, vieux vicieux! Comme tu es répugnant! Tu as l'air stupide, attaché comme ça, tout nu dans la forêt! Tu es laid, vraiment, tu as l'air ridicule, complètement ridicule avec ton ventre de bière et ta quéquette contractée par le froid. Allez... il est temps pour toi de passer aux aveux; je sais que tu as violé deux fillettes, charognard! Sinon plus...

Du coup, j'ai passé une main sous la cagoule, retiré vivement le bâillon qui lui obstruait le clapet. Plutôt que d'émettre un cri de détresse, il m'a bafouillé une question d'une voix tremblotante :

— Êtes-vous... la... la Justicière?

Fière de la réputation qui me précédait, j'ai adressé un sourire orgueilleux à Boris.

— En effet, je suis bien celle que vous croyez.

— Je suis innocent! pleurnichait Savoie. Je n'ai pas commis les actes pour lesquels on m'accuse.

D'un signe de la tête, j'ai donné le feu vert à Boris, qui s'est aussitôt penché pour saisir la torche au propane appuyée contre la base de l'arbre.

Au son de la flamme soutenue par le puissant jet de gaz, Savoie a vite compris que je ne blaguais pas. Question de m'en assurer, d'un rapide coup de poignet j'ai retiré la bandelette qui recouvrait ses yeux.

— Je ne te crois pas le moins du monde, trou du cul.

— Arrêtez, je vous en supplie!

— Pourquoi donc t'épargnerais-je?

— Je n'ai rien fait, je vous le jure!

— En plus, tu es un sale menteur...

— S'il vous plaît... Laissez-moi partir...

— Tu es responsable de la mort de ces enfants. Rien ne sert de me mentir, je sais déjà tout...

— Ce n'est pas de ma faute, plaida-t-il en éclatant en sanglots. C'est plus fort que moi...

— Tiens, tiens... Voilà qui est intéressant : plus fort que toi...

— C'est une envie dont je ne peux me défaire, un fantasme qui me ronge depuis toujours.

— Oui, je peux comprendre...

— Je vous en prie, laissez-moi partir...

— Allez... raconte. Combien d'enfants as-tu abusés à ce jour?

— Près d'une vingtaine, gémit-il. Mais je le regrette tellement aujourd'hui... Je vous jure que je le regrette... Je compte aller chercher de l'aide afin de m'en sortir. Je ne recommencerai plus, je vous l'assure... C'est promis! Juré, craché. Laissez-moi partir...

Puisque je suis moi-même sous l'emprise de pulsions sexuelles excentriques et impénétrables depuis toujours, son cri du cœur me touchait quelque peu. Néanmoins, j'ai appris à contrôler mes appétences, à canaliser mes désirs ardents pour les rendre utiles à quelque chose, en l'occurrence à la justice. Chose certaine, malgré les fortes envies qui m'habitent et que j'assume, jamais il n'a été question de m'attaquer à de pauvres innocents. De plus, qu'on soit ou non dans l'ordre du fantasme, toucher à un enfant n'est quant à moi aucunement tolérable; cela révèle une lâcheté vomitive.

486

Satisfaite de son dernier aveu, j'ai fait signe à Boris de replacer le bâillon sur la bouche du captif.

— Violer et tuer des enfants ne peut s'avérer sans conséquences, ai-je repris en regardant Savoie dans le blanc des yeux. Notre système judiciaire pardonne trop souvent, octroie une seconde chance, comme si la réadaptation pour les salauds de ton espèce était possible. Eh bien, moi, je n'y crois pas; je sais bien que ton vice est incurable, que tu es une cause perdue, que te rendre ta liberté, c'est te permettre de récidiver. Je ne suis en rien magnanime pour les trous du cul comme toi, je préfère débarrasser la population de la vermine... tout en m'amusant un peu, je l'avoue : il faut bien joindre l'utile à l'agréable. Rien ne sert de m'adjurer, car je n'y peux rien. C'est plus fort que moi. Tu peux comprendre ça, n'est-ce pas? ajoutai-je en jouant l'innocente victime de fantasmes tordus.

L'intonation de ma voix, tantôt sépulcrale, tantôt faussement candide, ne faisait qu'envenimer l'affolement de Savoie. Il tremblait de tout son corps, mais je n'avais pas encore terminé d'augmenter sa frayeur; je me gâtais en matière de préliminaires.

— Il serait simple pour moi de t'achever sur-le-champ, mais je préfère une méthode qui puisse faire durer le supplice. Pourquoi me priver de jouir de tes souffrances?

En réponse à mon clin d'œil, Boris s'est emparé du Magnum .357, en prenant bien soin de le manipuler sous les yeux de Savoie et de le faire frémir à souhait. En désespoir de cause, mon captif essayait de se libérer de ses liens, mais en vain.

Après avoir déposé l'arme sur une roche, Boris s'est avancé avec un plateau métallique à la main, sur lequel reposaient – bien en vue sur une serviette noire – quatre longues aiguilles chirurgicales. Ne supportant pas cette vue, Savoie s'est évanoui.

— Boris, apporte-moi le sel d'ammonium.

Dès le réveil de mon souffre-douleur, je n'ai perdu aucun instant. Pendant que Boris tenait sa tête bien en place, j'ai saisi une aiguille entre le pouce et l'index, puis d'un coup sec, j'ai introduit la tige directement dans son œil, en plein centre de la pupille, en l'enfonçant aussi profondément que possible. Ma victime hurlait à s'en fendre l'âme. Malgré le bâillon, ses cris étouffés me cassaient les oreilles. Amusée par sa souffrance, j'ai saisi une seconde aiguille pour lui crever l'autre œil, lui faisant perdre la vue de façon définitive. Je me suis alors reculée de quelques pas afin d'observer l'expression de sa douleur, savourant longuement le calvaire qu'il subissait.

À l'aide d'un lacet en cuir, j'ai ensuite fait un garrot à la base de sa verge, de manière à couper la circulation et à minimiser le saignement qui allait suivre. J'ai agrippé le long couteau affûté que me tendait Boris et, sans hésiter, d'un mouvement assuré, je lui ai tranché le sexe en éprouvant de sublimes frissons de plaisir.

Le sang giclait partout, en abondance.

Savoie a de nouveau perdu connaissance. Dans l'intention de le garder en vie encore un certain temps, je lui ai administré une injection d'épinéphrine afin de rehausser sa tension artérielle, me disant que cela lui permettrait de ressentir bientôt la lame bien aiguisée de mon scalpel lacérant la peau de son torse, alors que j'y apposerais ma signature.

Lorsqu'il a repris connaissance, j'ai procédé en prenant bien mon temps pour signer avec élégance, tout en le regardant s'étouffer avec le bout de pénis que je lui avais enfoncé dans la gorge.

De nouveau, je me suis reculée afin de contempler mon œuvre et savourer le spectacle. C'était jouissif. Mais il me semblait qu'il lui manquait un trou dans la cervelle pour compléter le tableau.

— Boris, passe-moi maintenant le révolver.

CHAPITRE 37
Tanguay

Suivant les croquis qu'il avait dessinés, le juge Michaud vient de passer les deux dernières semaines à confectionner les appareils de torture que je lui ai demandé de fabriquer, lors de notre récente rencontre à son chalet des Hautes-Laurentides. Ce matin, il est chez moi, dans mon sous-sol, à compléter l'assemblage d'une chaise de torture, d'un lit d'écartèlement et d'une vierge de fer. Ironiquement, le travail du magistrat – un véritable virtuose de la menuiserie, il faut le reconnaître – s'effectue sous les regards médusés des deux détenus, à qui sont destinées les souffrances que ces instruments inspirés du Moyen Âge permettent d'infliger.

Pendant que s'achève la conception de ces équipements spécialisés, je remonte à ma cuisine, où je m'empare de mon cellulaire et compose le numéro de ma complice.

— Ramasse tes choses, Émilie. Jorge est en route pour aller te chercher.

— Euh... il vient me chercher ici? Pour aller où? Tu blagues, Gabriella? Moi qui croyais devoir rester à l'abri des regards...

— Ce soir est un grand soir, ma jolie. C'est une sortie unique; chez moi aura lieu l'exécution de Tanguay. Je tiens à ce que soit présente toute mon équipe. Selon la procédure de mes consœurs en Allemagne, je souhaite qu'il périsse en présence d'observateurs; vous aurez droit à un grand spectacle.

— Mais, Gabriella... je n'y comprends rien! Après tous les risques que nous avons déjà courus pour nous rencontrer en secret, depuis que les policiers sont à mes trousses, et avec la chance que nous avons eue d'avoir déniché cette résidence en bois rond pour me cacher, tu ne trouves pas ça imprudent d'envoyer un chauffeur me chercher pour m'emmener en ville? Les policiers me soupçonnent d'être moi-même la Justicière, la femme la plus recherchée au pays! Je n'ai pas envie de m'exposer au danger d'être...

— Ne t'inquiète pas. Je prends *toutes* les précautions nécessaires. Tu sais comme je suis méticuleuse en matière de planification, il me semble; t'inquiéter de la sorte, c'est douter de mon professionnalisme. Qui plus est, outre ce chalet retiré où tu te caches présentement, mon domicile m'apparaît comme étant l'endroit le plus sécuritaire qui soit. Je t'assure que personne ne pensera te trouver ici, et le transport sera sécurisé. Allez... prépare-toi. Je t'attends dans les prochaines heures.

❧

De retour du dépanneur, Boris dépose un gros bloc de glace dans le congélateur du garage, puis franchit la porte coupe-feu menant à l'intérieur de la maison. Il rejoint Gabriella à la cuisine.

— Autre chose pour vous, Maîtresse? s'informe-t-il. Je vous prépare votre repas?

— Non... En cette heure tardive, il serait préférable de se rabattre sur un restaurant et de passer une commande de livraison chez Benny. N'oublie pas que tu dois installer au sous-sol quatre fauteuils, destinés aux spectateurs qui assisteront à ma prestation. Le juge Michaud s'y trouve encore; il complète les derniers préparatifs. Dis-lui de se dépêcher, car le temps presse. Quand il aura terminé, enferme-le avec les deux autres.

Boris, qui venait de saisir le combiné du téléphone afin de commander le souper, se retourne vers moi avec un air interrogateur.

— Vraiment?

Je lui adresse un regard pénétrant.

— Oui, *vraiment*. Mais chuchote-lui à l'oreille de ne pas s'inquiéter…

⤙

Escortée par Boris, je descends au sous-sol après le repas et me présente au seuil de la cellule, dans laquelle se trouvent maintenant trois occupants. La mine déconfite du magistrat en dit long sur son humeur du moment. Toujours avec mon garde du corps à mes côtés, j'ouvre la lourde porte aux barreaux de fer à demi et je commande à Jules de venir vers moi. Prestement, il se faufile dans l'ouverture, soulagé de s'en sortir indemne.

— Mais pourquoi m'avez-vous séquestré, Maîtresse? bafouille-t-il, le cœur dans la gorge. Je trouve téméraire cette décision de votre part…

— Pardon? ai-je bien entendu? Tu te permets de critiquer mes décisions?

— Je ne veux pas vous offenser, ma souveraine, surtout pas... Je vous suis entièrement dévoué, vous le savez bien, mais... J'aurais pu être victime d'un acte de revanche de la part des deux autres détenus.

— Ç'aurait été amusant, dis-je à la blague. Voyons, Jules... tu sais bien que les caméras fixées aux quatre coins de la geôle me procurent une vue sur tout ce qui se passe ici-bas. Au pire, tu aurais reçu quelques taloches bien administrées...

— N'empêche, j'ai eu chaud... confesse-t-il, le souffle coupé. Était-ce... nécessaire?

— Disons, mon cher Jules, que malgré notre relation particulière, je suis toujours fidèle à mes petites fantaisies. C'était donc nécessaire à mon plaisir, oui.

— Je comprends, Maîtresse... et je suis votre accessoire, fait-il en s'inclinant vers l'avant, comme en une sorte de révérence.

— J'ai fait de toi le concepteur de mes nouveaux instruments de torture pour ensuite te laisser partager la cellule de ceux qui en seront bientôt les victimes; j'apprécie ce petit jeu de paradoxes qui permet, en un court laps de temps, d'expérimenter des conditions contraires. N'est-ce pas divertissant?

— Tout pour vous plaire, ma Maîtresse chérie...

— Et voilà que, ce soir, tu seras témoin d'une prestation sadique hors du commun, ce qui fera de toi – qui occupes un important poste de juge – un complice privilégié de la Justicière! Cette compromission n'est rien de moins que jubilatoire! Cela dit, ne te crois pas à l'abri de mes petits caprices du jour; chacun de mes sujets doit redouter ma toute-puissance, car je suis la déesse qui possède sur chacun de vous le droit de vie ou de mort. Est-ce bien clair? Je crois bon de le rappeler à chacun, de temps à autre… Prosterne-toi devant mon indulgence, puisque te voilà sauf, et garde-toi à l'avenir de commenter mes décisions.

À ma grande satisfaction, Jules s'incline alors devant moi – comme il se doit – en me baisant la main, sous les yeux des deux autres détenus, éberlués par la scène.

À l'opposé de la pièce, Émilie vient tout juste de poser les pieds au bas de l'escalier; elle examine d'un œil émerveillé l'objet en forme de sarcophage qui se trouve devant ses yeux. Je lève les bras pour manifester ma joie de la voir enfin arrivée et je m'empresse d'aller à sa rencontre pour lui faire l'accolade.

— Ta présence me comble au plus haut point, ma belle Émilie! Je n'ai rien dit plus tôt, pour ne pas t'insécuriser plus que tu ne l'étais déjà, mais le risque que nous prenons ce soir en vaut la chandelle; je tenais absolument à ce que tu sois témoin de ce spectacle.

Un geste paniqué de la part de Tanguay, qui tente de secouer les barreaux de la cellule, attire le regard de chacun. Il doit sentir la soupe chaude…

— Laissez-moi partir! s'époumone-t-il.

Je choisis d'ignorer ses jérémiades, poursuivant plutôt mon échange avec Émilie :

— J'espère que la séance te plaira, ma chère acolyte. Je tente de recréer l'ambiance fabuleuse qui régnait à l'occasion de ma présence à la soirée spéciale de la FSS en Allemagne, il y a sept ans. Je souhaite vous fournir un petit aperçu de ce que j'y ai vécu à l'époque.

Je pointe du doigt l'imposante pièce en bois qui se trouve à proximité.

— Je te présente, Émilie, une réplique de la fameuse vierge de fer.

— Euh… qu'est-ce que c'est?

— C'est un instrument de torture légendaire, datant du Moyen Âge. Pendant longtemps, ce dispositif diabolique ne semblait appartenir qu'à la fiction, sauf qu'au début du XIXe siècle, des chercheurs ont fait la découverte – au Château de Nuremberg en Allemagne – d'une machine représentant la Vierge Marie. Voilà l'origine de son appellation populaire de vierge de Nuremberg. Comme tu peux le constater, ce simili sarcophage de plus de deux mètres de hauteur est garni en plusieurs endroits de pointes métalliques, qui transpercent lentement la victime placée à l'intérieur lorsque son couvercle se referme.

Estomaquée, Émilie pose une main sur sa bouche.

— Mon Dieu! Est-ce que tu comptes…

Elle s'arrête de parler.

— Sois sans crainte, Émilie. Les pointes métalliques de cette imitation sont plus courtes que la norme. Certes, les égratignures seront nombreuses, mais mon cobaye devrait s'en tirer sans perforation majeure.

— Ton cobaye?

— Oui, mon cobaye, dis-je en jetant un œil provocateur vers la cage des détenus. Cet instrument lui est destiné depuis le départ. Je compte l'enfermer plusieurs heures, possiblement une nuit entière. À coup sûr, il devra se tenir droit, ne pas fléchir, encore moins s'appuyer. Sinon, la vierge pourrait lui faire très mal. J'ai découvert cet appareil pour la première fois lors d'une visite guidée dans un donjon en Allemagne. Je ne l'ai jamais oublié; depuis, il alimente mes fantasmes, alors je me suis promis d'en détenir une reproduction un jour. C'est fait!

Je glisse ma main autour de la taille d'Émilie et l'accompagne au centre de la pièce, là où sont alignés quatre chics fauteuils en cuir. Devant ceux-ci se trouve une table artisanale en bois, munie de cylindres aux deux extrémités. Émilie fronce les sourcils en pointant l'objet :

— C'est nouveau, ça aussi?

— Absolument! Un jouet dont je te ferai découvrir l'utilité en soirée. Assis-toi, je t'en prie. Nous allons débuter sous peu. Les sièges du milieu sont pour toi et Jules. Mes hommes utiliseront les places du bout.

Réticent, Jules s'approche d'un pas alangui, puis s'affale sur la chaise que lui présente Émilie. Je note qu'en levant les yeux au plafond, il a remarqué la présence d'une corde en nylon pourvue d'un nœud coulant, fixée à une poutrelle. Au même moment, les mains gantées de Boris déposent le lourd bloc de glace au sol, juste en dessous de la corde de pendaison. Boris rejoint ensuite Jorge au seuil de la cellule où, ensemble, ils saisissent John Peters de force, l'un par le cou, l'autre par un bras.

— Voilà, Peters... Tu auras une place de choix pour assister au sort que je réserve à ton compagnon de cellule.

Boris oblige l'ex-financier à monter sur le bloc, pieds nus, les mains attachées derrière le dos. Jorge, pour sa part, lui passe la corde au cou, serre le nœud légèrement, puis en ajuste la longueur.

— Je suis certaine que tu auras de la compassion pour ton ami Tanguay, lui dis-je. Tu souhaiteras peut-être même que ça finisse au plus vite pour lui, non pas par empathie, mais par pur égoïsme, car plus le supplice que je lui réserve durera, plus la glace aura le temps de fondre sous tes pieds… Alors, si ça devait s'éterniser, il se pourrait bien que tu y laisses ta peau...

Impatiente de débuter, j'ajuste l'éclairage en tamisant les lumières. J'appuie ensuite sur le bouton de commande de la chaîne stéréo. Une composition baroque de Johann Sebastian Bach, accentuée de notes graves et sombres, envahit soudainement la salle. À l'aide de longues allumettes en bois, j'enflamme ensuite d'innombrables chandelles dispersées ici et là, en plus de quelques bâtonnets d'encens au jasmin. Bientôt, l'odeur envahit les quatre coins de la pièce.

— Amenez-moi Tanguay!

Malgré le physique frêle de Tanguay, ce dernier réussit à offrir une résistance remarquable à ses assaillants. Un pur divertissement. Alors que ses pieds volent en toutes directions et que ses mains tentent de s'agripper aux barreaux de sa cellule pour ne pas être amené vers l'un des appareils de torture, Boris lui assène un violent uppercut. Tandis que Tanguay voit des étoiles, complètement knock-out, Jorge le dévêtit en lui laissant toutefois son caleçon. Il dépose ensuite son corps inerte sur la table et entreprend de lui lier bras et jambes avec les cordes fixées aux cylindres de chaque extrémité.

— ¡Hijo de puta! lui crache-t-il au visage dès qu'il a achevé son œuvre. Voilà, señorita...

Je retire mon boléro, dévoilant ma poitrine moulée dans un chandail fuchsia très échancré. Tanguay retrouve peu à peu ses esprits et se met à proférer des insultes; il me traite de folle sanguinaire, de perverse dangereuse... Des mots qui, à mes oreilles, sonnent comme des éloges.

— Tssst! Tssst! Tssst! fais-je en m'approchant de lui. Il faut conserver tes énergies, mon petit chéri.

Et alors, je lui colle un ruban adhésif en toile sur le clapet.

— Ton heure vient de sonner, Tanguay, lui dis-je en changeant dramatiquement de ton. En perpétrant le double meurtre de tes propres enfants, tu as commis l'irréparable. Tu devras maintenant répondre de tes actes et payer pour ce crapuleux infanticide. Nul doute que la vaste couverture médiatique engendrée par mes deux homicides précédents, peu conventionnels faut-il le souligner, t'aura fourni une petite idée de ma procédure : une agonie lente et douloureuse.

Je me dirige à la tête de l'appareil d'écartèlement et j'entreprends de tourner la manivelle de quelques centimètres. Du coup, les bras de Tanguay se tendent vers le haut, prêts à être étirés par la puissante machine. Je me retourne en direction de mon auditoire.

— Sachez qu'il suffit, mes fidèles complices, d'une dizaine de centimètres d'écartèlement pour disloquer les jointures, briser la plupart des os et causer d'irréversibles dommages. À partir d'une quinzaine de centimètres, le corps humain atteint son seuil de viabilité. Au-delà de cette limite, la victime est emportée par un arrêt cardiaque ou par une asphyxie. Ça te dirait de m'assister, Émilie?

Mon audacieuse complice hausse les épaules.

— Pourquoi pas? me répond-elle.

— Retiens avec fermeté la manivelle du bas; je me réserve pendant ce temps le plaisir de lui infliger moi-même les souffrances.

Je me penche au-dessus du visage de Tanguay et lui murmure des paroles menaçantes :

— Fais tes prières, mon salaud. Tu vas souffrir le martyre, je te le promets.

C'est alors que j'active le mécanisme. En peu de temps, les yeux de Tanguay deviennent globuleux et se remplissent de larmes; la douleur devient de plus en plus insupportable. Avec la rage au cœur et une détermination de tigresse, j'appuie un peu plus sur le levier et j'écoute d'une oreille attentive le son jouissif des articulations qui se rompent. Tanguay crie à travers le ruban adhésif. J'invite mes spectateurs à être attentifs à ces craquements aussi, et pour ce faire, je m'assure d'abaisser temporairement la musique afin que règne en cet instant précis le silence le plus complet. On dirait le crépitement d'un foyer. C'est exquis. Puis survient un bruit plus fort, plus sec : l'épaule du supplicié, devenue flasque, vient de se disloquer. Tanguay hurle très fort à présent. Ma complice grimace, et cela me fait sourire.

Satisfaite de l'étendue des dommages, j'interromps le petit manège, car le cœur de Tanguay ne pourra tenir beaucoup plus longtemps. Je n'ai pas fini de m'amuser encore, alors il faut bien le ménager un peu. Je pose la semelle de ma botte directement sur son nez que je fracture en appuyant de tout mon poids. Il hurle de douleur. Je m'adresse à mes serviteurs :

— Détachez-le-moi. Ce n'est pas de cette façon qu'il doit mourir. Installez-le sur la chaise de fer, l'endroit que j'ai désigné pour son dernier souffle.

Plus mou qu'une poupée de chiffon, Tanguay n'offre aucune résistance. Déjà, ses entrailles sont atteintes, son caleçon est rempli d'excréments. Tant bien que mal, Boris et Jorge réussissent à le placer en position assise sur la chaise aux allures de trône royal, tout désigné pour le roi des salopards, mais recouvert de gros clous sur le siège comme sur le dossier. Au moyen des courroies qu'ils resserrent au maximum, ils parviennent à le ligoter très solidement. Des filets de sang commencent à surgir de sous les cuisses du pantin. À ses pouces, mes hommes fixent de petits étaux munis de barres de concassages, dont les surfaces sont pourvues de pointes de métal. Des vis à ailettes servant à écraser les doigts complètent ces mini-instruments. Boris se dirige alors vers la minuscule pièce située sous l'escalier. Par terre, au seuil de la porte, se trouve un étui noir rempli de couteaux aux lames plus tranchantes les unes que les autres; il saisit le trousseau qu'il dépose à mes pieds. Je réfléchis à voix haute :

— Voyons comment je peux rendre la pareille à un poignardeur d'enfants...

Je me penche vers le sol et retire doucement un premier couteau de sa pochette. Je le tourne sous tous ses angles en alternant mon regard entre la lame d'acier miroitante et les yeux horrifiés de Tanguay. Pendant de longues minutes, je m'amuse à lui infliger de multiples coupures au torse, aux bras, au visage. Peu à peu, à mesure que le sang coule, le souffle du martyrisé commence à s'amenuiser, son énergie quitte son corps. D'un coup de poignet sec, je lui arrache alors le ruban adhésif de sur la bouche.

— Aurais-tu quelque chose à dire avant de t'éteindre? Quelles seront tes dernières paroles? Quelques mots de regrets, par hasard?

— Va chez le diable... maudite vache! brame-t-il.

— Ohhh... merci de ta gentillesse, fais-je avec un large sourire hypocrite.

Sans hésitation, j'enserre le manche du couteau que j'ai dans la paume et je recule mon bras loin derrière pour le ramener avec grand élan en sa direction. Le poignard s'enfonce en plein milieu de sa poitrine.

— Prends ça! espèce de trou de cul...

Je scrute la collection de couteaux étalée par terre et je saisis l'arme suivante, dont la lame est plus longue encore que la précédente. Cette fois, je vise le cœur et tourne férocement la lame dans la plaie. Tanguay rend l'âme, mais cela ne m'empêche pas de poursuivre mes assauts, tant que je n'ai pas utilisé chacun des couteaux que contient la trousse. J'aime le bruit des lames qui s'enfoncent dans la chair, les muscles et les organes. Lorsque je suis enfin comblée, je grave sur son torse les lettres qui font maintenant partie de mon rituel, puis je me retourne vers mes fidèles sujets :

— Boris, Jorge, occupez-vous du reste. Je ne veux plus voir cet enfoiré. Débarrassez-vous du corps à l'endroit convenu.

J'aperçois le magistrat qui est toujours assis sur son fauteuil, pétrifié, la tête entre les mains.

— Ça va, Jules?

Il reste muet.

En reculant d'un pas, mon talon se pose dans une petite flaque d'eau. Du coup, je lève les yeux afin de contempler la position peu enviable de Peters. Toujours debout sur le bloc de glace, il se tient maintenant sur la pointe des pieds. Ses yeux sont bouffis et son visage est couvert de larmes.

J'empoigne le bras de Boris au moment où il passe à mes côtés.

— Commencez par descendre Peters de son perchoir, les gars. Vous pouvez le retourner dans sa cellule. Son tour viendra assez tôt...

De nouveau, je braque les yeux sur le pendu. Le visage tordu par l'angoisse, il détourne le regard afin d'éviter de croiser le mien.

— Je t'offre un sursis, charogne! Mais dis-toi bien que tu es le suivant.

CHAPITRE 38
Conférence de presse

Rassemblée dans une salle au Grand quartier général de la Sûreté du Québec, à Montréal, une meute de journalistes attend avec impatience la conférence de presse annoncée en matinée par les forces de l'ordre. Au milieu du brouhaha, la tension est palpable. Les représentants des médias conversent entre eux, chacun y allant de sa supposition quant au motif de cette convocation impromptue.

— Je crois que ça y est, qu'ils ont capturé la Justicière! soutient un reporter chauve et rondelet en bordure de l'estrade, magnétophone à la main.

À l'instant, la porte-parole de la SQ, Lise Chapleau, apparaît derrière le podium où se trouve un lutrin saturé de micros. Elle est suivie de près par l'inspecteur Jacques Fournier, responsable de l'enquête. Le bruit des chaises au sol fait bientôt place au silence, mais, faute de sièges en quantité suffisante, plusieurs représentants des médias se voient obligés de rester debout. Peu importe, la fébrilité est telle que pour une bonne part d'entre eux, rester assis leur aurait de toute manière semblé difficile.

La relationniste pose quelques feuilles devant elle, jette un œil à l'assistance puis se racle la gorge :

— Mesdames, messieurs, bonjour. Tout d'abord, merci de votre présence aujourd'hui. Sans plus attendre, puisque nous sommes tous très affairés, je vais entrer dans le vif du sujet : hier après-midi, vers seize heures, les dirigeants du site d'enfouissement de Lachenaie, en périphérie de la ville, ont communiqué avec nous afin de nous aviser de la découverte d'un cadavre. L'un de leurs employés, un conducteur de camion qui s'apprêtait à déverser son chargement de déchets, a découvert le corps d'un homme qui gisait en bordure de la route, dans un fossé.

Quelques exclamations fusent dans la salle. Lise Chapleau replace ses lunettes sur le bout de son nez aquilin et consulte de nouveau ses notes, dans lesquelles elle puise un peu de contenance avant de reprendre le fil de ses déclarations.

— Les auto-patrouilles du secteur en service au moment de la découverte se sont dirigées sur les lieux, accompagnées de spécialistes en scènes de crime. C'est en début de nuit, poursuit-elle, que nous avons récupéré le cadavre de cet homme, que nous avons identifié depuis. Il s'agit de Gérard Tanguay.

— Celui qui a tué ses enfants? demande une voix fluette dont, au milieu de l'attroupement médiatique, personne ne peut identifier la provenance.

— En effet, s'empresse de confirmer Lise Chapleau en haussant le ton pour ramener l'ordre dans la salle. Il s'agit de celui que vous connaissez tous en raison du meurtre de ses propres enfants, pour lequel il avait par ailleurs reconnu sa culpabilité. Comme vous n'êtes pas sans le savoir, un jury l'avait déclaré non criminellement responsable pour trouble mental. Il avait recouvré sa liberté dernièrement, soulevant par le fait même l'ire de la population. Tel que la plupart des médias auxquels vous appartenez avaient annoncé, de mystérieux ravisseurs l'avaient kidnappé le mois dernier lors d'une manœuvre criminelle parfaitement orchestrée, alors que des agents l'escortaient en vue de son transfert vers un centre spécialisé. Bien que sa disparition remonte déjà à plusieurs semaines, son décès aurait eu lieu, selon l'évaluation sommaire de la pathologiste, il y a une douzaine d'heures, tout au plus.

Du coup, des mains se lèvent dans l'assistance.

— Je vous prie de garder vos questions pour l'inspecteur Fournier, précise la porte-parole. Vous pourrez lui parler dès que j'aurai terminé de vous livrer quelques autres informations.

Les murmures s'estompent peu à peu et Lise Chapleau poursuit avec flegme son exposé de la situation :

— Bien entendu, l'hypothèse la plus probable suggère que ce meurtre soit l'œuvre de la Justicière, car, une fois de plus, la victime est identifiée par une marque de couteau à l'abdomen, une signature qui caractérise la meurtrière depuis son tout premier homicide. Une petite note a aussi été laissée sur place, dont nous nous gardons toutefois de dévoiler le contenu afin de ne pas nuire au déroulement de l'enquête. Selon l'évaluation de la pathologiste Josée Brière, Tanguay aurait succombé non pas aux nombreuses blessures qui lui ont été infligées, mais plutôt aux multiples coups de couteau qu'il a reçus en plein cœur.

La salle s'emballe après cette révélation. La relationniste s'éloigne du podium de quelques pas et, d'un geste de la main, invite son collègue à poursuivre. Fournier s'avance alors et incline la tête en guise de salutation avant de prendre la parole.

— Si nous vous avons convoqués ce matin, c'est que le temps presse, affirme-t-il d'une voix sombre. La situation est grave, les victimes ne cessent de s'accumuler. Il s'agit déjà du troisième homicide signé par cette meurtrière. À la lumière des derniers événements, nous devons encore une fois faire appel à la vigilance de tout un chacun, nous assurer d'avoir des yeux et des oreilles partout. Certes, la remise en liberté de Tanguay était controversée et nous ne sommes pas sans savoir que son décès fera l'affaire de quelques-uns. Je pense aux partisans de la remise en vigueur de la peine de mort, qu'on a vus ici et là, sur les plateformes publiques, souhaiter ouvertement sa mise à mort. Quoi qu'il en soit, c'est à notre système de justice légale qu'il faut s'en remettre, non pas à celle dont la Justicière se réclame. Ces actes de barbarie doivent cesser. La capture de la Justicière, c'est l'affaire de tous.

Il attire l'attention des journalistes vers une table de travail située au bas de l'estrade, sur laquelle reposent trois piles de documents.

— Les pochettes bleues là-bas sont pour vous. Nous vous les distribuerons sous peu, précise-t-il. À l'intérieur, vous trouverez plusieurs informations relatives à l'enquête et des liens Internet où vous pourrez obtenir la matière nécessaire à des fins de publication. Entre autres, vous y trouverez des photos d'Émilie Perreault, notre principale suspecte, que nous recherchons très activement, ainsi que celles de John Peters, le fraudeur financier disparu depuis l'automne dernier. Le but premier de cette initiative est d'engendrer un flot de renseignements via notre ligne téléphonique anonyme, toujours active. Le moindre renseignement peut faire avancer ce dossier. Rien ne sera négligé. Toute communication, dois-je le rappeler, sera traitée de manière strictement confidentielle.

Il jette un coup d'œil distrait en direction de Jennifer Stone, la journaliste du réseau HTN. Leurs regards se croisent.

— Quelques précisions s'imposent cependant, souligne Fournier. De toute évidence, l'enlèvement de Tanguay, suivi de son assassinat plus d'un mois plus tard, donne à penser que la Justicière procède de temps à autre à une détention relativement prolongée de ses victimes. Ce pour quoi, même si plusieurs mois se sont écoulés depuis la mystérieuse disparition de John Peters, nous sommes en droit de présumer qu'il puisse en ce moment être encore détenu par elle et qu'il sera peut-être même sa prochaine victime. Voilà la raison pour laquelle, parallèlement à notre recherche active de celle qui se cache sous cette identité mystérieuse, nous allons investir tous nos efforts dans la recherche de John Peters; nous envisageons de ratisser les endroits où elle pourrait le garder prisonnier. Encore une fois, nous demandons à la population de garder l'œil ouvert : les chalets et les maisons de campagne sont des lieux propices à ce genre de captivité, conclut-il.

De nouveau, son regard est attiré vers la journaliste américaine à qui il avait accordé, avant la période des Fêtes, le privilège d'être présente lors de l'ouverture du dernier colis reçu au poste de police. Il invite enfin la presse à poser ses questions, suscitant un tumulte immédiat. Dans la cohue, la voix de Nancy Tremblay, assise à la première rangée, s'élève au-dessus de la mêlée.

— Vous semblez avoir la malencontreuse habitude de bousiller vos filatures et vos missions de surveillance. D'abord, Émilie Perreault vous a échappé, puis ce fut la même histoire avec Tanguay. Comment expliquez-vous de telles bévues?

Fournier sent sa pression monter. Après une longue respiration, il entreprend de répondre en prenant soin de bien placer sa bouche devant les micros et de ramener à l'ordre l'assistance agitée :

— Vous devez comprendre, madame Tremblay, commence-t-il d'une voix un peu plus forte au début, pour bien capter l'attention de tous, qu'il s'agit d'une situation complexe; il s'agit en fait d'une enquête aux multiples facettes, dont tous les détails ne sont évidemment pas révélés au public. Selon toute vraisemblance, la Justicière jouit d'un réseau de complices relativement important et ça génère des contraintes particulières. Bref, je vous prie de garder pour vous vos conclusions hâtives et quelque peu méprisantes à l'égard de la SQ, sans quoi je me devrai de souligner que vos suppositions – que vous présentez par ailleurs comme des faits – ne sont que de la foutaise. Alors si vous n'avez pas de questions portant sur des choses plus constructives, je vais passer la parole à un autre média.

Nancy Tremblay reste bouche bée, visiblement contrariée. Sans en faire plus de cas, Fournier repère la main levée de Jennifer Stone et la désigne avec plaisir.

— Monsieur Fournier, *what do you know exactly about Émilie Perreault?*

— Perreault est une informaticienne aguerrie, explique Fournier en tâchant de balayer l'assistance du regard, même s'il est tenté de garder ses yeux rivés sur cette femme, dont le charme qu'il lui découvre n'est pas sans effets sur lui. D'abord, elle serait responsable d'une intrusion malveillante dans nos systèmes informatiques, acte de piratage qu'elle a d'ailleurs avoué lors de son interrogatoire à la suite de son arrestation.

510

Après sa remise en liberté surveillée, elle a toutefois échappé à notre vigilance lors d'une manœuvre encore une fois très bien planifiée, et, semble-t-il, avec l'aide de complices. Curieusement, Tanguay a disparu dans les jours qui ont suivi. Bien sûr, rien ne prouve encore que les deux incidents soient liés, mais nous pouvons toutefois le supposer.

Fournier répond à quelques autres questions de journalistes, puis scrute de nouveau la salle. Il aperçoit Nancy Tremblay, qui a de nouveau la main levée. À contrecœur, il lui octroie pour une seconde fois la parole.

— Qu'en est-il du dossier de l'artiste sadomasochiste Jenilee? s'informe la journaliste avec un aplomb de circonstance, soucieuse de faire bonne figure après la remontrance de tout à l'heure. D'après mes sources, vos agents d'expérience ont plutôt eu l'air de simples débutants lors de cette soirée au Fetish Extravaganza. C'est sans surprise que j'ai appris votre incapacité de la retrouver, mais avez-vous, à tout le moins, de nouveaux renseignements à nous communiquer?

— D'après mes sources, madame Tremblay, il appert que vous vous trouvez la plupart du temps à court de questions pertinentes et que, pour cette raison, afin de vous rendre intéressante, vous tentez de discréditer les forces policières par des suppositions burlesques et des jugements à l'emporte-pièce. Mais bon... ce ne sont là que des présomptions... semblables aux vôtres. Cependant, je crois bon de le préciser.

Nancy Tremblay se fige en esquissant un léger mouvement de recul. En persistant dans la voie de l'arrogance, elle espérait s'imposer et n'envisageait pas de se faire rabrouer encore une fois aussi fermement. Elle se mâchouille les lèvres en jetant un œil inquiet aux alentours, soucieuse de la réaction de ses collègues journalistes. Lise Chapleau, qui perçoit bien son malaise, choisit ce moment pour s'avancer aux côtés de Fournier et lui chuchoter quelques mots à l'oreille.

— Je vais répondre à une dernière question, annonce celui-ci, le regard de nouveau accroché à Stone.

L'Américaine lui adresse un sourire discret, puis s'empresse de profiter de l'attention qu'il lui porte pour s'enquérir d'un sujet qui lui trotte dans la tête depuis sa première journée de couverture médiatique au Québec, où elle avait été témoin de l'ouverture du troisième colis mystérieux :

— *What about the mysterious deliveries, inspector? When we first met...*

Elle prend une pause. Fournier rigole intérieurement, sachant très bien ce à quoi pense Jennifer Stone en ce moment. Comment oublier cet épisode cocasse où elle avait bondi comme une sauterelle à la vue du morceau d'oreille humaine que contenait la boîte?

— Vous disiez, madame Stone? demande-t-il d'un ton moqueur.

La journaliste plisse le nez, comme pour indiquer à l'inspecteur qu'elle est bien consciente du fait qu'il se paye sa tête.

— *I was saying,* monsieur Fournier, *that you promised to clarify the situation. Do you have anything new to communicate?*

— En effet. L'analyse de l'ADN des trois morceaux humains que nous avons reçus depuis le début des homicides lève le voile sur une pratique à la fois troublante et inattendue.

Du coup, les quelques conversations individuelles à voix basse s'estompent; la salle devient muette.

— Puisque les phalanges et l'oreille proviennent du même individu, nous avons cru dans un premier temps que la Justicière détenait Peters et s'amusait à le découper petit bout par petit bout. Mais après avoir analysé le profil génétique de ce dernier, en collaboration avec sa famille, nous avons découvert qu'il n'en était rien. Nous avons alors pensé à l'éventualité d'un second détenu, mais de nouveaux éléments ont permis d'entrevoir les choses différemment. Selon les indices dont nous disposons en ce moment, il est raisonnable de croire que nous avons affaire plutôt à un adepte de l'automutilation.

C'est l'étonnement dans la salle.

— Vous en êtes certain? intervient de nouveau Nancy Tremblay qui, par souci d'orgueil, n'entend pas céder aux admonestations de l'enquêteur.

— Ce ne sont encore que des hypothèses, répond-il sans ambages, mais sachez qu'une brève note nous est parvenue, il y a quelques jours à peine, dans laquelle l'expéditeur explique qu'il est prêt à tout pour démontrer à la Justicière qu'elle représente pour lui la reine de toutes les dominatrices. Il avoue être celui qui nous a fait parvenir les trois colis dans l'espoir d'attirer l'attention de la Justicière et, par le fait même, de lui témoigner sa dévotion. Alors, à moins qu'il ne s'agisse d'un imposteur qui s'amuse à brouiller les pistes...

Quelques journalistes secouent la tête.

— Un malade, quoi… s'exclame l'un d'eux.

— Un psychologue spécialisé en automutilation nous a expliqué qu'à une certaine époque, ce fantasme déviant était relativement courant dans l'univers du sadomasochisme; lorsqu'un soumis présentait une telle offrande à sa dominatrice, c'était pour la louanger, lui exprimer jusqu'à quel point il la glorifiait. Ce serait donc le cas de cet individu, que nous n'avons pas encore identifié.

CHAPITRE 39
Tragédie

Depuis la conférence de presse, un flot d'appels téléphoniques inonde la centrale d'information de la Sûreté du Québec. Les citoyens s'empressent de fournir des renseignements qu'ils croient pertinents à l'enquête. Fournier perd patience lorsqu'on lui rapporte les inepties recueillies dans toute cette abondance d'appels : l'un déclare avoir des problèmes avec le fisc et s'inquiète de représailles de la part de la Justicière; un autre avance l'hypothèse qu'il puisse s'agir de sa belle-mère, sous prétexte qu'elle l'a souvent menacé de lui couper les couilles, si jamais il causait du mal à sa fille. Une équipe spécialisée étudie les enregistrements de chacun des témoignages recueillis, fait le tri, puis achemine les confidences par ordre de priorité au local des enquêteurs.

En mangeant son sandwich, pendant que sont partis dîner les membres de son équipe, Fournier met ses écouteurs puis insère l'extrémité du fil dans l'embranchement de son magnétophone. Il écoute, un à un, les messages qui lui sont parvenus en matinée. Tout à coup, il plisse le front, enfonce le bouton d'arrêt et retourne au début d'un appel qui semble pertinent. Cette fois, il tend une oreille plus attentive aux propos de cet homme dont l'histoire l'étonne :

« Il y a plusieurs années, je participais en tant que spectateur à des séances de domination plutôt inhabituelles organisées par une vieille connaissance, dans un chalet du village de Mont-Tremblant, divulgue la voix masculine. Sur une base régulière, ce dernier faisait appel à une dominatrice particulièrement cruelle et sanguinaire, mais jamais il n'a été question d'actes de barbarie de l'ampleur de ceux auxquels s'adonne actuellement la Justicière. Enfin... je veux dire que personne n'y trouvait la mort, mais je tenais tout de même à vous en informer. Sait-on jamais, peut-être serez-vous en mesure d'établir un lien quelconque avec cette femme... »

Fournier termine l'écoute du message, prend son bloc-notes et griffonne l'adresse du chalet que lui indique le témoin. De mémoire, il estime que ce village n'est qu'à une trentaine de minutes au nord de chez Gailloux. Il décroche le combiné et signale le numéro du capitaine, qui répond d'une voix léthargique.

— Calvaire, Alex. Tu dormais?

— Après le repas du midi, une sieste est toujours de mise.

— J'ai besoin que tu me rendes un service.

Il annonce à Gailloux la nouvelle piste à explorer dans sa région et le convie à se rendre le plus tôt possible à l'endroit désigné pour une visite préliminaire. En tenant compte de ses soupçons grandissants quant à la présence d'une taupe au sein de son service, Fournier lui confirme qu'aucun autre membre de l'équipe d'enquête n'est au courant de la visite qu'il lui demande d'effectuer. Il le somme donc de garder cette mission confidentielle jusqu'à avis contraire, de sélectionner un simple patrouilleur n'ayant aucun lien avec l'enquête en guise d'accompagnateur et de lui inventer un faux prétexte pour justifier leur sortie.

— Au fait, cette nouvelle donnée est si récente que je n'ai pas encore validé l'identité du propriétaire de ce chalet. Je te laisse vérifier ça, termine Fournier.

෨

Accompagné de l'agent Nadon du poste de Sainte-Agathe, Gailloux se rend comme convenu au village de Mont-Tremblant. À moins d'un kilomètre de la fin du parcours que lui indique son GPS, il s'engage sur un petit chemin gravelé qui n'est carrossable qu'à basse vitesse. À l'approche d'un chalet en bois rond, il remarque la présence d'une camionnette noire stationnée en bordure de la résidence, dont le modèle s'apparente au véhicule qu'avaient laissé les ravisseurs de Gérard Tanguay dans le tunnel La Fontaine. Avant d'en être trop près, il immobilise la voiture en bordure du fossé et coupe le moteur.

— Passe-moi les jumelles, demande-t-il à son partenaire.

Pendant de longues minutes, Gailloux examine les environs et tente de déceler des mouvements quelconques à l'intérieur de la résidence. C'est le calme plat. Devant l'absence de danger, il entreprend d'aller de l'avant avec son coéquipier. Il place le levier d'embrayage au point mort et laisse la voiture descendre la pente tout doucement. Par mesure de sécurité, il précise toutefois leur position à la radio. Bientôt, les deux agents s'arrêtent à proximité de la camionnette sur un espace de stationnement en pierres concassées.

— Allons jeter un coup d'œil, suggère Gailloux en ouvrant sa portière avec hésitation, une main sur l'étui de son arme.

Au pied du chalet s'étend un lac bordé par un escarpement de rochers et de conifères alourdis par une neige fondante. Sur la berge, une brume diffuse et blanchâtre flotte au gré d'une légère brise, réchauffée par les rayons du soleil printanier. Gailloux s'approche de la porte d'entrée. D'un geste de la main, avec une attention accrue, il indique à son partenaire de demeurer en retrait, puis cogne trois petits coups sur le cadrage en bois.

Rien ne bouge.

Après plusieurs secondes, il frappe de nouveau avec un peu plus d'insistance.

— Il y a quelqu'un?

Le capitaine recule de quelques pas, examine l'emplacement de chacune des fenêtres, se dirige avec précaution vers le premier cadre vitré en longeant le mur de droite. Au passage, il scrute l'intérieur de la maison. Selon toute apparence, personne ne s'y trouve. Il rejoint l'agent Nadon aux abords de la camionnette suspecte et pose discrètement la main sur le capot.

— Nul doute, quelqu'un se cache à l'intérieur, murmure Gailloux. On refuse tout simplement de nous ouvrir; le moteur de la camionnette est encore chaud, les marques de pas au sol plutôt récentes. Ça sent mauvais. Nous allons devoir appeler du renfort...

De manière presque nonchalante, question de n'alerter personne au cas où ils seraient observés à leur insu, Gailloux retourne à la voiture en compagnie de son acolyte. Il fait aussitôt marche arrière et s'engage vers la sortie du terrain. Aux abords de la route principale, hors du champ de vision des possibles occupants du chalet, il s'arrête de nouveau et effectue une vérification du numéro de plaque qu'il avait mémorisé.

— L'immatriculation est invalide…

Sans hésiter, il compose le numéro de Fournier et le met au parfum des derniers développements.

À cinq cents mètres de la voiture des policiers, à l'intérieur du chalet, un homme remonte les escaliers du sous-sol d'un pas feutré. Aux abords de la fenêtre grillagée du palier, il s'avance prudemment et jette un rapide coup d'œil à l'extérieur.

— Yé né lé vois plus, ils sont partis. Vous pouvez sortir, *señorita* Émilie. La voie é libré.

La jeune femme remonte les escaliers du sous-sol.

— Que fait-on maintenant? demande-t-elle d'une voix étouffée par l'énervement.

— Nous dévons abandonner cet endroit lé plus rapidément possiblé! Yé présume qu'ils séront dé rétour bientôt. Rémassez vos choses, lé temps presse.

Émilie se dirige vers le garde-manger, la larme à l'œil, et fouille parmi les aliments avant d'y · prendre un sac d'arachides. Sans perdre un instant de plus, elle se lance vers la chambre à coucher, bourre son sac à dos de ses effets personnels et de quelques vêtements. Déjà, Jorge l'attend dans la camionnette, le moteur en marche. Émilie le rejoint aussitôt, se précipitant sur la banquette. Ils quittent prestement les lieux et, dès qu'ils franchissent la courbe de l'entrée, Jorge est contrarié d'apercevoir un véhicule Range Rover bloquant l'accès à la route principale.

Pris de panique, il choisit de foncer. À travers la fenêtre déjà ouverte, il pointe son révolver en direction du camion.

— Ténez-vous bien, *señorita!* s'écrie-t-il à pleins poumons. Ça va brasser.

Juste à temps, Gailloux et Nadon sortent de leur véhicule pour se planquer derrière lui, alors que Jorge tire plusieurs coups de feu dans leur direction. Le capitaine dégaine en effectuant une roulade au sol, au détriment de son vieux dos récemment affligé par le zona. En une fraction de seconde, il fixe le conducteur dans sa mire et appuie sur la gâchette sans hésitation. Tel un tireur d'élite, il atteint l'homme directement à la tête. Sans perdre sa vitesse, le camion poursuit son chemin en ligne droite et les deux policiers se précipitent dans le fossé. La camionnette enfonce violemment le Range Rover de Gailloux avant de s'arrêter à quelques mètres de la voie principale.

Aux côtés d'Émilie, Jorge ne bouge plus; des éclaboussures de sang souillent le pare-brise et le liquide encore chaud dégouline sur les mèches de son toupet qui lui collent au front. Sa bouche entrouverte, d'où s'échappe un filet écarlate, et ses yeux saillants confirment à Émilie qu'elle ne peut plus compter que sur elle-même.

L'agent Nadon relève la tête au-dessus du fossé et repère le véhicule. Il accourt vers la passagère, qui tente de s'extirper de son siège.

— Du calme, nous allons vous sortir de là, précise-t-il à la femme coincée dans son siège, en prenant soin toutefois de pointer son arme en sa direction.

En apercevant Gailloux qui se relève et s'extirpe du fossé, il appuie sur le bouton de sa radio afin de signaler la fusillade au poste de commande et réclame une ambulance, tout en spécifiant qu'aucun des deux policiers n'est sérieusement blessé. Pendant ce temps, Gailloux vacille en se dirigeant vers eux. Les jambes molles, la main tremblotante, il s'emmêle les pieds dans son pantalon déchiré et trébuche sur une roche dissimulée par la neige.

Nadon, dont le regard valse entre la femme et son collègue, scrute l'intérieur de la camionnette endommagée et repère un pistolet au plancher, aux pieds du corps inanimé de Jorge. Profitant de cette distraction, Émilie s'empare du sac d'arachides qu'elle avait rangé dans la poche avant de son jeans. Elle l'ouvre avec ses dents et en avale le contenu en quelques bouchées. À la vue de celle qui se remue sur son siège, prisonnière du tableau de bord, les yeux de Gailloux s'illuminent.

— C'est… calvaire! … C'est Émilie Perreault! Occupe-toi d'elle! ordonne-t-il à Nadon avant de dégainer son cellulaire.

La femme réussit enfin à ouvrir la portière abîmée du véhicule sous l'œil de l'agent Nadon qui, puisqu'elle ne semble pas présenter de blessures sérieuses, saisit son bras d'une poigne ferme et la retourne brusquement pour lui passer les menottes. Le véhicule de Gailloux étant à moitié démoli, il n'a d'autre choix que d'asseoir la jeune femme dans une congère, le dos contre un arbre résineux, en attendant l'arrivée des renforts.

Un peu à l'écart, l'oreille collée à son cellulaire, Gailloux renseigne l'inspecteur Fournier :

— Oui, oui! Je te le confirme, Jacques : c'est bien elle.

À l'abri des regards, dans son bureau de Mascouche, Fournier brandit le poing en signe de victoire et effectue même une petite steppette.

— Ton informateur avait vu juste, poursuit Gailloux. Elle se cachait ici avec un homme...

Gailloux s'arrête soudainement de parler et de marcher.

Devant lui, à une vingtaine de mètres, se déroule une scène qui lui fait craindre le pire. Son regard s'assombrit tandis que Nadon l'appelle à l'aide.

— Alex? Es-tu toujours là? s'enquiert Fournier qui, à l'autre bout du fil, ne comprend pas ce qui se passe.

En moins de deux, sans même penser à couper la ligne, Gailloux enfonce son cellulaire dans la poche arrière de son pantalon et se précipite à toute allure vers son collègue et la jeune femme.

— Bon sens, va-t-elle arriver cette maudite ambulance? s'énerve Nadon.

Au sol, Émilie Perreault convulse, victime d'une grave réaction allergique et prise d'étouffements sévères.

— Simonac! Je crois qu'elle est en choc anaphylactique…

— Elle a peut-être avec elle une seringue d'Épipen. Je vais voir si elle a un sac à main dans la voiture… répond Nadon en se précipitant vers la camionnette.

Appréhensif, Gailloux tente de son côté de dénicher la trousse de RCR qui se trouve dans le coffre tout bosselé de son véhicule, dont il peine à ouvrir la portière.

— Bordel, nous devons absolument la sauver! s'énerve-t-il.

Nadon revient les mains vides. Les yeux de la jeune femme roulent sous ses paupières bouffies, ses lèvres enflent et ses voies respiratoires semblent obstruées. En voie de céder à un arrêt respiratoire, elle tousse gravement. Bientôt, des spasmes la secouent, une écume blanchâtre franchit ses lèvres, puis son corps se décrispe peu à peu sous le regard ahuri des policiers. Nadon se penche au-dessus du corps, tente frénétiquement de réanimer la femme, par tous les moyens possibles, mais en vain.

Gailloux secoue la tête, dans un geste de profonde incrédulité :

— Tabarnaaaaaaaac…

CHAPITRE 40
Doutes

Depuis le malheureux incident de la semaine précédente à Mont-Tremblant – où Jorge Morales et Émilie Perreault ont trouvé la mort –, les policiers ont les nerfs à fleur de peau au poste de Mascouche. Annabelle n'a pas du tout aimé être tenue à l'écart de cette opération. Elle en tient rigueur à Fournier et, depuis l'événement, c'est à peine si elle lui a adressé la parole.

Les médias ont fait leurs choux gras de ce fait divers, qu'ils n'ont pas manqué de traiter de manière sensationnaliste. Déplorant les décès engendrés par cette intervention policière, ils ne cessent de s'acharner contre l'équipe d'enquête. Dans sa dernière chronique intitulée « La SQ n'en finit plus de se mordre la queue », la journaliste Nancy Tremblay ne se gêne pas pour critiquer le travail des enquêteurs :

« Comme c'est souvent le cas depuis le début de l'enquête à propos de la Justicière, le discours des autorités tourne à vide. Encore hier, alors que nous étions une poignée de journalistes à l'interviewer devant le poste de Mascouche, l'inspecteur Fournier nous avouait qu'il n'était toujours pas possible d'établir avec certitude la culpabilité d'Émilie Perreault, décédée de façon dramatique la semaine dernière à la suite d'un violent choc anaphylactique sur la scène d'une altercation policière à Mont-Tremblant. La Justicière serait donc peut-être toujours en cavale, a-t-il admis. Pour cette raison, les autorités maintiennent les stratégies qu'elles ont mises en place. Il est toutefois permis de douter de la pertinence de ces dernières, car elles n'aboutissent à rien de concret depuis des mois. »

Gailloux, qui lit l'article en esquissant un rictus d'agacement, est d'avis que la Justicière court effectivement toujours. Il se dit qu'Émilie Perreault, plutôt menue et de grandeur moyenne, n'a pas le physique de la fameuse Jenilee, l'invitée vedette du Fetish Extravaganza qu'il soupçonne encore d'être la meurtrière recherchée. Selon lui, Perreault était tout au plus la complice de Jenilee.

L'examen du cellulaire que portait sur lui le conducteur de la camionnette apporte également son lot de questionnements : depuis plusieurs semaines, la très grande majorité des communications téléphoniques de Jorge Morales étaient dirigées vers un seul numéro, le même qu'il a composé à quelques reprises lors des minutes précédant sa mort. Comme il fallait toutefois s'y attendre, les forces de l'ordre n'ont pu découvrir l'identité du détenteur de ce numéro, sans doute en raison de l'utilisation d'un appareil à la carte acquis sous un faux nom.

Depuis plusieurs semaines, et d'autant plus ces derniers jours, des journalistes internationaux débarquent dans la métropole. Les retransmissions du réseau HTN font fureur, attirant l'attention de la médiasphère. Tous se demandent si le propriétaire du chalet où se cachait Émilie était ou non au courant du fait qu'on occupait sa résidence secondaire pendant qu'il se prélassait sous le soleil de la Floride durant l'hiver. Le cas échéant, était-il au courant que la femme à qui il avait loué ou prêté sa maison était la personne la plus recherchée au pays?

À la suite de la publication de son article, il y a deux jours, Nancy Tremblay se fait un devoir de communiquer avec cet homme, qui possède aussi un condo en bordure de mer à Miami Beach :

— Comment expliquez-vous, monsieur Barnabé, la présence d'une femme qui pourrait être la meurtrière recherchée dans tout le Québec à votre domicile des Laurentides?

— Vous me l'apprenez, se défend le richissime homme d'affaires. Personne ne devait occuper ma demeure en mon absence. Il s'agit sans doute de squatteurs qui ont profité de mon absence prolongée. Autrement, je ne vois pas...

— N'aviez-vous pas un système d'alarme dans cette magnifique résidence, ou encore une personne mandatée pour assurer la protection des lieux?

— Oui, en effet, je ne sais pas comment il se fait... Écoutez, je dois faire quelques vérifications à cet effet, justement.

— Certaines personnes prétendent que vous entretenez un lien de longue date avec une dominatrice professionnelle, qui pourrait être la Justicière. Imaginez les conséquences pour vous s'il fallait qu'on prouve que vous avez sciemment hébergé une meurtrière notoire.

— Je n'ai aucun commentaire à ajouter, rétorque-t-il avant de raccrocher.

Malgré toute la pression qu'il subit ces derniers temps, l'inspecteur Fournier ne se plaint pas de la présence continuelle de la journaliste Jennifer Stone dans les parages, ni des nombreuses demandes d'entrevues qu'elle lui adresse pour le compte du réseau HTN. Cela lui permet de passer du temps agréable en sa compagnie, au grand désarroi de Nancy Tremblay, qu'il a décidé d'ignorer autant que possible depuis son intervention insolente à la conférence de presse sur la découverte du cadavre de Tanguay. Pour ajouter à son stress, sa brouillerie avec Annabelle lui ronge l'esprit. Déterminé à apaiser le climat orageux qui persiste entre eux depuis quelques jours, il invite sa partenaire à venir le rejoindre dans son bureau.

— Annabelle, j'ai une confidence à te faire, lui dit-il dès qu'elle franchit la porte. Referme derrière toi, s'il te plaît.

Elle adresse à Fournier un œil torve, puis se laisse choir sur le canapé.

— Je ne passerai pas par quatre chemins, commence l'inspecteur. Depuis plusieurs semaines, le capitaine Gailloux soupçonne l'existence d'un informateur parmi nous. Un individu, homme ou femme, qui serait complice de la Justicière.

— Une taupe! … Tu plaisantes?

Fournier pince les lèvres et secoue négativement la tête.

— Et ce n'est que maintenant que tu m'en parles? s'emporte Annabelle.

— Par mesure de précaution, Alex et moi avions convenu de n'en glisser mot à personne, question de minimiser les risques d'ébruitement. Comme tu sais, il suffit d'un faux pas pour tout foutre en l'air.

— Sapristi, Jacques, je suis ta coéquipière!

— Je comprends ta frustration, mais que veux-tu... c'est la décision que nous avions prise ensemble, Gailloux et moi. D'ailleurs, si je t'en parle aujourd'hui, c'est que je serai absent quelques jours et, puisque je compte demander au commandant Dupont de t'assigner la responsabilité de l'enquête au cours de cette période, je crois qu'il est de mise de t'en informer, pour que tu puisses demeurer vigilante. Ça doit toutefois rester secret, évidemment, je n'ai pas à t'expliquer pourquoi.

— Je ne sais pas pourquoi tu me dis ça, on dirait que tu me prends pour une gamine sans expérience! Vraiment, ta manière d'agir avec moi ces derniers temps me démontre à quel point tu ne me fais pas confiance!

— Annabelle, Annabelle... ne réagit pas comme une enfant, justement, et essaie de comprendre la situation dans laquelle je me trouve. Je suis coincé entre l'arbre et l'écorce; mon éthique professionnelle doit prendre le dessus sur les sentiments que je te porte. Tu sais très bien que je te considère depuis toujours comme ma propre fille.

— Qu'importe, tu ne me fais pas confiance... Voilà ce que je constate.

— Si je ne te faisais pas confiance, crache Fournier en levant le ton, je ne te confierais pas maintenant une information aussi cruciale et confidentielle!

— Tssst! Ce ton paternaliste...

— Annabelle, calvaire, arrête un peu...

529

— Oh! et puis, qu'importe…

— Bon, te voilà qui retrouves un peu de bon sens…

— N'en rajoute pas au moins, je t'en prie.

— Oublions ça, tu veux? Je n'aime pas cette tension entre nous. Sois assurée du respect et de l'affection que je te porte. Je te demande seulement de comprendre la situation dans laquelle je me trouvais, dans le cadre de mes fonctions. Aussi j'aimerais que tu me démontres ta capacité de tourner la page en mettant cette bisbille de côté.

— Ça va, ça va…

— Je t'en remercie, Annabelle. J'apprécie notre collaboration et je ne voudrais pas que notre complicité soit entachée par ce genre de contrariété inhérente à la pratique du métier.

— C'est bon, c'est bon… Arrête de jouer les grands sages.

Fournier réprime un peu d'irritation.

— Bon… Revenons-en à nos moutons : la semaine prochaine, il faudra que tu assures ma relève pour quelques jours.

— Pourquoi dois-tu t'absenter?

— J'ai besoin de vacances.

— Eh ben…

— Une longue fin de semaine de quatre jours me fera du bien, et je ne veux surtout pas qu'on me dérange, précise-t-il, un sourire irrépressible illuminant son visage.

Annabelle croit percevoir une étincelle dans le regard de son collègue.

— Besoin de *vacances?* Voyons, Jacques, avec ce sourire-là accroché dans la face, tu n'as pas l'air d'un homme au bord du *burnout,* laisse-moi te dire…

— Ben quoi?

— Tu n'es vraiment pas très habile pour dissimuler tes émotions.

Fournier rougit un peu, puis passe aux aveux :

— Bon… ben… En fait, j'ai invité Jennifer pour un week-end de trois jours à Bromont.

— Nooooon… la journaliste du réseau HTN?

— Oui, la journaliste…

— Et elle a accepté? C'est trop drôle! se moque-t-elle en se tapant sur les cuisses.

— Je ne vois pas ce qu'il y a de drôle… proteste Fournier, légèrement froissé.

— Tout de même, Jacques… Cette invitation a de quoi étonner venant de ta part!

— Tu crois que je suis trop vieux pour me permettre de courtiser encore les femmes?

— Mais non, mais non! C'est juste que tu es réputé éprouver une certaine aversion envers les journalistes...

— Bah oui, mais bon... Cette femme me semble particulière, différente, si je puis dire.

— En tout cas, tu es libre de mener ta vie sentimentale comme bon te semble, mais assure-toi au moins qu'elle n'ait pas accepté dans le but de te soutirer des informations...

— Annabelle, franchement! C'est moi qui vais commencer à me demander ce qu'il advient de ta confiance envers moi.

— Ah! ben, tu vois...

— Ne commençons pas ce jeu-là, je t'en prie.

— Allez... Profite de ton congé et ne t'inquiète surtout pas : j'aurai la situation bien en main.

CHAPITRE 41
Crève

On dit souvent que le temps arrange les choses. Reste que les deux derniers mois ne suffisent pas encore à apaiser le sentiment de culpabilité qui me ronge depuis le décès de Jorge et le suicide héroïque de ma chère Émilie.

Chaque jour, je ressasse la même question : pourquoi ai-je eu recours à ce maudit chalet – un vestige de mon passé – pour héberger Émilie? Comment ai-je pu ne pas réaliser le risque que cela pouvait représenter? J'étais tellement convaincue que personne ne soupçonnerait mes complices de se terrer là-bas. Il me semblait impossible qu'on fasse quelque lien que ce soit entre moi et mon ancien client, le propriétaire des lieux; notre relation avait toujours été ultra secrète. Les seules fuites que j'envisageais provenaient des quelques rares témoins des soirées SM tenues dans ce chalet à l'époque, mais lequel d'entre eux aurait bien pu passer aux aveux, et pourquoi donc l'aurait-il fait? Cette trahison risque de signer mon arrêt de mort; je commence à le redouter de plus en plus, mais j'ai bien trop d'orgueil pour me résigner à cette fatalité. Je trouverai un moyen de garder la tête haute et de me hisser au-delà de toute délation possible. S'il le faut, je me révélerai moi-même au grand jour; je trouverai bien un moyen d'adresser un fabuleux pied de nez à la populace et aux autorités et d'en ressortir triomphante. Je suis souveraine et je le resterai, quoi qu'il en coûte. Je serai à la hauteur de ma légende.

En ce moment, cependant, j'ai le vague à l'âme, je suis en période de deuil, j'ai l'impression de perdre mes moyens quand je songe à ces morts qui auraient pu être évitées si seulement j'avais été plus alerte. C'est une sacrée leçon qui m'est administrée, je ne l'oublierai pas de sitôt. Et dire qu'avec orgueil, je me croyais une grande stratège; c'est aujourd'hui que je réalise à quel point j'étais trop au-dessus de mes affaires, ce qui n'est pas pour me rassurer concernant la suite des choses. Y a-t-il d'autres failles, comme celle-là, dans ma planification? Il faut que je réajuste le tir dès maintenant, car si mes acolytes sont aujourd'hui décédés, c'est à cause de mon imprudence, un travers que je croyais ne pas pouvoir être le mien.

Heureusement, depuis ce tragique événement, l'enquête visant à me capturer n'a toujours pas beaucoup progressé. Néanmoins, j'ai appris que dans les jours suivant la fusillade, une équipe d'enquête extérieure avait été spécialement mandatée pour interroger monsieur Barnabé, le propriétaire du chalet qui organisait à l'époque les soirées sadomasochistes pour lesquelles j'étais embauchée. Les enquêteurs avaient exigé qu'il leur fournisse des éclaircissements à propos des gens qui utilisaient son chalet. Il s'en est très bien tiré lors de son interrogatoire, car – pour le moment du moins – on ne le tient responsable de rien. Je n'en sais pas plus à ce jour, car, depuis, il a rompu toute communication avec moi. Je peux comprendre qu'il évite tout risque d'être associé à la Justicière, alors je n'en fais pas une affaire personnelle, même si cela me prive de certaines informations qui me seraient pourtant essentielles.

534

Puisque je me retrouve maintenant seule avec Boris, qui est aussi bouleversé que moi par les récents événements, les préparatifs visant à éliminer Peters accusent du retard. Pour l'instant, il faut dire que je me garde d'alimenter les tabloïds; je laisse retomber la poussière. D'autres faits divers ont monopolisé l'attention des médias ces dernières semaines, faisant en sorte que le dossier de la Justicière n'est plus le sujet de l'heure. C'est une très bonne chose; cela permet de me faire oublier un peu. Les membres de l'équipe d'enquête en sont même venus à se demander si Émilie n'était pas, après tout, la Justicière, puisque depuis son décès, aucun autre homicide semblable aux précédents n'a été commis.

J'ai tellement de colère en moi, tellement de frustration à exorciser. Peters est devenu mon bouc émissaire; c'est sur lui que je déverse ma rage. Maltraité à souhait, peu nourri et insuffisamment hydraté, il aurait dû mourir bien avant l'arrivée de l'été. Si je ne lui ai pas encore porté le coup fatal, c'est peut-être qu'en ces temps douloureux, il est devenu mon jouet favori, dont je peux user à ma discrétion. Je lui ai même fait passer trois nuits à l'intérieur de la vierge de fer. Je chéris mes petites visites au sous-sol, où je me permets de le brutaliser sur une base quotidienne.

Boris habite maintenant sous mon toit en permanence. En cette matinée ensoleillée de juin, il m'attend au bas de l'escalier, comme à tous les jours, un jus d'orange à la main. Je le salue d'un geste de la tête puis je descends les marches, un sourire satisfait accroché aux lèvres. Il représente maintenant mon seul véritable réconfort, la seule personne sur qui je peux vraiment compter depuis que mes amis ont disparu.

— Aujourd'hui, Boris, nous tournons la page sur les malheureux épisodes qui nous ont affligés dernièrement, dis-je en saisissant le verre qu'il m'offre. Le temps est venu de passer à l'étape finale de notre parcours en sol québécois.

Je lui remets un bout de papier :

— Voici une liste de tout ce dont j'aurai besoin pour liquider Peters. À toi de rassembler ce matériel.

Boris consulte la note.

— Une baignoire?

— Tout à fait. Voilà une éternité que je réfléchis à cette opération, que je songe à une façon appropriée de lui enlever la vie. Rappelle-toi : cette sale vipère a anéanti les économies de milliers de petits investisseurs. Ainsi, je compte effectuer ce meurtre grâce à la participation de plusieurs individus. Quelle meilleure vengeance que d'impliquer une panoplie de gens! À leur insu, évidemment.

Mon serviteur secoue la tête en signe d'incompréhension.

— Je t'expliquerai tout ça au fur et à mesure, Boris. Pour l'instant, nous devons planifier la tenue d'une grande fête, avec beaucoup d'invités. Une formidable occasion nous est offerte de tenir l'événement ici même dans trois semaines, le 27 juin, alors que ce sera l'anniversaire d'un bon ami à moi. Je compte me servir de ce prétexte pour rassembler le groupe de gens nécessaires à l'exécution de mon plan. Cette fête nous permettra de tirer profit de cette maison et de son magnifique terrain pour une dernière fois, ma location se terminant à la fin du mois. Il s'agira de notre chant du cygne.

✥

536

À moins d'une semaine de la réception, l'organisation va bon train. J'ai pratiquement terminé mes valises et je ressens de la fébrilité à l'idée de tirer ma révérence ainsi, avec audace et en toute dignité. Dans le but d'égayer les festivités et de diminuer la besogne qu'implique la planification d'une telle activité, j'ai fait appel à un traiteur de même qu'à un musicien et à un animateur. J'ai également sollicité les talents de Boris en matière de plomberie afin qu'il effectue quelques raccordements de tubulure, le tout sous l'œil mystifié de Peters, qui croupit encore dans sa cellule.

En guise de préambule à mon acte ultime, je me délecte de longs soliloques morbides destinés à effrayer Peters. Il écoute et ne peut réagir, car la plupart du temps, je prends soin de le bâillonner d'abord et de lui ligoter les mains pour l'empêcher de se boucher les oreilles. Ce soir encore, campée devant sa cellule, je savoure sa détresse et lui dévoile l'essentiel de ma préméditation, lui expliquant avec moult détails la méthode par laquelle il périra. J'ai mis en place les mesures nécessaires pour éviter un suicide de sa part. Sa cellule est totalement dépouillée, il n'y a que lui-même au centre de celle-ci, sans même une camisole sur le dos avec laquelle il pourrait tenter de se pendre.

— Je te réserve une mort unique en son genre, Peters. Un châtiment interminable et pénible, dont je me souviendrai toujours.

Le visage de mon prisonnier s'imprègne de terreur.

— *Please, please...* Je veux vivre, je vous supplie de m'épargner, plaide-t-il à genou devant moi en éclatant en sanglots. *Let me know how I can apologize...*

Sans même le savoir, il me fait vivre un fantasme de longue date, où je suis toute-puissante devant un homme désespéré qui, sachant que je m'apprête à lui enlever la vie, se jette à mes pieds, demande grâce et implore ma pitié.

— Peters... tu as brisé des rêves, détruit des vies. Crois-tu vraiment que je vais te ménager? À mon tour de briser ton rêve de liberté et de détruire ta vie.

❦

Dans ma chambre à coucher, quelques minutes avant l'arrivée des invités, Boris me propose de consulter l'écran vidéo qu'il vient d'installer dans la garde-robe. Sur le moniteur s'affichent les images que diffusent les caméras fixées au sous-sol. On y observe, sous plusieurs angles, la baignoire sur pieds qui repose au centre de la pièce. Au-dessus du bain, en surplomb, se trouve un gros tuyau de PVC dont l'extrémité est ouverte. L'excellente résolution de l'écran permet même d'observer les quatre anneaux de fer fixés au fond de la cuve.

J'appuie une main sur l'épaule de mon serviteur.

— Allons-y, Boris. C'est l'heure!

Nous descendons au sous-sol, où je déverrouille la porte de la cellule dans laquelle tremblote Peters. Boris s'empare aussitôt de lui et, au moyen de quelques bons coups de poing dans les flancs, il le neutralise, le bâillonne, puis le contraint à s'étendre sur le dos, au fond de la baignoire. À l'aide d'une corde, il lui fixe poignets et chevilles à chacun des anneaux de fer.

Je m'avance d'un pas victorieux, le cœur gonflé d'allégresse.

— Ton heure approche, Peters. Je t'offre cette cuve en guise de tombeau! Dans l'heure qui vient, mes invités commenceront à utiliser les toilettes. Je me réjouis du fait que leurs déjections causeront ta mort!

Les yeux exorbités, Peters attache son regard au gros boyau, dont l'extrémité béante domine son visage.

— Pendant que va durer ton supplice, alors que se remplira de merde et de pisse cette baignoire, personne ne se doutera de sa petite contribution personnelle à ton humiliation. Tout un chacun aura participé à son insu à ta mortelle suffocation.

Au vestibule du premier étage, le carillon retentit.

— Ah oui... j'ai un autre petit détail à te préciser : les images de cette torture se retrouveront sans doute sur le Web d'ici quelques jours! J'anticipe déjà les millions de visionnements que ça générera… Ce sera sans aucun doute viral! Tu seras humilié, même après ta mort.

Je demande à Boris de demeurer sur place afin de surveiller l'évolution des choses, puis je tourne les talons avant d'emprunter l'escalier menant au rez-de-chaussée.

En quelques heures à peine, près d'une centaine d'invités sont dispersés ici et là dans la cour arrière. Un verre à la main, plusieurs d'entre eux discutent du retour du beau temps après un printemps pluvieux. D'autres participent à un tournoi amical de fer à cheval sur le côté de la maison. Aux abords de la piscine sont assises plusieurs personnes – les pieds dans l'eau – qui regardent le concours de plongeon qu'organise l'animateur. Bientôt, une odeur de viande rôtie flotte dans l'air; le méchoui est prêt. Les gens remplissent alors leurs assiettes, prenant place aux tables rondes installées sur la pelouse.

Tout au long du repas, je butine parmi mes invités, les saluant à tour de rôle. Sachant que Boris se trouve à l'étage, les yeux rivés sur l'écran de retransmission, j'ai une envie folle d'aller le rejoindre afin d'observer l'angoisse et l'humiliation qu'éprouve Peters à l'instant même.

Alors que disparaissent les derniers rayons de soleil, je remarque une utilisation accrue de la salle de bains à l'intérieur de la maison. Le moment est propice, car Peters commence à subir les contrecoups du repas. Impatiente de mesurer l'évolution de mes plans, je me retire discrètement et retrouve Boris.

— Et puis? dis-je à voix basse en entrant dans la chambre.

— *Have a look for yourself, my lovely mistress. You are the queen!* Il n'en a plus pour longtemps.

Peters se bat pour sa vie, tentant désespérément de garder la tête hors de l'eau poisseuse. La bouche déjà recouverte par le bouillon infecte des excréments dilués dans l'urine, il parvient tout juste à respirer par le nez. À intervalles réguliers, il doit retenir son souffle et submerger brièvement sa tête afin de reposer son cou.

Je savoure la scène, refoulant ma tentation de tout dévoiler à ceux qui, sans le savoir, vont bientôt lui donner le coup de grâce. Après quelques minutes, des bulles d'air s'agitent à la surface de l'eau. Je pointe le moniteur et m'exclame :

— Si tu ne veux rien manquer, regarde ça, Boris. Il est en train de s'asphyxier à l'instant!

En peu de temps, Peters s'éteint et le liquide visqueux qui emplit la baignoire s'immobilise. Sans plus attendre, Boris débranche l'enregistreur et le plonge sous son bras. Pour une dernière fois, je balaye la pièce d'un regard nostalgique. Dans quelques heures, ma vie quotidienne, ma carrière et mes amis ne seront plus que souvenirs.

— Il est temps de partir, m'indique Boris. Nos minutes sont comptées.

À peine une heure plus tard, aux abords de la frontière américaine, à Lacolle, Boris immobilise la voiture dans le stationnement d'une aire de repos et retire de sa poche de chemise un téléphone cellulaire. Assise à ses côtés, sur la banquette avant, je lui dicte un numéro à composer.

෴

À une centaine de kilomètres de là, le cellulaire de l'inspecteur Fournier vibre sur sa hanche. D'un coup d'œil rapide, il consulte l'afficheur, mais ne reconnaît pas le numéro.

— Excusez-moi, fait-il en s'éloignant légèrement du petit groupe avec lequel il s'entretient.

À l'autre bout, une voix masculine anonyme lui divulgue une information extrêmement perturbante.

— BEN VOYONS DONC, CALVAIRE! s'exclame Fournier d'une voix tonitruante.

Partout dans la cour arrière, les conversations cessent. Les regards, comme un enchaînement de dominos, se dirigent les uns après les autres en direction de Fournier.

— Qui parle? s'écrie l'inspecteur, désemparé. C'est une mauvaise blague ou quoi?

L'inconnu raccroche sans rien ajouter.

Fournier reste figé, le regard vide. Quelques murmures se font entendre. Par petits mouvements saccadés qui lui confèrent une allure de robot, il tourne la tête en direction des invités, le regard hagard.

— Mon Dieu, Jacques! Qu'est-ce qui se passe? souffle une femme alarmée par son allure soudaine.

D'abord chancelant, Fournier reprend peu à peu ses esprits puis se précipite à grandes enjambées vers l'intérieur de la maison. Gailloux et Legendre le suivent, sans avoir pour autant une idée de ce qui se passe.

En franchissant le pas de la résidence, l'inspecteur repère une porte qui semble mener au sous-sol. Réalisant qu'elle est verrouillée, il la défonce d'un violent coup de pied et dévale les marches, tout en sentant ses jambes ramollir au fur et à mesure qu'il avance.

L'odeur est infecte et lui cause une violente nausée.

Au pied de l'escalier, l'inimaginable se dévoile sous ses yeux. Son visage se fige dans un rictus d'incompréhension et de désarroi. À quelques mètres de lui, un homme gît dans une baignoire pleine d'une matière visqueuse et nauséabonde.

Fournier se met à trembler comme une feuille, vacillant de gauche à droite en perte d'équilibre. Alors qu'il tente de s'exprimer, l'émotion lui noue la gorge. Gailloux s'approche afin de lui porter secours.

— Ça v... ça va all... ça va aller... finit par bredouiller Fournier avant d'éclater en sanglots.

Ses compagnons restent immobiles devant la scène effroyable qu'ils découvrent.

— De grâce... s'écrie Fournier en tombant sur les genoux, réveillez-moi! Dites-moi qu'il s'agit d'un cauchemar... que nous ne sommes pas chez Annabelle!

CHAPITRE 42
Choc nerveux

Très rapidement après l'effroyable découverte, la direction de la Sûreté du Québec lance des avis de recherche d'urgence et appelle tous les corps policiers de la province en renfort. Elle demande également la collaboration des douanes terrestres et des autorités aéroportuaires. Elle contacte aussi les troopers américains. En quelques heures à peine, la nouvelle se propage comme une traînée de poudre dans l'ensemble des réseaux sociaux.

En raison de l'état de choc dans lequel se trouve Fournier, le capitaine Gailloux assure la coordination des activités policières. Atterré, l'inspecteur a quitté la scène du crime escorté par Legendre, qui l'a ramené chez lui, à l'abri du bombardement de questions des journalistes auxquelles il est préférable de le soustraire. Par crainte de le laisser à lui-même dans un état de si grand bouleversement, Legendre ne le quitte pas des yeux afin de s'assurer qu'il ne fasse pas de bêtise; les derniers événements remettent en cause non seulement les liens affectifs de Fournier envers Annabelle, mais aussi sa compétence et son professionnalisme, voire même son impartialité. On redoute déjà que les journalistes créent un scandale bien plus grand encore que l'infiltration de la Justicière au sein du milieu policier; il pourrait bien s'en trouver pour accuser Fournier d'avoir voulu protéger celle qu'il considérait comme sa propre fille et aller même jusqu'à alléguer que si l'enquête n'aboutissait à rien, c'était peut-être en raison de sa protection.

Le commandant Dupont n'a pas tardé à solliciter l'intervention d'une psychologue afin de sonder la fragilité actuelle de l'inspecteur et pour lui offrir tout le soutien nécessaire pour encaisser le choc.

Assis sur une chaise droite, dans l'attente de la spécialiste qui doit se pointer au domicile de Fournier dans la prochaine demi-heure, Legendre est lui aussi complètement abasourdi. À ses côtés, l'inspecteur est calé dans son fauteuil, le regard froid. Il ne dit pas un mot et semble avoir pris dix ans.

CHAPITRE 43
Fuite

Alors que Boris et moi venons de nous réveiller dans un petit motel de l'État de New York, au lendemain de notre fuite, nous nous apprêtons à reprendre la route vers le sud. Je me suis teint les cheveux la veille et me voilà avec une chevelure noire comme du charbon, coupée à hauteur du menton, un petit look à la *Pulp Fiction* qui me durcit un peu les traits, moi qui suis habituée à une longue chevelure blond doré. Des verres de contact me font maintenant des yeux pairs et une orthèse buccale modifie la forme de ma mâchoire.

Je ferme ma valise et glisse mes fausses pièces d'identité dans la pochette de mon sac à main. Nous avons devant nous trois heures de route avant d'atteindre la Grosse Pomme, là où un bateau de croisière à destination de l'Angleterre nous attend.

Je doute beaucoup que les forces policières aient l'idée de nous rechercher sur un paquebot. Dans huit jours à peine, nous serons sur le continent européen et nous pourrons alors nous féliciter de leur avoir échappé. Je vais donc profiter de cette traversée transatlantique pour siroter quelques cocktails au bord de la piscine et me reposer avant d'entreprendre mon prochain défi qui, à n'en pas douter, me conduira vers de nouveaux sommets.

REMERCIEMENTS

À Josée Provencher, la femme de ma vie, ma muse, ma lectrice, ma conseillère, celle qui me soutient dans tous mes projets, qui m'encourage sans cesse, et qui s'oublie parfois pour me permettre de réaliser mes rêves.

À René Cormier, mon grand ami, qui sans jamais compter m'a offert de son temps afin de lire et commenter chacun de mes chapitres, tout au long du processus d'écriture.

À Michel Vadeboncoeur, Sergent-détective, qui en m'informant des méthodes de travail des policiers, en plus de me raconter quelques anecdotes, faut-il le préciser, m'a inspiré et permis de mieux enrober mon histoire.

À Geneviève Paradis Lord, pour la conception du superbe logo de *La Justicière*, de la couverture du roman, ainsi que pour le travail de graphisme nécessaire à la production de tous nos produits dérivés.

À Alain Gailloux, un ami dont la motivation et l'enthousiasme à l'égard de ce projet auront mené à la création d'une collection de vêtements *La Justicière* ainsi qu'à toute une gamme d'articles promotionnels.

À Steeve Morand, qui a accepté d'être le distributeur officiel de notre collection de vêtements, et qui nous a généreusement offert une grande visibilité dans son commerce; Morand Tailleur, à Saint-Jérôme.

À Nadia Gosselin, alias Le pigeon décoiffé, ma coach d'écriture, qui m'a accompagné tout au long de la dernière année dans la rédaction de chacun des chapitres, et sans qui le roman *La Justicière* ne serait pas ce qu'il est.

À Fleur Neesham, Sara-Emmanuelle Duchesne et Hélène Belzile, pour leur efficace travail de révision linguistique et de correction d'épreuves.

À Joanie St-Hilaire et Amélie Bouchard, mes deux représentantes auprès des libraires qui, grâce à leur travail sur la route, assurent avec succès la promotion du roman.

À Sylvain Vallières et à toute son équipe des Éditions de l'Apothéose (Marie-Claude, Jessica, Vanessa), pour leur excellent travail qui aura permis à *La Justicière* de se retrouver dans les librairies du Québec.

Finalement, à vous toutes et tous, chères lectrices et chers lecteurs, je dis merci de prendre le temps de découvrir *La Justicière*.

À la prochaine...